Bibliothèque de la Faculté de Philosophie et Lettres
de l'Université de Liège   Fascicule CXCIV

Nicole PEREMANS

LICENCIÉE EN HISTOIRE
ASPIRANT DU F.N.R.S.

ÉRASME ET BUCER

D'APRÈS LEUR CORRESPONDANCE

1970

Société d'Éditions « Les Belles Lettres »
95, boulevard Raspail, Paris (VIᵉ)

92
Er1pe

D/1970/0480/17

INTRODUCTION

La position religieuse de ce « Protée aux cent visages » [1] que fut Érasme de Rotterdam est, sans conteste, délicate à saisir et fait qu'on donne de l'homme et de son œuvre les interprétations les plus diverses. Certains sont allés jusqu'à pressentir en lui le précurseur du rationalisme voltairien et de la libre-pensée [2]. D'autres ont vu dans sa doctrine la base même du mouvement anabaptiste [3]. Son œuvre, parfois ambiguë dans son expression audacieuse ou prudente, laisse la voie libre à telle ou telle hypothèse selon qu'on envisage l'un ou l'autre passage, ce qui permet à Lucien Fèbvre de parler de l' « énigme d'Érasme » [4].

Le cinq centième anniversaire de la naissance du grand humaniste [5], occasion de rencontres et de publications nombreuses, a permis de précieuses mises au point. Érasme a toujours voulu rester fidèle à l'Église catholique, telle est l'opinion presque unanimement admise aujourd'hui, mais il a craint « la définition trop précise parce qu'elle constitue dans son esprit un élément de discorde

---

[1] Lucien Fèbvre, dans la préface à la quatrième édition de J. Huizinga, *Érasme*, p. 7, Paris, 1955.

[2] E. Amiel, *Un libre-penseur du XVIᵉ siècle, Érasme*, p. xii, Paris, 1889.

[3] Cfr H. Fast, *The dependence of the first Anabaptists on Luther, Erasmus and Zwingli*, dans *Mennonite Quarterly Review*, t. 30, pp. 104-119, 1956, et T. Hall, *Possibilities of Erasmian influence on Denck and Hubmaier in their views on the freedom of the will*, dans *Mennonite Quarterly Review*, t. 25, pp. 149-170, 1961. Cette opinion est contestée par E.W. Kohls, *Erasmus und die werdende evangelische Bewegung des 16. Jahrhunderts*, dans *Scrinium Erasmianum*, t. I, p. 215, Leyde, 1969.

[4] Lucien Fèbvre, dans la préface à la quatrième édition de J. Huizinga, *op. cit.*, p. 9.

[5] La date de naissance d'Érasme a été contestée. E.W. Kohls, *Das Geburtsjahr des Erasmus*, dans *Theologische Zeitschrift*, t. 22, pp. 96-121, Bâle, 1966, fixe la date de naissance de l'humaniste en 1466 alors que R.R. Post, *Quelques précisions sur l'année de la naissance d'Érasme (1469) et sur son éducation*, dans *Bibliothèque d'Humanisme et de Renaissance*, travaux et documents, t. XXVI, pp. 489-509, Genève, 1964, fixe cette date en 1469. Cfr du même, *Nochmals Erasmus' Geburtsjahr*, dans *Theologische Zeitschrift*, t. 22, pp. 319-333, Bâle, 1966.

inutile » [6]. Pourtant, à son époque, bien peu l'ont vu tel. Dès avant
la révolte de Luther et plus encore après, les théologiens de Paris
et de Louvain crient à l'hérésie. Comme pour leur donner raison,
les sacramentaires affirment que l'humaniste partage leur opinion
sur l'eucharistie, mais qu'il n'ose pas l'avouer publiquement par
crainte de représailles. Érasme se défend vigoureusement, affirme
avec force son orthodoxie, sans pouvoir convaincre aucune des
deux parties.

L'analyse de son attitude, — pas toujours bien claire, — vis-
à-vis de la Réforme a déjà tenté beaucoup d'auteurs. C'est ainsi
que Augustijn, dans *Erasmus en de Reformatie*, recherche quelle
fut au cours des années la position d'Érasme à l'égard de la
Réforme, en insistant surtout sur les rapports d'Érasme et de Luther.
Karl Heinz Oelrich, dans *Der späte Erasmus*, envisage le grand
homme aux prises à la fin de sa vie avec une situation qu'il ne
comprend plus et qu'il ne peut admettre. Cependant, l'analyse de
l'attitude d'Érasme non plus vis-à-vis du mouvement réformateur
en général mais bien face à ses chefs a été un peu négligée par les
historiens. André Meyer, H. Humbertclaude, Boisset ont étudié
les rapports d'Érasme et de Luther, Staehelin ceux d'Érasme et
d'Oecolampade, Koehler et Locher ont montré l'influence déterminante de l'humaniste sur Zwingli, mais il n'existe pas encore
d'étude satisfaisante qui traiterait des relations entre Érasme et
des réformateurs tels que Mélanchthon, Bucer [7] ou Capiton. De
telles monographies fourniraient cependant des éléments importants
pour une meilleure compréhension de l'attitude érasmienne et per-
mettraient de préciser l'image de l'un ou l'autre de ses antagonistes.
C'est une contribution de ce genre que nous avons tenté d'apporter
dans ce travail.

Ce sujet a fait l'objet d'un mémoire que nous avons défendu
devant la Faculté, en 1968, pour l'obtention du grade de licencié.
Un exemplaire de ce mémoire repose d'ailleurs, depuis lors, à la

---

[6] L. BACKELANTS, *Les rapports de l'Humanisme et de la Réforme*, dans
Revue de l'Université de Bruxelles, nouvelle série, n° 3, p. 271, mars-mai 1966.
Érasme s'élève également contre l'excès de définitions dogmatiques pour des
raisons de critique historique.

[7] Cet ouvrage était sous presse lorsque parut le livre de F. KRÜGER, *Bucer
und Erasmus*, Wiesbaden, 1970, trop tard malheureusement pour que nous puis-
sions en tenir compte dans ce travail. Il nous semble d'ailleurs que et le point
de vue et le propos de l'auteur sont bien différents des nôtres. M. Krüger
s'intéresse essentiellement à l'influence d'Érasme sur la théologie de Martin Bucer.

Bibliothèque Nationale et Universitaire de Strasbourg. Un mandat d'aspirant au Fonds National de la Recherche Scientifique nous a permis de remanier et d'approfondir le travail primitif.

Pourquoi avons-nous choisi Bucer ? Tout d'abord, Bucer est un réformateur « inconnu et méconnu » [8] et il a toujours vécu « à l'ombre des plus grands » [9]. Ensuite, il se fixe dans une ville, Strasbourg, où la Réforme prend un caractère tout particulier qui se traduit par le passage presque insensible des anciennes institutions aux nouvelles [10]. « Refuge de proscrits, atelier d'idées, Strasbourg sera l'éducatrice hardie de la Réforme » [11] et le centre intellectuel le plus vivant du protestantisme [12]. Enfin, Bucer présente avec Érasme de grandes affinités de pensée et de caractère. Bucer est érasmien de formation. Il professe dès son jeune âge une admiration très vive pour Érasme et cette admiration l'amènera plus tard, lorsqu'il aura rejoint la Réforme, à opter pour Zwingli, lui-même ancien disciple du maître. Par ailleurs, de même qu'Érasme, homme de paix et conciliateur, il consacre sa vie à rechercher l'unité religieuse. Cette mission œcuménique aussi grande qu'ingrate lui vaut, tout comme à Érasme, « d'innombrables injures, reproches et calomnies » [13]. La personnalité des deux hommes est semblable, ils étaient prédestinés, par leur caractère, à s'entendre. Seule les sépare une conception différente de la vérité religieuse, mais les incompatibilités doctrinales qu'elle entraîne vont provoquer un conflit si profond que les deux théologiens iront jusqu'à s'attaquer sur le plan même des personnes. Notre but n'est pas ici de déterminer à quel degré Érasme a influencé Bucer, ni dans quel domaine

[8] J. ERBES, *Martin Bucer, réformateur inconnu et méconnu*, Grasse, 1966, et F. WENDEL, *Le mariage à Strasbourg à l'époque de la Réforme (1520-1692)*, p. 4, Strasbourg, 1928.

[9] J. FICKER, *Martin Bucer, ein Vortrag, Bilder zu seinem Leben und Werken und aus dem Kreise seiner Zeitgenossen*, p. 6, Strasbourg, 1917 : « Bucer jusqu'ici nous était toujours apparu à l'ombre des plus grands. De même qu'en regardant les hauteurs, on croit voir les montagnes unies en une seule chaîne, ainsi Bucer nous avait toujours paru absorbé par les autres. Maintenant, grâce au recul historique, il se détache d'eux et, plus nous l'approchons, plus grand il se dresse devant nous. »

[10] F. WENDEL, *Le mariage à Strasbourg à l'époque de la Réforme*, p. 4.

[11] P. IMBART DE LA TOUR, *Les origines de la Réforme*, t. 3, *L'Évangélisme (1521-1538)*, p. 442, Paris, 1914.

[12] G. DE LAGARDE, *Recherches sur l'esprit politique de la Réforme*, p. 114, Paris, 1926.

[13] Lettre de Blaurer à Bullinger du 12 décembre 1543, citée par G. ANRICH, *Martin Bucer*, p. 77, Strasbourg, 1914.

cette influence est déterminante, — ce travail a déjà été partiellement entrepris par Koch et par Kohls [14], — mais bien plutôt d'analyser les relations qu'entretiennent les deux hommes, les occasions, les raisons et les manifestations de leur désaccord.

Dans ce but, nous avons fouillé la correspondance de Bucer et celle d'Érasme. La correspondance d'Érasme bien publiée par Allen, contient dans ses onze volumes pour ainsi dire toutes les lettres de l'humaniste. Il est presque impossible, à l'heure actuelle, de produire une lettre qui ne soit pas insérée dans l'édition [15]. Enrichie d'une copieuse annotation, elle n'a qu'une faiblesse : celle de son index. Bien qu'il constitue un instrument de travail appréciable, il contient cependant des imprécisions, des erreurs et des omissions qui obligent l'historien, s'il veut être complet, à une lecture systématique. Ce travail indispensable est néanmoins facilité par les notes qui permettent de suivre à travers les onze tomes la trace de tout personnage un peu important.

Il n'existe pas encore d'édition complète de la correspondance de Bucer. Ceux qui se sont attachés à ce travail ont, le plus souvent, reculé devant la difficulté du déchiffrement. « Plus d'un correspondant de Bucer a été tenté de lui renvoyer ses lettres avec la mention « illisible » et cette circonstance explique sans doute qu'on se soit le plus souvent contenté de copies de seconde main plus ou moins exactes qu'on copiait et qu'on recopiait sans recourir à l'original [16]. » Le Révérend Père J.V. Pollet s'est attelé à cette tâche et a publié deux volumes d'études sur la correspondance de Martin Bucer. M. Jean Rott prépare actuellement l'édition complète de la correspondance. Il a fouillé les bibliothèques et les fonds d'archives de l'Europe entière à la recherche des lettres du réformateur strasbourgeois. Il nous a très aimablement laissé consulter la documen-

---

[14] Voir K. KOCH, *Studium Pietatis Martin Bucer als Ethiker*, dans *Beiträge zur Geschichte und Lehre des Reformierten Kirche*, t. 14, Neukirchen, 1962, E.W. KOHLS, *Die Schule bei Martin Bucer in ihrem Verhältnis zu Kirche und Obrigkeit*, Heidelberg, 1963, et IDEM, *Die theologische Lebensaufgabe des Erasmus und die oberrheinischen Reformatoren. Zur Durchdringung von Humanismus und Reformation*, dans *Arbeiten zur Theologie*, 1re série, cahier 39, Stuttgart, 1969.

[15] L.-E. HALKIN, *Une lettre d'Érasme perdue et deux fois retrouvée*, dans *Bibliothèque d'Humanisme et de Renaissance*, Travaux et documents, t. XXVI, pp. 415-416, Genève, 1964, et P.O. KRISTELLER, *Two unpublished letters to Erasmus*, dans *Renaissance News*, t. XIV, pp. 6-14, New York, 1961.

[16] J.-V. POLLET, *La correspondance inédite de Martin Bucer*, dans *Archiv für Reformationsgeschichte*, t. 46, p. 216, 1955.

tation qu'il a déjà rassemblée à Strasbourg et qui consiste soit en photocopies d'originaux, soit en transcriptions. Ces documents constituent un dossier impressionnant. Pour réunir une documentation aussi complète que possible, nous avons dépouillé les correspondances d'autres humanistes et réformateurs : de Luther, de Zwingli, d'Œcolampade, de Mélanchthon, de Blaurer, de Beatus Rhenanus et d'Amerbach notamment, qui ont bénéficié d'éditions scientifiques. Enfin, nous avons utilisé, à Strasbourg, le *Thesaurus Baumianus*, recueil composé de vingt-six volumes de lettres des réformateurs alsaciens, transcrites au XIXe siècle par J.W. Baum. Ce travail précieux ne répond cependant pas aux critères scientifiques actuels en ce sens qu'il reproduit les textes sans les variantes et ne justifie pas les dates hypothétiques.

Voilà donc quelle a été notre documentation de base. En l'analysant, nous nous sommes aperçue qu'Érasme et Bucer furent mêlés tous deux, en 1529-1530, à une importante polémique et à l'échange de pamphlets virulents. En 1529, en effet, Gérard Geldenhauer s'était servi de textes d'Érasme pour défendre les dissidents. Érasme, pour se disculper, s'était vu dans l'obligation d'écrire contre Geldenhauer et en avait profité pour s'attaquer à tous les réformateurs. Ce libelle avait provoqué une réaction violente à Strasbourg et Bucer avait pris la défense de ses amis dans un long pamphlet auquel Érasme répondit en 1530. Les « lettres » qu'Érasme envoya à cette occasion ne sont pas publiées par Allen et à juste titre. En fait, ces lettres ouvertes sont plutôt des écrits de circonstance, du reste fort longs. Elles sont publiées dans l'édition de Leyde des œuvres complètes d'Érasme au tome dix. Il ne s'agit pas d'une édition scientifique. Le texte de l'*Epistola contra Pseudevangelicos* et celui de la *Responsio ad Fratres Germaniae inferioris* sont reproduits sans variantes, sans notes. Le style de ces pamphlets est inégal. Les phrases sont tantôt saccadées, décousues et peu travaillées, tantôt, elles expriment une pensée profonde ; les formules sont alors incisives et frappent juste. C'est l'œuvre d'un auteur brillant qui, pressé par le temps, sacrifie la composition.

Le pamphlet des Strasbourgeois, *Epistola apologetica*, n'existe plus aujourd'hui qu'en deux exemplaires, l'un à la bibliothèque centrale de Zurich, l'autre à la bibliothèque de Wolfenbüttel [17].

---

[17] R. STUPPERICH, E. STEINBORN et J.-V. POLLET, *Bibliographia buceriana*, p. 50, dans *Schriften des Vereins für Reformationsgeschichte*, n° 169, Gütersloh,

Nous avons travaillé sur une photographie de l'exemplaire de Zurich dont le Séminaire d'histoire moderne de l'Université de Liège a fait l'acquisition. Cet exemplaire est un petit in-8°, format maniable utilisé très fréquemment pour les pamphlets. Il compte cent vingt feuillets d'un texte très serré comportant de nombreuses abréviations. Il est divisé en paragraphes. En marge de chacun des paragraphes, une phrase courte en résume le contenu. Les références et les réminiscences bibliques sont parfois précisées en notes. Cet ouvrage anonyme, écrit au nom des prédicateurs de Strasbourg, est en fait l'œuvre de Bucer, comme nous le montrerons. Le style en est difficile et la lecture malaisée. Le latin est classique mais la construction des phrases est inhabituelle ; celles-ci sont très longues, souvent d'une demi-page et contiennent un nombre infini de subordonnées dont le verbe est toujours rejeté à la fin. Ces caractéristiques feront dire à Bossuet que Bucer est un homme « un peu pesant dans son style »[18]. Une telle phrase ressemble étonnamment par sa construction à une phrase allemande, ce qui n'est pas surprenant si l'on songe que, jusqu'alors, Bucer avait écrit la plupart de ses ouvrages polémiques dans cette langue. Contrairement à Érasme, Bucer donne l'impression de ne pas avoir assimilé le latin au point de penser en latin[19].

Les historiens n'ont jamais étudié de façon approfondie cette querelle et ses développements. Les auteurs qui l'ont envisagée l'ont, soit considérée à un point de vue restreint, soit effleurée rapidement. Ainsi, Prinsen, dans *Gerardus Geldenhauer Noviomagus, bijdrage tot de kennis van zijn leven en werken*, s'est arrêté aux seuls aspects relatifs à Geldenhauer. Sauf Augustijn, aucun historien n'analyse le pamphlet de Bucer et lui consacre à peine quelques lignes. Augustijn s'y attache plus longuement mais, préoccupé avant tout par les rapports d'Érasme avec la Réforme, et axant son exposé sur les relations d'Érasme et de Luther, il ne détaille pas le contenu du pamphlet : il en donne seulement les idées générales et ne s'attarde pas aux questions de personnes.

1952. Bien que source imprimée, il a presque valeur de source manuscrite par sa rareté.

[18] BOSSUET, *Histoire des variations des Églises protestantes*, cité par F. WENDEL, *Martin Bucer, esquisse de sa vie et de sa pensée*, p. 5, Strasbourg, s.d. (1952).

[19] L.-E. HALKIN, *Érasme et les langues*, dans *Revue des langues vivantes*, t. 35, pp. 566-579, Bruxelles, 1969.

En 1969, J. Beumer a repris, dans un article paru dans le *Scrinium Erasmianum* [20], l'analyse de cette querelle. Nous sommes heureuse de voir qu'il partage nos conclusions.

Deux livres ont été plus particulièrement pour nous des guides précieux. Il s'agit de C. Augustijn, *Erasmus en de Reformatie* et de K.H. Oelrich, *Der späte Erasmus*. Ils nous ont permis de replacer la querelle strasbourgeoise dans le réseau plus large des relations entre l'humaniste et l'ensemble du mouvement réformateur et nous leur devons le cadre historique général de cette étude.

Dans ce travail, nous avons cru utile de retracer brièvement la biographie de Bucer, en nous appuyant sur les travaux de nos devanciers [21]. Notre but, dans les deux chapitres consacrés à cette biographie, est d'insister sur l'action décisive de Luther dans la prise de conscience du réformateur strasbourgeois et sur l'influence déterminante d'Érasme dans son orientation vers le zwinglianisme. Dans un troisième chapitre, nous avons voulu analyser l'attitude d'Érasme face au mouvement de réforme à Strasbourg et étudier la position adoptée par les Strasbourgeois devant les événements qui touchent Érasme jusqu'en 1529. Dans les trois chapitres suivants, nous observons la genèse, les développements et les suites de la querelle qui allait mettre aux prises l'humaniste de Rotterdam et ses anciens disciples. Dans un dernier chapitre, nous envisageons les rapports ultérieurs des deux polémistes, Érasme et Bucer, jusqu'en 1536.

*
★ ★

---

[20] J. BEUMER, *Erasmus von Rotterdam und sein Verhältnis zu dem Deutschen Humanismus mit besonders Rücksicht auf die konfessionellen Gegensätze*, dans *Scrinium Erasmianum*, t. I, pp. 165-201, Leyde, 1969.

[21] R. STUPPERICH, *Martin Butzer als Theologue und Kirchenmann*, dans *Die Zeichen der Zeit*, p. 253, 1951 : « Aussi longtemps qu'on n'aura pas rassemblé la correspondance de Bucer et édité de nouveau ses œuvres, on ne pourra remplir la mission pressante d'écrire sa biographie de la manière requise. » Depuis lors, Stupperich, avec quelques collaborateurs, a entrepris la publication des œuvres allemandes de Bucer et J.G. Rott rassemble la correspondance de Bucer en vue d'une édition complète tandis que J.V. Pollet a déjà publié une étude sur la correspondance. Parmi les œuvres latines de Bucer, seul est publié jusqu'à maintenant le *De Regno Christi* par les bons soins de F. WENDEL. Voir aussi R. STUPPERICH, *Stand und Aufgabe der Butzer Forschung*, dans *Archiv für Reformationsgeschichte*, t. 42, pp. 244-245, 1951.

Arrivée au terme de ce travail, il me reste l'agréable devoir de remercier tous ceux qui m'ont permis de le mener à bien.

Ma gratitude toute particulière va à M. le Professeur Léon-E. Halkin qui a bien voulu diriger mes recherches. Ses remarques éclairées, ses conseils judicieux, sa critique toujours pertinente m'ont été d'un secours précieux.

Je dois aussi rendre hommage aux autres professeurs d'Histoire de l'Université de Liège, MM. Paul Harsin, Fernand Vercauteren, Robert Demoulin, Jean Lejeune, Jacques Stiennon, Étienne Hélin. Pendant quatre ans, ils m'ont fait profiter, chacun dans leur spécialité, de leur enseignement, m'ont inculqué une méthode de travail et ont façonné mon jugement.

J'éprouve une vive reconnaissance pour M. François Wendel, professeur à la Faculté de théologie protestante de Strasbourg, qui a accepté de fort bonne grâce d'être le commissaire étranger choisi par la Faculté pour examiner ce travail. Il m'a apporté le soutien de sa grande compétence et de sa profonde expérience.

Je remercie également M. P. Peter, professeur à la Faculté de théologie protestante de Strasbourg pour l'accueil qu'il m'a réservé dans cette ville et pour les facilités qu'il m'a accordées dans la consultation de certains documents.

M. Jean Rott, directeur de recherche au C.N.R.S., m'a permis de disposer du dossier qu'il avait créé en vue de l'édition de la correspondance de Martin Bucer. Qu'il trouve ici l'expression de toute ma reconnaissance.

Je me plais à reconnaître l'amabilité et la rapidité avec lesquelles le personnel de la Bibliothèque Nationale et Universitaire de Strasbourg a mis tous les documents nécessaires à ma disposition.

Je tiens à remercier le Fonds National de la Recherche Scientifique qui, en m'accordant un mandat d'aspirant, m'a permis de mener ce travail à son terme.

Je m'en voudrais de ne pas associer à ces remerciements MM. Gérard Moreau et Jean-Pierre Massaut, maîtres de conférences à l'Université de Liège, qui, tout au long de mes recherches, m'ont apporté leurs encouragements et leurs conseils.

Je remercie de leurs fructueuses observations et de leur bienveillante approbation les commissaires que la Faculté a désignés pour examiner ce travail : MM. Halkin, Harsin, Hélin ainsi que M. F. Wendel, professeur à la Faculté de théologie protestante de Strasbourg.

BIBLIOGRAPHIE

A. Sources

1°) *manuscrites.*

Thesaurus Baumianus, t. 1 à 26, *Thesaurus epistolicus reformatorum Alsaticorum,
epistolas quae extant fere omnes complectens, a viris pie grateque venerandis
Wolfango Capitone et Martino Bucero, caeterisque ecclesiae et scholae
Argentoratensis saeculo decimo sexto instauratae coryphaeis ad diversos,
diversorum que symmystarum et clarorum virorum ad eosdem scriptas omnia
nunc primum e tabulario, partim seminarii protestantium Argentoratensis
capituli quondam Thomane, partim Selestadiensium, Basiliensium, Turicen-
sium, Bernatum, Neocomensium, Genevensium, aliarumque civitatum vel
bibliothecis vel tabulariis publicis ex ipsis maxima ex parte autographis
desumpta, in ordinem chronologicum redacta, adnotationibus illustrata opera
et cura Johannis Guil. Baum, S.S. theol. D. et P. P. O. ad. D. Thomam
concion. Evangel.*, 259, 303, 389, 216, 185, 288, 338, 301, 322, 208, 209,
236, 223, 161, 143, 164, 185, 132, 137, 275, 258, 321, 368, 203, 59 et
81 feuillets. (A la Bibliothèque Nationale et Universitaire de Strasbourg.)

2°) *imprimées.*

ALLEN, P.S., *Opus epistolarum Des. Erasmi Roterodami*, 1906-1958, 12 vol. in-8°.
En fait les tomes 9, 10 et 11 ont été confectionnés par H.M. ALLEN et
H.W. GARROD à partir du manuscrit de P.S. ALLEN. Le tome 12, dû à
B. FLOWER et E. ROSENBAUM, est un volume d'index.

BOCKING, E., *Ulrichi Hutteni Opera Omnia*, 5 vol., Leipzig, 1859-1861, *Operum
supplementum*, 2 vol., Leipzig, 1863-1870.

BRETSCHNEIDER, C.G., *Philippi Melanthonis epistolae, praefationes, consilia,
judicia, schedae academicae*, t. 10, Halle, 1834-1842.

Briefwechsel des Beatus Rhenanus, éd. Adalbert HORAWITZ et Karl HARTFELDER,
reproduction photographique de l'édition de Leipzig de 1886, in-8°, Nieuwcoop, 1966.

BUCER, M., *Deutsche Schriften*, t. 3, *Confessio Tetrapolitana und die Schriften
des Jahres 1531*, éd. R. STUPPERICH, Paris, 1969.

DE NOLHAC, P., *Érasme, Éloge de la Folie, suivi de la lettre d'Érasme à Dorpius*,
traduction et annotations, Paris, s.d.

DE VOCHT, H., *Literae virorum eruditorum ad Franciscum Craneveldium (1522-
1528)*, in-8°, Louvain, 1928.

DURR, E., *Aktensammlung zur Geschichte der basler Reformation in den Jahren 1519 bis Anfang 1534*, 6 vol., Bâle, 1921-1950.

Epistola apologetica ad syncerioris Christianismi sectatores per Frisiam orientalem, et alias inferioris Germaniae regiones, in qua Evangelii Christi vere studiosi, non qui se falso Evangelicos jactant, iis defenduntur criminibus, quae in illos Erasmi Roterodami epistola ad Vulturium Neocomum intendit, per ministros Evangelii, ecclesiae Argentoraten. XXII cal. Mai MDXXX, Petrus Schaefer et Johan. Apronianus communibus expensis excudebant.

ERASMUS, D., *Opera omnia*, éd. CLERICUS, 11 vol. in-fol. Leyde, 1703-1706.

FERGUSON, W.K., *Erasmi opuscula. A supplement to the Opera omnis*, in-8°, La Haye, 1933.

FRÉDÉRICQ, P., *Corpus documentorum inquisitionis haereticae pravitatis neerlandicae*, t. 4, Gand, s'Gravenhage, 1900.

FRIEDBERG, E., *Corpus juris canonicis*, 2ᵉ éd., 2 vol., Leipzig, 1955.

FRIEDENSBURG, W., *Korrespondenz Capitos mit dem päpstlichen Nuntius Aleander*, dans *Zeitschrift für Kulturgeschichte*, t. 16, p. 499, 1896.

HALKIN, L.-E., *Les colloques d'Érasme, textes choisis*, 2ᵉ éd., Bruxelles, 1946.

HARTMANN, A., *Die Amerbachkorrespondenz, 1481-1543*, 5 vol. in-8°, Bâle, 1942-1958.

HERMINJARD, A.L., *Correspondance des réformateurs dans les pays de langue française*, 9 vol. in-8°, Genève et Paris, 1866-1897.

KRUEGER, P., *Corpus juris civilis*, t. 2, codex justinianus, Berlin, 1906.

Le livre des martyrs qui est un recueil de plusieurs Martyrs qui ont enduré la mort pour le nom de notre Seigneur Jesus-Christ, depuis Jean Hus jusques à cette année présente, MDLIIII, de l'imprimerie de Jean Crespin, au mois d'août 1554.

LUTHER, M., *Werke Kritische Gesamtausgabe, Briefwechsel*, t. 1 à 7, Weimar, 1930.

POLLANUS, V., *Liturgia sacra (1551-1555)*, éd. et trad. de A.C. HONDERS, Leyde, 1970.

POLLET, J.-V., *Julius Pflug. Correspondance*, t. I, Leyde, 1969.

SCHIESS, F., *Briefwechsel der Brüder Ambrosius und Thomas Blaurer, 1509-1548*, t. 1, Fribourg, 1908.

STAEHELIN, E., *Briefe und Akten zum Leben Oecolampade*, 2 vol., Bâle, 1927-1934.

ZWINGLIS, H., *Sämtliche Werke*, t. 7 à 11, Leipzig, 1911-1935, t. 7 et t. 8 par E. EGLI, G. FINSLER et W. KOEHLER, 1911 et 1914, les t. 9 et 10 par les mêmes et O. FARNER, 1925 et 1929, le t. 11 par les mêmes et F. BLANKE et L. VON MURALT, 1935.

B. Travaux

ADAM, J., *Evangelische Kirchengeschichte der Stadt Strassburg*, Strasbourg, 1922.

ADAM, P., *L'humanisme à Sélestat, l'école, les humanistes, la bibliothèque*, Sélestat, 1962.

AMIEL, E., *Un libre-penseur du XVIᵉ siècle, Érasme*, Paris, 1889.

ANRICH, G., *Martin Bucer*, Strasbourg, 1914.

Aspects de la propagande religieuse, Genève, 1957.

ASSOCIATION GUILLAUME BUDÉ, *L'Humanisme en Alsace*, (Congrès de Strasbourg de 1938), Paris, 1939.

AUGUSTIJN, C., *Erasmus en de Reformatie, een onderzoek naar de houding die Erasmus ten opzichte van de Reformatie heeft aangenomen*, Paris et Amsterdam, 1962.

BACKELANTS, L., *Les rapports de l'Humanisme et de la Réforme*, dans *Revue de l'Université de Bruxelles*, nouvelle série, t. 18, pp. 264-282, Bruxelles, 1966.

BAINTON, R.H., *Erasmus of Christendom*, New York, 1969.

— *Erasmus and the Persecuted*, dans *Scrinium Erasmianum*, t. 2, pp. 197-202, Leyde, 1969.

BATAILLON, M., *Érasme et l'Espagne. Recherches sur l'histoire spirituelle du XVIe siècle*, Paris, 1937.

— *Erasmo y España*, Mexico, 2e éd., 1966.

— *La situation présente du message érasmien*, dans *Colloquium erasmianum*, pp. 3-16, Mons, 1968.

BAUM, J.W., *Capito und Butzer Strasburgs Reformatoren*, Elberfeld, 1860.

BENE, C., *Érasme et Saint Augustin*, Genève, 1969.

BEUMER, J., *Erasmus von Rotterdam und sein Verhältnis zu dem Deutschen Humanismus mit besonders Rücksicht auf die konfessionellen Gegensätze*, dans *Scrinium erasmianum*, t. I, pp. 165-201, Leyde, 1969.

Bibliotheca Belgica, Bibliographie générale des Pays-Bas, 3e éd., t. 2, in-4°, Bruxelles, 1964.

BIERLAIRE, F., *La Familia d'Érasme, Contribution à l'histoire de l'humanisme*, Paris, 1968.

BORNKAMM, H., *Das Jahrhundert der Reformation, Gestalten und Kräfte*, in-8°, Göttingen, 1961.

BOUVIER, A., *Henri Bullinger, le successeur de Zwingli, d'après sa correspondance avec les réformés et les humanistes de la langue française*, Neuchatel, Paris, 1940.

BOUYER, L., *Autour d'Érasme, études sur le Christianisme des humanistes catholiques*, Paris, 1955.

BUCHNER, K., *Die Freundschaft zwischen Hutten und Erasmus*, Munich, 1948.

BURCKHARDT, P., *Geschichte der Stadt Basel von der Zeit der Reformation bis zur Gegenwart*, 2e éd., Bâle, 1957.

CASALIS, G., *Luther et l'Église confessante*, Paris, 1962.

CHANTRAINE, G., *L'Apologia ad Latomum. Deux conceptions de la théologie*, dans *Scrinium Erasmianum*, t. 2, pp. 51-75, Leyde, 1969.

CLERVAL, A., *Strasbourg et la Réforme française*, dans *Revue d'Histoire de l'Église de France*, t. 7, pp. 139-160, Paris, 1929.

Colloquium erasmianum, Actes du Colloque International réuni à Mons du 26 au 29 octobre 1967 à l'occasion du cinquième centenaire de la naissance d'Érasme, Mons, 1968.

COOLS, J.C., *Érasme et Farel*, mémoire dactylographié, Liège, 1970.

COPPENS, J., *Erasmus' laatste bijdragen tot de hereniging der christenen*, dans *Mededelingen van de Koninklijke Vlaamse Academie voor wetenschappen, letteren en schone kunsten van België*, 24ᵉ année,, Bruxelles, 1962.

— *Les idées réformistes d'Érasme dans les préfaces aux paraphrases du Nouveau Testament*, dans *Scrinium Lovaniense, Mélanges historiques Étienne van Cauwenbergh*, pp. 343-371, Louvain, 1961.

COURVOISIER, J., *La notion d'Église chez Bucer dans son développement historique*, Paris, 1933.

CRAHAY, R., *De l'humanisme réformiste à la Réforme radicale*, dans *Revue de l'Université de Bruxelles*, t. 19, pp. 295-325, Bruxelles, 1967.

DANKBAAR, J.W., *Martin Bucers Beziehungen zu den Niederlanden*, La Haye, 1961.

DE LAGARDE, G., *Recherches sur l'esprit politique de la Réforme*, Paris, 1926.

DE LUBAC, H., *Exégèse médiévale, Les quatre sens de l'Écriture*, 2ᵉ partie, t. 2, Paris, 1964.

DELUMEAU, J., *Naissance et affirmation de la Réforme*, coll. *Nouvelle Clio*, t. 30, Paris, 1965.

DOELLINGER, J., *Die Reformation, ihre innere Entwicklung und ihre Wirkungen im Umfange der Lutherischen Bekenntnisse*, t. 1, Francfort sur Mainz, 1846, reproduction photographique, 1962.

DOLAN, J.P., *The essential Erasmus*, New York, 1964.

DOLLINGER, P., *La tolérance à Strasbourg au XVIᵉ siècle*, dans *Hommage à Lucien Fèbvre. Éventail de l'histoire vivante*, t. 2, pp. 241-249, Paris, 1953.

DOUMERGUE, E., *Essai sur l'histoire du culte réformé principalement au XVIᵉ et au XIXᵉ siècle*, Paris, 1890.

EELLS, H., *Martin Bucer*, Newhaven, 1931.

— *The genesis of Martin Bucer's Doctrine of the Lord's Supper*, dans *Princeton Theological Review*, t. 24, pp. 225-251, 1926.

— *The contribution of Martin Bucer to the reformation*, dans *Harvard Theological Review*, t. 24, pp. 29-42, Cambridge (Mass.), 1931.

— *The failure of Church Unification efforts*, dans *Archiv für Reformationsgeschichte*, t. 42, pp. 160-174, Gutersloh, 1951.

ERBES, J., *Martin Bucer, le réformateur alsacien inconnu et méconnu*, Grasse, 1966.

— *Martin Bucer, 1491-1551, enfant de Sélestat, réformateur de Strasbourg, précurseur de l'Oecuménisme*, dans *Annuaire de la Société des amis de la Bibliothèque de Sélestat*, t. 4, pp. 131-147, 1954.

ERICHSON, A., *Mathäus Zell, der erste elsässische Reformator und evangelische Pfarrer in Strassburg*, Strasbourg, 1875.

FAST, H., *The dependence of the first Anabaptists on Luther, Erasmus und Zwingli*, dans *Mennonite Quarterly Review*, pp. 104-119, 1956.

FÈBVRE, L., *Un destin, Martin Luther*, Paris, 1945.

FÈBVRE, L. et MARTIN, H.J., *L'apparition du livre*, coll. *Évolution de l'Humanité*, Paris, 1958.

FICKER, J., *Jakob Sturms Entwurf zur Strassburger reformatorischen Verant-wortung für den Augsburger Reichtag 1530*, dans *Elsass-Lothringisches Jahr-buch*, pp. 149-158, 1941.

— *Thesaurus baumianus, Verzeichnis der Briefe und Aktenstücke*, Strasbourg, 1904.

— *Martin Bucer, ein Vortrag, Bilder zu seinem Leben und Werken und aus dem Kreise seiner Zeitgenossen*, Strasbourg, 1917.

GAGNEBIN, H., *Études historiques sur la Réformation au XVIᵉ siècle en Allemagne, en Suisse et en France*, 2ᵉ éd., Lausanne, 1936.

GEIGER, L., *Johann Reuchlin, sein Leben und seine Werke*, Leipzig, 1871.

GORCE, D., *La patristique dans la réforme d'Érasme*, dans *Festgabe Joseph Lortz*, t. I, pp. 233-276, Baden-Baden, 1958.

GRASS, H., *Die Abendmahlslehre bei Luther und Calvin*, Gütersloh, 1954.

GRAVIER, M., *Luther et l'opinion publique, essai sur la littérature satirique et polémique en langue allemande pendant les années décisives de la Réforme (1520-1530)*, Paris, 1942.

Guillaume Farel, 1489-1565, Biographie nouvelle écrite d'après les documents originaux, par un groupe d'historiens, Neuchatel, Paris, 1930.

HALKIN, L.-E., *Une lettre d'Érasme perdue et deux fois retrouvée*, dans *Biblio-thèque d'Humanisme et de Renaissance*, travaux et documents, t. 26, pp. 415-416, Genève, 1964.

— *Érasme pélerin*, dans *Scrinium Erasmianum*, t. 2, pp. 239-252, Leyde, 1969.

— *Érasme et l'humanisme chrétien*, dans coll. *Classiques du XXᵉ siècle*, n° 107, Paris, 1969.

— *Érasme et les langues*, dans *Revue des langues vivantes*, t. 35, pp. 566-579, Bruxelles, 1969.

HALL, T., *Possibilities of Erasmian Influence on Denck and Hubmaier in their views on the Freedom of the Will*, dans *Mennonite Quarterly Review*, t. 35, pp. 149-170, 1961.

HAUSER, H., *Le Julius est-il d'Érasme ?*, dans *Revue de littérature comparée*, t. 7, pp. 605-618, 1927.

HEITZ, J.J., *Étude sur la formation de la pensée ecclésiologique de Bucer d'après les traités polémiques et doctrinaux des années 1523-1538*, thèse de bacca-lauréat de la Faculté de Théologie protestante, Strasbourg, 1947.

HERDING, H., *Jakob Wimpfeling und Beatus Rhenanus. Das Leben des Johannes Geiler von Kaysersberg*, éd. critique avec introd. et comm., Munich, 1970.

HOLBORN, H., *Ulrich von Hutten and the german reformation*, trad. par Roland H. BAINTON, New Haven et Londres, 1937.

HORNING, W., *Der Humanist Dr Nikolaus Gerbel. Förderer lutherischer Refor-mation in Strassburg (1485-1560)*, Strasbourg, 1918.

HUIZINGA, J., *Érasme*, 4ᵉ éd., traduit du néerlandais par V. BRUNCEL, Paris, 1955.

— *Erasmus and the age of the Reformation*, New York, 1957.

HULSHOF, A., *Geschiedenis van de Doopsgezinden te Straatsburg van 1525-1557*, Amsterdam, 1905.

HUMBERTCLAUDE, H., *Érasme et Luther, leur polémique sur le libre arbitre*, Paris, 1909.

IMBART DE LA TOUR, P., *Les origines de la Réforme*, t. 3, *L'Évangélisme (1521-1538)*, Paris, 1914.

JANSSEN, J., *L'Allemagne et la Réforme*, trad. par E. PARIS, t. 1, 2ᵉ éd., Paris, 1902, t. 2, 1ʳᵉ éd., Paris, 1889.

KAEGI, W., *Hutten und Erasmus. Ihre Freundschaft und ihr Streit*, dans *Historische Vierteljahrschrift*, t. 12, 1924-1925.

KALKOFF, P., *Wolfgang Capito im Dienste Erzbischofs Albrechts von Mainz*, dans *Neue Studien zur Geschichte der Theologie und der Kirche*, Berlin, 1907.

KANTZENBACH, F.W., *Das Ringen um die Einheit der Kirche im Jahrhundert der Reformation, Vertreter, Quellen und Motive des «oekumenischen Gedankens» von Erasmus von Rotterdam bis Georg Calixt*, Stuttgart, 1957.

KLAEHN, K., *Martin Luther, sa conception politique*, Paris, s.d. (1941).

KOCH, K., *Studium Pietatis, Martin Bucer als Ethiker*, dans *Beiträge zur Geschichte und Lehre des Reformierten Kirche*, t. 14, Neukirchen, 1962.

KOEHLER, W., *Zwingli und Luther, ihr Streit über das Abendmahl nach seinem politischen und religiösen Beziehungen*, 2 vol., Leipzig, 1924, Gütersloh, 1953.

KOHLS, E.W., *Die Schule bei Martin Bucer in ihrem Verhältnis zu Kirche und Obrigkeit*, Heidelberg, 1963.

— *Das Geburtsjahr des Erasmus*, dans *Theologische Zeitschrift*, t. 22, pp. 96-121, Bâle, 1966.

— *Blarer und Bucer*, dans *Der Konstanzer Reformator Ambrosius Blarer 1492-1564, Gedenkschrift zu seinem 400. Todestag*, pp. 172-192, Constance et Stuttgart, 1964.

— *Die theologische Lebensaufgabe des Erasmus und die oberrheinischen Reformatoren, Zur Durchdringung von Humanismus und Reformation*, dans *Arbeiten zur Theologie*, 1ʳᵉ série, cahier 39, Stuttgart, 1969.

— *Erasmus und die werdende evangelische Bewegung des 16. Jahrhunderts*, dans *Scrinium Erasmianum*, t. I, pp. 203-219, Leyde, 1969.

KOMMOSS, R., *Sebastian Franck und Erasmus von Rotterdam*, dans *Germanische Studien*, t. 53, Berlin, 1934.

KOYRÉ, A., *Sébastien Franck*, dans *Cahiers de la Revue d'histoire et de philosophie religieuse*, n° 24, Paris, 1932.

KREBS, M. et ROTT, H.G., *Quellen zur Geschichte der Taüfer*, t. 7, *Elsass*, 1ʳᵉ partie, *Stadt Strassburg 1522-1532*, Gütersloh, 1959.

KRISTELLER, P.O., *Two unpublished letters to Erasmus*, dans *Renaissance News*, t. 14, pp. 6-14, New York, 1961.

KRODEL, G., *Die Abendmahlslehre des Erasmus von Rotterdam und seine Stellung am Anfang des Abendmahlsstreites der Reformatoren*, Diss. Erlangen, 1955.

KUHN, F., *Luther, sa vie et son œuvre*, 3 vol., Paris, 1883-1884.

LANG, A., *Der Evangelienkommentar Martin Butzer und die Grundzüge seiner Theologie*, Leipzig, 1900.

LECLER, J., *Histoire de la Tolérance au siècle de la Réforme*, 2 vol., Paris, Aubier, 1955.

— *Les premiers défenseurs de la liberté religieuse*, 2 vol., Paris, 1969.

LÉONARD, E.G., *Histoire générale du protestantisme*, t. 1, *La Réformation*, Paris, 1961.

LOCHER, G.W., *Zwingli und Erasmus*, dans *Scrinium Erasmianum*, t. 2, pp. 325-350, Leyde, 1969.

LORTZ, J., *Die Reformation in Deutschland*, 2 vol., Fribourg, Bâle et Vienne, 4ᵉ éd., 1962.

McCONICA, J.K., *Erasmus and the grammar of consent*, dans *Scrinium Erasmianum*, t. 2, pp. 77-99, Leyde, 1969.

MANN PHILLIPS, M., *The Adages of Erasmus*, Cambridge, 1964.

MARC'HADOUR, G., *L'univers de Thomas More, Chronologie critique de More, Érasme et leur époque (1477-1536)*, Paris, 1963.

MARGOLIN, J.C., *Érasme par lui-même*, Paris, 1965.
— *Érasme et la musique*, Paris, 1965.
— *Recherches érasmiennes*, Genève, 1969.

MASSAUT, J.-P., *Josse Clichtove, l'Humanisme et la Réforme du clergé*, 2 vol., Paris, 1968.

MENTZ, F., *Bibliographische Zusammenstellung der gedruckten Schriften Butzer*, dans *Zur 400 jährigen Geburtsfeier Martin Butzers*, Strasbourg, 1891.

MESNARD, P., *La bataille du Ciceronianus*, dans *Études*, pp. 240-255, février 1968.
— *L'Évangélisme politique de Martin Bucer (1491-1551), L'Alsace et l'Allemagne du S.W. au début du XVIᵉ siècle*, dans *Bulletin de la Société d'Histoire du Protestantisme français*, t. 101, pp. 121-136, Paris, 1956.
— *Bucer et la Réforme religieuse*, dans *Bulletin de la Société d'Histoire du Protestantisme français*, t. 102, pp. 193-230, Paris, 1956.
— *Érasme ou le christianisme critique*, Paris, 1969.

MEYER, A., *Étude critique sur les relations d'Érasme et de Luther*, Paris, 1909.

MEYLAN, H., *Érasme et Pellican*, dans *Colloquium erasmianum*, pp. 245-254, Mons, 1968.

MOELLER, B., *Villes d'empire et Réformation*, dans *Travaux d'histoire éthico-politique*, t. 10, traduit de l'allemand par A. CHENOU, Genève, 1966.

MOORE, W.G., *La Réforme allemande et la littérature française, recherches sur la notoriété de Luther en France*, Strasbourg, 1930.

MORGENTHALER, A., *Érasme, l'ami des humanistes alsaciens*, dans *Saisons d'Alsace*, t. 22, pp. 141-148, 1954.

NAUWELAERTS, M.A., *Erasmus*, Bussum, 1969.

OELRICH, K.H., *Der späte Erasmus und die Reformation*, dans *Reformationsgeschichtliche Studien und Texte*, cahier 86, Münster, 1961.

PAQUIER, J., *Jérôme Aléandre, de sa naissance à la fin de son séjour à Brindes (1480-1529)*, Paris, 1900.

PINEAU, J.B., *Érasme, Sa pensée religieuse*, Paris, 1923.

PINET, N., *Érasme à Fribourg, d'après sa correspondance (avril 1529 - avril 1532)*, Université de Liège, Mémoire de licence, 1968-1969.

POLLET, J.V., *Martin Bucer, Études sur la correspondance*, 2vol., Paris, 1958-1962.

— *La correspondance inédite de Martin Bucer*, dans *Archiv für Reformationsgeschichte*, t. 46, pp. 213-221, 1955.

— *La correspondance inédite de Bucer avec Bullinger, d'après les archives de Zürich*, dans *Revue d'histoire moderne et contemporaine*, t. 2, pp. 133-140, 1955.

— *Erasmiana, quelques aspects du problème érasmien d'après les publications récentes*, dans *Revue des Sciences religieuses*, t. 26, pp. 387-404, Strasbourg, 1952.

— *Huldrych Zwingli et la Réforme en Suisse*, Paris, 1963.

— *Origine et structure du « De sarcienda ecclesiae concordia » (1533) d'Érasme*, dans *Scrinium Erasmianum*, t. 2, pp. 183-195, Leyde, 1969.

POLMAN, P., *L'élément historique dans la controverse religieuse du XVIe siècle*, Gembloux, 1932.

POST, R.R., *Quelques précisions sur l'année de la naissance d'Érasme (1469) et sur son éducation*, dans *Bibliothèque d'Humanisme et de Renaissance*, t. 26, pp. 489-509, Genève, 1964.

— *Nochmals Erasmus' Geburtsjahr*, dans *Theologische Zeitschrift*, t. 22, pp. 319-333, Bâle, 1966.

PRINSEN, J., *Gerardus Geldenhauer Noviomagus, bijdrage tot de kennis van zijn leven en werken*, La Haye, 1898.

REEDIJK, C., *Érasme, Thierry Martens et le Julius Exclusus*, dans *Scrinium Erasmianum*, t. 2, pp. 351-378, Leyde, 1969.

RENAUDET, A., *Études érasmiennes (1521-1529)*, Paris, 1939.

— *Érasme et l'Italie*, dans *Bibliothèque d'Humanisme et de Renaissance*, t. 15, Genève, 1954.

— *Érasme, sa vie et son œuvre jusqu'en 1517 d'après sa correspondance*, dans *Revue historique*, t. 111, pp. 224-262, Paris, 1912, et t. 112, pp. 241-274, Paris, 1913.

— *Humanisme et Renaissance, Dante, Pétrarque, Standonck, Érasme, Lefèvre d'Etaples, Marguerite de Navarre, Rabelais, Guichardin, Giordano Bruno*, dans *Bibliothèque d'Humanisme et de Renaissance*, t. 30, Genève, 1958.

RIEBER, D., *Sébastien Franck (1499-1542)*, dans *Bibliothèque d'Humanisme et de Renaissance*, t. 21, pp. 190-204, Genève, 1959.

RITTER, F., *La police de l'imprimerie et de la librairie à Strasbourg depuis les origines jusqu'à la révolution française*, dans *Revue des bibliothèques*, t. 32, pp. 161-200, 1922.

— *Histoire de l'Imprimerie alsacienne aux XVe et XVIe siècles*, Strasbourg et Paris, 1955.

— *Répertoire bibliographique des livres imprimés en Alsace aux XVe et XVIe siècles*, 4e partie, *Catalogue des livres du XVIe siècle ne figurant pas à la Bibliothèque Nationale de Strasbourg*, Strasbourg, 1960.

ROEHRICH, T.W., *Geschichte der Reformation im Elsass und besonders in Strasbourg*, Strasbourg, 1830.

ROTH, P., *Durchbruch und Festsetzung der Reformation in Basel*, Bâle, 1942.

SCHMIDT, C., *Histoire littéraire de l'Alsace à la fin du XVᵉ siècle et au commencement du XVIᵉ siècle*, 2 vol., Paris, 1879, reprod., La Haye, 1966.

SMITH, P., *Erasmus, a study of his life, ideals and place in history*, 2ᵉ éd., New York, 1962.

— *A key to the Colloquies of Erasmus*, Cambridge (Mass.), 1927.

SPINDLER, C., *Hédion, essai biographique et littéraire*, thèse, 1864.

SPITZ, L.W., *The religious Renaissance of the german Humanists*, Cambridge (Mass.), 1963.

STAEHELIN, E., *Erasmus und Œcolampade in ihrem Ringen um die Kirche Jesu Christi*, dans *Gedenkschrift zum 400 Todestage des Erasmus von Rotterdam*, pp. 166-182, Bâle, 1936.

STAEHELIN, R., *Erasmus Stellung zur Reformation hauptsächlich von seinen Beziehungen zu Basel auserleuchtet*, Bâle, 1873.

STEPHENS, P., *The Holy Spirit in the Theology of Martin Bucer*, Cambridge, 1970.

STRASSER, O.E., *Un chrétien humaniste, Wolfgang Capiton*, dans *Revue d'histoire et de philosophie religieuse*, t. 20, pp. 1-14, Strasbourg, 1940.

STROHL, H., *La pensée de la Réforme*, Neuchatel, Paris, 1951.

— *Le protestantisme en Alsace*, Strasbourg, 1950.

— *Bucer, humaniste chrétien*, dans *Cahiers de la Revue d'histoire et de philosophie religieuse*, t. 29, Paris, 1939.

— *Bucer, interprète de Luther*, dans *Revue d'histoire et de philosophie religieuse*, t. 3-4, pp. 223-260, Strasbourg, 1939.

— *L'influence de l'humanisme sur l'enseignement de la théologie à Strasbourg dans la première moitié du XVIᵉ siècle*, dans *L'Humanisme en Alsace*, pp. 95-113, Paris, 1939.

STROHL, H., MAURER, W. et HOPF, G., *Martin Bucer, 1491-1551*, Essen, 1951.

STUPPERICH, R. et STEINBORN, E., *Bibliographia Buceriana*, dans *Schriften des Vereins für Reformationsgeschichte*, n° 169, Gütersloh, 1952.

STUPPERICH, R., *Stand und Aufgabe der Butzer Forschung*, dans *Archiv für Reformationsgeschichte*, t. 42, pp. 244-259, Gütersloh, 1951.

— *Butzers Anteil an den sozialen Aufgaben seiner Zeit*, dans *Jahrbuch der hessischen Kirchengeschichtliche Vereinigung*, t. 5, pp. 120-141, 1954.

— *Der Humanismus und die Wiedervereinigung der Konfessionen*, dans *Schriften des Vereins für Reformationsgeschichte*, n° 53, cahier 2, Leipzig, 1936.

— *Martin Butzer als Theologue und Kirchenmann*, dans *Die Zeichen der Zeit*, pp. 253-258, 1951.

TELLE, É.V., *Érasme et le septième sacrement. Étude d'évangélisme matrimonial au XVIᵉ siècle et contribution à la biographie intellectuelle d'Érasme*, in-8°, Genève, 1954.

TORRANCE, T.F., *Kingdom and Church in the Thought of Martin Butzer*, dans *Journal of Ecclesiastical History*, t. 6, n° 1, pp. 48-59, Londres, 1955.

— *Les réformateurs et la fin des temps*, dans *Cahiers théologiques*, n° 35, Neuchatel, Paris, 1955.

TOURNEUR, V., *Érasme et l'amitié*, dans *Académie royale de Belgique, Bulletin de la classe des lettres et des sciences morales et politiques*, 5ᵉ série, t. 28, pp. 140-157, Bruxelles, 1942.

TRENCSENYI-WALDAPFEL, I., *Antiquité et réalité contemporaine dans les colloques d'Érasme*, dans *Acta antiqua academiae scientiarum Hungaricae*, t. 15, pp. 205-230, Budapest, 1967.

USTERI, J.M., *Die Stellung der Strassburger Reformatoren Bucer und Capito zur Tauffrage*, Gotha, 1884.

VAN DE POLL, G.J., *Martin Bucer's Liturgical Ideas. The Strasburg Reformer and his Connection with the Liturgies of the xvith Century*, Assen, 1954.

VANDER HAEGEN, F., *Bibliotheca Erasmiana. Répertoire des œuvres d'Érasme*, 3 vol. in-8°, Gand, 1893, reproduction photomécanique, 1961.

VAN GELDER, H.A.E., *The two reformations in the xvith century*, La Haye, 1961.

WALTER, J., *La théorie d'Érasme sur l'art chrétien*, dans *L'Humanisme en Alsace*, pp. 179-191, Paris, 1939.

WENDEL, F., *L'Église de Strasbourg, sa constitution et son organisation (1532-1535)*, Paris, 1942.

— *Martin Bucer, esquisse de sa vie et de sa pensée*, Strasbourg, s.d. (1952).

— *Le mariage à Strasbourg à l'époque de la Réforme (1520-1692)*, Strasbourg, 1928.

WILLIAMS, G.H., *The radical reformation*, Philadelphie, 1962.

WITTMER, C. et MEYER, J.C., *Le livre de Bourgeoisie de la ville de Strasbourg, 1440-1530*, 2 vol., Strasbourg et Zurich, 1948 et 1954.

ZEYDEL, H., *Sebastian Brant*, New York, 1967.

LISTE DES SIGLES ET ABRÉVIATIONS

ALLEN, *Opus* : P.S. ALLEN, *Opus epistolarum Des. Erasmi Roterodami,* 12 vol. in-8°, Oxford, 1906-1958.

B.B. : *Bibliotheca Belgica, Bibliographie générale des Pays-Bas,* 3ᵉ éd., in-4°, Bruxelles, 1964.

BUCER, D.S. : M. BUCER, *Deutsche Schriften.*

B.S.H.P.F. : *Bulletin de la société d'histoire du protestantisme français.*

C.R. : *Corpus reformatorum.*

D.H.G.E. : *Dictionnaire d'histoire et de géographie ecclésiastiques.*

L.B. : D. ERASMUS, *Opera Omnia,* éd. CLERICUS, 10 fol. in-fol., Leyde, 1703-1706.

R.H.Ph.R. : *Revue d'histoire et de philosophie religieuse.*

W.A. : M. LUTHER, *Werke Gesamtausgabe,* Weimar, 1883 et sv.

W.A., Br. : M. LUTHER, *Werke Kritische Gesamtausgabe, Briefwechsel,* t. 1 à 7, Weimar, 1930.

CHAPITRE PREMIER

INFLUENCE ÉRASMIENNE
SUR LE JEUNE BUCER

A. La jeunesse de Bucer.

Martin Bucer[1] est né à Sélestat, le 11 novembre 1491. Son père exerçait la profession de tonnelier et, sa mère, celle de sage-femme. On ignore à peu près tout de son enfance et de sa jeunesse. On sait seulement qu'il entre à l'école latine de sa ville natale qui jouissait alors d'un grand renom[2]. C'est là qu'il s'initie à l'humanisme sous la direction de Jérôme Gebwiler[3] et qu'il se lie

---

[1] Il existe plusieurs biographies de Bucer. La plus ancienne mais toujours valable : J.W. BAUM, *Capito und Butzer Strasburgs Reformatoren*, Elberfeld, 1860. On peut aussi consulter deux biographies plus récentes, l'une en allemand : G. ANRICH, *Martin Bucer*, Strasbourg, 1914, et l'autre en anglais : H. EELLS, *Martin Bucer*, Newhaven, 1931. En français on trouve deux brèves esquisses : F. WENDEL, *Martin Bucer, esquisse de sa vie et de sa pensée*, Strasbourg, s.d. (1952), et J. ERBES, *Martin Bucer, le réformateur alsacien inconnu et méconnu*, Grasse, 1966, sans oublier les pages de H. STROHL, *Le protestantisme en Alsace*, Strasbourg, 1950. E.G. LÉONARD, *Histoire du protestantisme*, t. I, *La Réformation*, Paris, 1961, accorde quelques pages à Bucer et donne une excellente orientation bibliographique.

[2] Sur l'école latine de Sélestat, on peut se référer au livre de P. ADAM, *L'humanisme à Sélestat, l'école, les humanistes, la bibliothèque*, Sélestat, 1962.

[3] Jérôme Gebwiler est né vers 1473 à Horburg, près de Colmar. Il étudia à Paris où il devint bachelier en 1491-1492. Il fut ensuite immatriculé à Bâle où il suivit les cours de Brant mais il retourna à Paris pour compléter ses études. Il devint maître ès arts en 1495. En 1498, il est maître d'école à Breisach et, fin 1501, il succède à Crato Hofman comme maître de la célèbre école de Sélestat où il a pour élève notamment Boniface Amerbach, Beatus Rhenanus, Jean Sapidus. Il est maître de l'école cathédrale de Strasbourg de 1509 à 1524, ensuite, il passe à l'école de Haguenau où il reste jusqu'à sa mort, le 21 juin 1545. Voir C. SCHMIDT, *Histoire littéraire de l'Alsace à la fin du XVe siècle et au commencement du XVIe siècle*, t. 2, pp. 159-173, Paris, 1879.

d'amitié avec Sapidus[4] et Beatus Rhenanus[5]. Lorsque, au début du XVIe siècle, ses parents décident de quitter Sélestat pour Strasbourg, ils confient l'enfant à la garde de son grand-père. Dès 1506, celui-ci place le jeune Martin chez les dominicains. Bucer s'y résigne, semble-t-il, pour pouvoir continuer ses études. Malheureusement pour lui, l'influence des observants l'emporte à ce moment précis sur celle plus tolérante des conventuels[6]. Dès lors, les supérieurs n'encouragent pas les efforts du jeune religieux pour lire les auteurs grecs ni même l'Écriture Sainte dans les langues originales. Il doit se contenter, si l'on peut dire, des canonistes, du Maître des Sentences, de saint Bonaventure et de saint Thomas d'Aquin[7].

Bucer reste dix ans à Sélestat sans que son goût pour la vie religieuse s'affirme[8]. Mais lorsque, sous l'influence de Beatus Rhenanus, l'humanisme gagne le couvent, il peut s'adonner aux nouvelles disciplines. Dès la fin de 1515, se crée autour de Wimpfeling[9] une société littéraire ou *Stubengesellschaft* où se

---

[4] Jean Witz, dit Sapidus, suivit les cours de l'école de Sélestat d'où il était probablement originaire. Il alla ensuite à Paris où il devint bachelier en 1506-1507 et maître ès arts en 1508. Dès son retour à Sélestat, il travailla comme assistant de Gebwiler à l'école latine. En décembre 1509, il fut choisi pour le remplacer. Ses sympathies allant aux réformés, il gagna Strasbourg en octobre 1526 et y continua ses activités scolastiques et humanistiques jusqu'à sa mort, survenue le 8 juin 1561. ALLEN, *Opus*, t. II, p. 47.

[5] Beatus Rhenanus est né le 22 août 1485. Il fréquenta l'école latine de Sélestat et eut pour maîtres Gebwiler et Hofman. Dès 1503, on le retrouve à Paris où il devient bachelier en 1504 et maître ès arts en 1505. Pendant deux ans, il travaille comme correcteur, mais, en automne 1507, il revient à Sélestat puis, il gagne Strasbourg et, le 31 juillet 1511, il arrive à Bâle. Il y reste quinze ans, vivant avec Amerbach et Froben. Il se consacre tout entier à éditer et à superviser de nouveaux livres. Il est profondément attaché à Érasme. En 1526, il revient à Sélestat et y reste jusqu'à sa mort, le 20 mai 1547. ALLEN, *Opus*, t. 2, p. 60.

[6] F. WENDEL, *op. cit.*, p. 6, Strasbourg, s.d. (1952).

[7] J. ERBES, *op. cit.*, pp. 6-7, Grasse, 1966, et F. WENDEL, *op. cit.*, p. 6, Strasbourg, s.d. (1952). Voir aussi G. ANRICH, *op. cit.*, p. 4, Strasbourg, 1914.

[8] Bucer obtint dispense de ses vœux monastiques le 29 avril 1521. Il avait affirmé être entré très jeune au couvent et contre son gré. Cfr J.W. BAUM, *op. cit.*, p. 122, Elberfeld, 1860, et J. ERBES, *op. cit.*, p. 8, Grasse, 1966.

[9] Jean Wimpfeling est né le 25 juillet 1450. Il commence sa carrière universitaire à Fribourg en 1463. De 1469 à 1483, il enseigne à Heidelberg où il est recteur en 1481-1482. De 1483 à 1498, il est prédicateur à Spire. De 1499 à 1508, sa vie se déroule surtout à Strasbourg où il est en contacts étroits avec Jean Geiler de Kaiserberg et Sébastien Brant. Il vit ses dernières années à Sélestat. Il fonde des sociétés littéraires dans la plupart des villes où il séjourne. En octobre 1512, il écrit une autobiographie, l'*Expurgatio contra detrectores*,

rencontrent tous les beaux esprits de la ville. Bucer en fait partie de même que Beatus Rhenanus et Sapidus [10]. Il peut y discuter des problèmes grammaticaux, philosophiques ou théologiques qui agitent alors les esprits.

En 1517, ses supérieurs l'envoient à l'Université de Heidelberg où il est immatriculé le 31 janvier [11].

B. Son admiration pour Érasme [12].

La correspondance connue de Bucer débute à Heidelberg où il arrive dès 1517. Beatus Rhenanus le met en relations avec le cercle humaniste de Bâle, notamment avec Capiton [13] qui a la primeur

---

parue à Vienne en 1514. Sur Wimpfeling, voir L.W. Spitz, *The religious Renaissance of the german Humanists*, pp. 41-61, Cambridge (Mass.), 1963, et C. Schmidt, *op. cit.*, t. I, pp. 1-188, Paris, 1879.

[10] P. Adam, *op. cit.*, p. 41, Sélestat, 1962.

[11] G. Anrich, *op. cit.*, p. 5, Strasbourg, 1914, et J. Erbes, *op. cit.*, p. 7, Grasse, 1966.

[12] H. Strohl, *Bucer, humaniste chrétien*, dans *Cahiers d'histoire et de philosophie religieuse*, n° 29, Paris, 1939.

[13] Wolfgang Fabritius Capiton est né en 1478 à Haguenau, en Alsace. C'était le fils d'un maréchal-ferrant, Jean Köpfel, d'où son nom latinisé Capiton. Il étudie à Pforzheim, à Ingolstadt. Il acquiert le grade de docteur en médecine à Fribourg en 1498. En 1505, il devient bachelier ès arts, en 1506, maîtres ès arts, bachelier en droit en 1510 et docteur en droit en 1512. Il avait aussi conquis le grade de docteur en théologie. Il part ensuite comme prédicateur à l'abbaye bénédictine de Bruchsal et échange cette charge en 1515 contre celle de prédicateur à la cathédrale de Bâle, appelé dans cette ville par l'évêque Christophe d'Utenheim, grand ami des humanistes. C'est un excellent hébraïsant. Il ne tarde pas à être nommé professeur à l'Université de Bâle, devient docteur dans les trois facultés, recteur de mai à octobre 1517 puis doyen de la faculté de théologie de 1518 à 1519. Il est l'ami d'Érasme et son collaborateur pour la fameuse édition du *Novum Instrumentum*. En 1519, il accepte de devenir prédicateur à la cour et plus tard, conseiller du premier prélat de l'Empire, l'archevêque Albert de Mayence. Dès 1522, il est gagné définitivement à la Réforme. En 1523, il résigne sa charge auprès de l'archevêque et prend possession, en mai, de la prévôté de Saint-Thomas de Strasbourg. Il travaille de concert avec Bucer à l'établissement de la Réforme dans la ville. Ses convictions religieuses le rapprochent des anabaptistes dont il prend la défense. En 1530, il compose avec Bucer la *Tetrapolitana*, confession remise par les villes de Strasbourg, Constance, Lindau et Memmingen à Charles-Quint lors de la Diète d'Augsbourg. En 1532, il prend une part importante à la rédaction des articles du Synode de Berne qui tente de rapprocher les protestants suisses et ceux de Strasbourg. En 1533, il traduit en allemand l'ouvrage unioniste d'Érasme *De sarcienda Ecclesiae concordia*. Il prend part, en 1540-1541, aux colloques catholiques-évangéliques de Haguenau, Worms et Ratisbonne. Il meurt en 1541.

de sa correspondance [14]. C'est aussi par l'entremise de l'humaniste
sélestadien qu'il apprend très probablement à connaître les écrits
d'Érasme. Sur sa prière, Beatus lui envoie les œuvres du « maître ».
Bucer devient alors un « érasmien convaincu » [15]. Il lit la *Moria*
et la *Querela Pacis* [16]. Pris d'enthousiasme, il entreprend d'étudier
Érasme à fond « et s'en pénètre si bien qu'on retrouve jusque dans
les écrits de sa vieillesse des traces et des tournures de style propres
à Érasme » [17].

Comme le montre un catalogue de sa bibliothèque, rédigé par
lui en 1518 [18], il possédait à peu près toutes les œuvres d'Érasme.
En mars 1520, il peut encore écrire à Beatus Rhenanus : « Le fait
qu'on enrichisse toujours la terre de nouveaux écrits d'Érasme me
charme et m'apporte une très grande joie ; je me suis ménagé en
secret quelques économies pour pouvoir me procurer le tout, si cela
m'est possible [19]. » En 1520 encore, envoyé à Cologne par ses
supérieurs, Bucer projette de gagner Louvain pour apercevoir le
« divin » Érasme [20]. Il appréciait avant tout chez le maître « son
invitation à remonter par delà les arguties de la scolastique médié-

---

[14] J.V. POLLET, *Martin Bucer, Études sur la correspondance*, t. 2, p. 1, 1962.
[15] H. STROHL, *Le protestantisme en Alsace*, p. 30.
[16] *Briefwechsel des Beatus Rhenanus*, éd. Adalbert HORAWITZ et Karl HART-
FELDER, reproduction photographique de l'édition de Leipzig de 1886, in-8°, p. 121,
Nieuwcoop, 1966, n° 79, 14 septembre 1518, Bucer à Rhenanus : « Quamquam
Heidelbergenses meos patres eo perduxerim, ut Moiram primo, dein etiam Quaeri-
maniam pacis perlegerim nostrae juventuti. »
[17] F. WENDEL, *op. cit.*, p. 7. Ainsi, Bucer dans *De vera ecclesiarum in
doctrina reconciliatione et compositione*, 1542, p. 8, cité par J.V. POLLET,
Erasmiana, dans *Revue des sciences religieuses*, t. 26, p. 391, Strasbourg, 1952 :
« Dom. Erasmus Rott. primum in medium produxit cui magno acumine, vivisque
argumentis et qua pollebat eloquentia ac dexteritate, commonere coepit salutem
nostram non posse nec reparari, nec conservari ceremoniis, sed fiducia vera in
Christum : nec probari Deo posse opera, quae non juxta ejus praeceptum eo
spectent et valeant, ut proximo ad bene pieque vivendum commoderetur... »
[18] T.W. ROEHRICH, *Geschichte der Reformation im Elsass und besonders in
Strassburg*, pp. 440-441, Strasbourg, 1830.
[19] *Briefwechsel des Beatus Rhenanus*, n° 160, 19 mars 1520, p. 217 : « Excudi
tamen commentarium voluptati est, ut mirifice me delectat tot iterum atque iterum
Erasmicis lucubrationibus orbem ditari ; corrasi jam pridem dolo ex technis
pecuniam, coemam omnia. »
[20] *Briefwechsel des Beatus Rhenanus*, n° 162, 2 avril 1520, p. 220 : « Rogo
te si quas tabellarium nansdisci Spiram profecturum ante III Non. Maias, mittas
litteras ad Erasmum, nisi interim is ad vos veniat. Nam si ullae technae succedere
poterunt, eo temporis Lovanium adibo. Coloniam adeundi mei causam dabunt,
ego ex me sumam, ut et Lovanium visam. Et utinam occasio contingat numen
illud videndi, quam certe nemo te commodius praestabit. »

vale, par delà la profusion des rites et des dévotions, à la simplicité biblique, à la pensée et à la pratique plus vivante et plus saine des Pères de l'Église » [21]. Selon Stupperich, c'est dans les écrits d'Érasme que Bucer a, pour la première fois, reconnu ce qu'était la vraie religion et « c'est par lui qu'il a appris qu'on ne peut atteindre le salut par notre action, que seule la vraie foi authentique nous y conduit et que les bonnes œuvres n'existent aux yeux de Dieu que dans la mesure où elles répondent à son commandement, c'est-à-dire si elles servent le prochain » [22]. En 1542 encore, dans son *De vera ecclesiarum reconciliatione et compositione* [23], il considère Érasme comme l'initiateur de la Réforme parce qu'il a ramené les fidèles à la lecture de la Bible et des Pères et parce qu'il a toujours déclaré que l'homme trouve son salut non dans les cérémonies mais dans la foi au Christ [24].

C. Son admiration pour Luther [25].

Entretemps, était intervenu un élément qui n'est pas moins déterminant pour Bucer que son initiation à la pensée érasmienne.

---

[21] H. STROHL, *Le protestantisme en Alsace*, p. 30. Voir G. ANRICH, *op. cit.*, pp. 5-6 : « Dépassant sur bien des points son époque, Érasme lui (Bucer) proposait l'image d'un christianisme laïcisé, accommodant, non dogmatique, définissant la loi du Christ par le Sermon sur la Montagne et facile à accorder avec les enseignements les plus élevés de l'Antiquité. Un christianisme où la signification et la distribution des sacrements et l'intervention du clergé comme médiateur, sans être combattues directement, n'en perdaient pas moins toute la valeur religieuse, où l'état monastique apparaissait comme la caricature de la vie chrétienne et qui semblait annoncer une critique radicale des dogmes proposés par l'Église.» Voir aussi A. RENAUDET, *Humanisme et Renaissance*, dans *Travaux d'Humanisme et Renaissance*, t. 30, p. 171, Genève, 1958.

[22] R. STUPPERICH, *Der Humanismus und die Wiedervereinigung der Konfessionen*, dans *Schriften des Vereins für Reformationsgeschichte*, t. 53, p. 23, 1936.

[23] Voir J.W. BAUM, *op. cit.*, p. 603, n° 64, et R. STUPPERICH et E. STEINBORN, *Bibliographia Buceriana*, p. 57, n° 73, dans *Schriften des Vereins für Reformationsgeschichte*, n° 169, Gütersloh, 1952.

[24] P. STEPHENS, *The Holy Spirit in the theology of Martin Bucer*, p. 11, Cambridge, 1970, et F. KANTZENBACH, *Das Ringen um die Einheit der Kirche im Jahrhundert der Reformation*, p. 121, Stuttgart, 1957.

[25] H. STROHL, *Bucer, interprète de Luther*, dans *R.H.Ph.R.*, pp. 223-260, Paris, 1939. L'auteur y développe la thèse suivante : Bucer a maintenu plus fidèlement la notion luthérienne originelle du salut que ne l'a fait parfois l'école de Wittemberg. Dans sa notion d'Église, il a fait une synthèse des intuitions de Luther, préférable à celle de Mélanchthon et a contribué à clarifier les idées de Luther concernant la Sainte Cène. Voir aussi H. STROHL, *La pensée de la Réforme*, pp. 95-101, Neuchatel, Paris, 1951.

Le 26 avril 1518, il est mis en présence de Luther qui venait
d'arriver au couvent des augustins de Heidelberg. Dès lors, le
maître de Wittemberg va exercer sur lui un ascendant certain.
Bucer est séduit lorsqu'il entend Luther argumenter sur le libre
arbitre et défendre contre les disciples des scolastiques sa conception du salut. Il va, dès lors, entreprendre la lecture de tous les
écrits de Luther qui lui sont accessibles. « On peut prétendre, sans
exagération romantique, que l'évolution religieuse de Bucer, com-
mencée sous le signe d'Érasme, prit sa véritable signification à
partir de ce moment [26]. »

Si, dès cet instant, Bucer est, comme on disait alors, « martinien »,
il continue cependant à admirer profondément Érasme. Il place
ceux qu'il considère comme ses maîtres sur le même pied. Il écrit
même à Beatus Rhenanus que Luther est entièrement d'accord avec
Érasme, si ce n'est qu'il proclame ouvertement ce qu'Érasme se
borne à insinuer [27]. C'est en eux qu'il place son espérance et il en
fait les chefs spirituels de l'Allemagne [28].

Si Bucer se range finalement du côté de Luther, son admiration
pour Érasme ne se dément pas. C'est ainsi que, deux ans après le
grave conflit qui amène la rupture entre Luther et Érasme, il considère encore celui-ci comme le meilleur exégète contemporain [29],
sans pour cela le suivre servilement lorsque, à son avis, Érasme
se trompe sur certains points, et il se sert, dans son *Commentaire*

---

[26] F. WENDEL, *op. cit.*, p. 7.

[27] *Briefwechsel des Beatus Rhenanus*, n° 75, 1er mai 1518, p. 107 : « Cum
Erasmo illi conveniunt omnia quin uno hoc praestare videtur, quod quae ille
duntaxat insinuat hic aperte docet et libere. »

[28] *W.A., Br.*, t. 2, p. 160, 1. 15-18, n° 322, Bucer à Luther, Heidelberg, 2 août
1520 : « Commendo quoque impendio me Spalatino integerrimo patrono meo,
et Philippo, quem alteram spem Germaniae suspicio et veneror ; prima siquidem
in te sita est et Erasmo cujus scio misereris, quod bonas horas male collocare
cogitur. »

[29] « A recentioribus nihil certius et absolutius Paraphrasibus Erasmi Roterodami scriptum in has Evangeliorum historias extat », cité par A. LANG, *Der
Evangelienkommentar Martin Butzer und die Grundzüge seiner Theologie*, p. 379,
Leipzig, 1900. Voir aussi un extrait de sa préface aux *Commentaires sur l'Évangile selon saint Luc*, cité par K. KOCH, *Studium Pietatis, Martin Bucer als
Ethiker*, dans *Beiträge zur Geschichte und Lehre des Reformierten Kirche*, t. 14,
p. 27, Neukirchen, 1962, où il montre le rôle et l'importance d'Érasme pour la
compréhension de l'Écriture : « Erasmus tamen Roterodamus, per quem eam nobis
lucernam, ad videndum quae scripturae docent, Deus accendit, ut is sanctis et
intelligentibus, quanta veritatis lux illius lucubrationibus illata orbi sit summo
sane in precio ure habeatur. » Cfr H. STROHL, *La pensée de la Réforme*, p. 76.

sur les Évangiles, du *Novum Testamentum* d'Érasme de préférence
à la Vulgate [30]. « C'est Érasme qui a donné à la pensée réforma-
trice de Bucer son élan, Luther l'a seulement aidé à s'imposer au
moment décisif [31]. » Bucer lui-même est conscient de cette filiation [32].
L'influence d'Érasme est perceptible surtout dans sa conception de
la Cène et du baptème, dans sa position face à la justification et
dans son idéal d'un *Regnum Christi* [33], d'une *unitas ecclesiae* [34].

---

[30] H. Strohl, *L'influence de l'humanisme sur l'enseignement de la théologie
à Strasbourg dans la première moitié du XVIe siècle,* dans *L'Humanisme en Alsace,*
pp. 101-102, Paris, 1939, et A. Lang, *op. cit.,* p. 67.

[31] F.W. Kantzenbach, *op. cit.,* pp. 121-122.

[32] Cfr une lettre de Bucer à Bullinger, de mars 1535, *C.R.,* t. 10, col. 141,
citée par J.V. Pollet, *Martin Bucer, Études sur la correspondance,* t. 2, p. 490 :
« Si c'est un crime de professer ce qui est contenu dans ces mémoires « non
» solum Lutheranum, sed etiam erasmianum esse, imo non parum puto papistam
» esse et id omnibus modis profiteri, satis ad supplicium fuit. »

[33] Pour le sens de cette expression chez Bucer, voir T.F. Torrance, *Les
réformateurs et la fin des temps,* dans *Cahiers théologiques,* n° 35, pp. 28-29,
Neuchatel, Paris, 1955.

[34] R. Stupperich, *Der Humanismus und die Wiedervereinigung der Konfessionen,* p. 22, et E.W. Kohls, *Die theologische Lebensaufgabe des Erasmus
und die oberrheinischen Reformatoren,* pp. 36-40, Stuttgart, 1969.

CHAPITRE II

MARTIN BUCER, RÉFORMATEUR

A. Bucer arrive à Strasbourg.

Durant son séjour à Heidelberg, Bucer déploie une activité débordante. Il entretient une correspondance suivie avec Mélanchthon [35], Spalatin [36] et Brenz [37], son professeur de grec, aussi bien qu'avec Wimpfeling, Sapidus et Capiton qu'il appelle, en automne 1520, son « grand patron et protecteur » [38]. Dès janvier 1520, il correspond avec Luther, mais l'amitié qu'il porte au moine augustin l'amène à prendre une décision grave : il veut abandonner le cloître.

---

[35] Philippe Mélanchthon est né le 16 février 1497. C'était un petit neveu de Reuchlin. Il s'inscrivit à Heidelberg le 13 octobre 1509 et devint bachelier ès arts le 11 juin 1511. En septembre 1512, il émigra à Tübingen où il devint maître ès arts le 25 janvier 1514. Érasme lui rendit hommage dans le *Novum Instrumentum*. En août 1518, il devint professeur de grec à Wittemberg. Il avait de la sympathie pour les idées nouvelles et, sous l'influence de Luther, il s'éloigna petit à petit d'Érasme mais il n'y eut jamais entre eux de fossé infranchissable.

[36] Georges Burkhard, dit Spalatin, est né en 1482 près de Nuremberg. En 1498, il est immatriculé à Erfurt. Il devient bachelier ès arts en 1499 et maître ès arts en 1502 à Wittemberg. Il devient ensuite précepteur au monastère de Georgental près de Gotha, en 1505. En 1508, il est nommé tuteur du duc Jean Frédéric de Saxe, fils du duc Jean de Saxe. Par la suite, il devient chapelain, libraire et secrétaire de l'électeur Frédéric qu'il gagne à la cause luthérienne en 1521. En 1525, à la mort de Frédéric, il se retire à Altenbourg où il avait obtenu un canonicat dès 1511 et il s'y marie. Il jouit de la confiance du duc Jean et lorsque son fils Frédéric lui succède, l'influence de Spalatin à la cour de Saxe s'accroît et il en profite pour promouvoir les intérêts de l'Université de Wittemberg. Il meurt le 16 janvier 1545. ALLEN, *Opus*, t. 2, p. 415.

[37] Jean Brenz est né à Weil la Ville, à l'ouest de Stuttgart, le 24 juin 1499. Il étudia à Heidelberg. En 1518, il enseigna le grec à Bucer mais, en raison de son attachement pour Luther, il fut obligé de partir. Il devint alors prédicateur à Hall en Souabe où il publia, en 1527, le premier catéchisme évangélique. En 1533, il fut nommé prévôt de Stuttgart. Il mourut le 12 septembre 1570. ALLEN, *Opus*, t. 2, p. 523.

[38] Voir la lettre de Bucer à Spalatin du 19 septembre 1520, traduite par J.W. BAUM, *op. cit.*, p. 114 : « Capito, mein Grosser Gönner und Beschutzer », expression reprise par G. ANRICH, *op. cit.*, p. 9, et par P. MESNARD, *Bucer et la Réforme religieuse*, dans *B.S.H.P.F.*, t. 102, p. 200, Paris, 1956.

En septembre 1520, il écrit à Spalatin : *aleae jactae* [39]. En novembre, il rend visite à Brunfels [40] à la Chartreuse de Strasbourg [41]. Là, il fait la connaissance d'Ulrich de Hutten [42] qui le presse de se ren-

[39] Il s'agit de la lettre à Spalatin citée à la note précédente.

[40] Otho Brunfels, né vers 1488, était fils de tonnelier comme Bucer. Après avoir acquis sa maîtrise ès arts à Mayence, il se retire à la Chartreuse de Strasbourg. En 1520, il entre en relations épistolaires avec les humanistes Beatus Rhenanus et Érasme qu'il admire profondément (cfr *Thesaurus Baumianus*, t. 1, Otho Brunfels à Beatus Rhenanus, 1ᵉʳ août 1520 : « Aiunt venturum propediem Erasmum, qui se venerit me ei commenda ut patiatur saltem se amari ab Othone »). Gagné aux idées réformées, il demande à être libéré de ses vœux, ce qu'il obtient en octobre 1521. Après avoir été prédicateur à Francfort et à Nuremberg notamment, il est nommé, fin 1523, maître de l'école municipale de Strasbourg et, le 26 mars 1524, il est admis citoyen de la ville. Il meurt le 23 novembre 1534 à Berne. ALLEN, *Opus*, t. 5, p. 367.

[41] F. WENDEL, *Le mariage à Strasbourg à l'époque de la Réforme (1520-1692)*, p. 66, Strasbourg, 1928 : « Par le nombre de ses savants autant que par l'importance des imprimeries qui y étaient établies, la ville libre était l'un des centres de l'humanisme. L'influence d'Érasme y était toute puissante ; il y faisait imprimer toutes ses œuvres en même temps qu'à Bâle et les éditions strasbourgeoises se succédaient avec une rapidité prodigieuse pour l'époque. » Sur Matthias Schürer, le principal imprimeur strasbourgeois d'Érasme, voir F. RITTER, *Histoire de l'imprimerie alsacienne aux XVᵉ et XVIᵉ siècles*, pp. 160-170, Strasbourg et Paris, 1955. Schürer publiera notamment les *Adages* en 1509, 1510, 1512, 1513, 1515, 1516, 1517, 1518, 1519, 1520 (*B.B.*, t. 2, pp. 275-282), la *Moria* en 1511, 1512, 1517 et 1519 (*B.B.*, t. 2, pp. 870-877), la *Querela Pacis* (*B.B.*, t. 2, pp. 1014-1015) et l'*Enchiridion* en 1519 (*B.B.*, t. 2, pp. 780-781).

[42] Pour sa biographie, voir H. HOLBORN, *Ulrich von Hutten and the German reformation*, Londres, 1937. Hutten est né le 21 avril 1488. Forcé par son père d'entrer au monastère bénédictin de Fulda en 1499, il s'en échappe en 1505. Pendant huit ans, il fréquente plusieurs universités. Le 12 juillet 1517, il reçoit de l'empereur Maximilien les lauriers du poète et il entre, la même année, au service de l'archevêque de Mayence, Albert de Brandebourg. Dès l'élection de Charles-Quint, il se lance corps et âme dans une tentative pour créer une nation allemande unie et, comme Luther et les réformés représentaient un des aspects de la cause allemande, il embrasse impétueusement leur mouvement. Érasme, qui le rencontre en 1514, est si favorablement impressionné qu'il parle de lui avec éloge dans son *Novum Instrumentum*. Hutten, de son côté, considère d'abord Érasme comme le leader de l'Allemagne mais, quand celui-ci refuse de suivre Luther, Hutten stigmatise sa couardise. Toutefois, dénué de ressources et malade, il demande asile à Érasme qui refuse de le recevoir. Il compose alors une *Expostulatio* dénonçant Érasme comme rénégat mais il offre de ne pas la publier si Érasme le paie. Il avait toutefois laissé circuler librement le manuscrit de sa satire. Érasme en a connaissance et ce fait l'incite à se joindre au clergé de Bâle pour demander au conseil municipal de bannir cet auteur irascible. Hutten fait alors imprimer son *Expostulatio* chez Schott, à Strasbourg, pendant l'été 1523, puis il part pour Mulhouse d'où il est chassé et, finalement, il trouve refuge chez Zwingli à Zurich, en juin 1523. Voir W. KAEGI, *Hutten und Erasmus, ihre Freundschaft und ihr Streit*, dans *Historische Vierteljahrschrift*, t. 12, 1924-1925. Pour son activité en tant que pamphlétaire et poète allemand, voir M. GRAVIER, *Luther et l'opinion publique*, Paris, 1942.

dre auprès du chevalier François de Sickingen dans son château d'Ebernburg. Entretemps, Bucer avait demandé au pape d'être relevé de ses vœux. On est alors au printemps de 1521. À Ebernburg, il apprend que Luther a été cité devant la Diète de Worms. Persuadé par Sickingen, il se rend auprès de Luther pour lui offrir asile dans un des châteaux du chevalier. C'est ainsi que Bucer assiste à la séance du 18 avril, au cours de laquelle Luther refuse d'abjurer ses propos. Il confie ses impressions à Beatus Rhenanus [42'].

Dix jours plus tard, un bref papal relève Bucer de ses vœux [43]. Pour subsister, il accepte un poste de chapelain auprès du comte palatin Frédéric jusqu'en mai 1522. Il retourne ensuite chez Sickingen et il épouse à Landstuhl [43'] une religieuse en rupture de cloître, Elisabeth Silbereisen [44]. Il demande alors son congé et part dans l'intention de parfaire ses études à Wittemberg. Il passe par Wissembourg, en Alsace, où, pendant tout l'hiver 1522, il se charge de la prédication à la demande d'Henri Motherer, prêtre de l'endroit. Son mariage lui vaut d'être excommunié par l'évêque de Spire et, en avril 1523, il trouve refuge à Strasbourg, « République démocratique » depuis 1482 [45] qui réalisait, selon Érasme, un équilibre harmonieux entre « une monarchie sans tyrannie, une aristocratie sans faction, une démocratie sans désordre » [46].

Depuis longtemps, s'accomplissait dans toute la vallée du Rhin un grand travail spirituel. À Strasbourg même, dès le XVe siècle, un mouvement puissant de réforme religieuse se développait sous

---

[42'] *Briefwechsel des Beatus Rhenanus*, n° 202, pp. 275-276.

[43] J.W. BAUM, *op. cit.*, p. 122, voir aussi note 8.

[43'] Ville du cercle du Palatinat rhénan où Sickingen trouva la mort le 7 mai 1523.

[44] J.W. BAUM, *op. cit.*, pp. 137-141. Baum place le mariage de Bucer au milieu de l'année 1522. Il semblerait qu'Élisabeth Silbereisen fût entrée au couvent contre sa volonté. « Ich habe zur Ehe genommen eine Jungfrau, die ist bei zwölf Jahren in einem Kloster gewesen, hat aber noch viel minder Profess gethan, oder gelobet, als ich, denn die Solches viel weniger in ihrem Wille gehabt hat : denn sie ist dazugebracht worden, mit vielen seltsamen und geschwinden Griffen und Beredungen, die ich nicht weiter berührer will, weil ich mich und meine Hausfrau nicht also beschönigen will dass ich damit andere Leute körrig mache », cfr J.W. BAUM, *op. cit.*, p. 138.

[45] H. STROHL, *Le protestantisme en Alsace*, p. 21.

[46] ALLEN, *Opus*, t. 2, p. 19, 1. 92-94, n° 305, Érasme à Wimpfeling, Bâle, 21 septembre 1514.

l'impulsion de Geiler de Kayserberg [47]. Il trouvait un appui chez les humanistes alsaciens Brant [48] et Wimpfeling, qui s'efforçaient de propager le goût d'une religion simple et tout intérieure et priaient les princes et les prélats de réformer l'Église dans son chef et dans ses membres, mais ce mouvement se heurtait à l'absence de l'évêque, dont la charge était réservée aux clercs de la famille impériale [49], et à l'opposition des Chapitres de la cathédrale et des collégiales de Saint-Pierre-le-Jeune et de Saint-Pierre-le-Vieux. « La population valait mieux au point de vue religieux que son clergé [50]. »

Quand Bucer « fugitif sans ressources et sans position » [51] arrive à Strasbourg, Matthieu Zell [52], curé administrateur de la

[47] C. SCHMIDT, op. cit., t. 1, pp. 335-457. Geiler est né à Schaffhouse le 16 mars 1445. De 1465 à 1470, il est maître à l'Université de Fribourg. Dès 1471, il étudie la théologie à Bâle et devient docteur en théologie en 1476. En 1478, il devient prédicateur à la Cathédrale de Strasbourg et meurt dans cette ville le 10 mars 1510. Il est le plus important prédicateur populaire en langue allemande de la fin du Moyen Âge. Voir aussi L. DACHEUX, *Un réformateur catholique à la fin du xvᵉ siècle : Jean Geiler, Étude sur sa vie et son temps*, Paris et Strasbourg, 1876, et H. HERDING, *Jakob Wimpfeling und Beatus Rhenanus. Das Leben des Johannes Geiler von Kaysersberg*, éd. critique avec introd. et comm., Munich, 1970.

[48] C. SCHMIDT, op. cit., t. 2, pp. 189 à 333, et E. ZEYDEL, *Sebastian Brant*, New York, 1967. Sébastien Brant est né vers 1457. Dès 1475, il vient à Bâle et y séjourne pendant 25 ans. Écrivain, poète, docteur en droit, collaborateur des imprimeurs, il publie son fameux *Narrenschiff* en 1494. En 1500, il retourne à Strasbourg, sa ville natale. Il y devient Syndic, puis secrétaire des Magistrats. Il meurt le 10 mai 1521.

[49] Depuis 1506, l'évêque de Strasbourg est Guillaume de Honstein que F. WENDEL, *Martin Bucer, esquisse de sa vie et de sa pensée*, p. 10, Strasbourg, s.d. (1952), qualifie d'esprit pusillanime.

[50] É.G. LÉONARD, *Histoire générale du protestantisme*, t. 1, *La Réformation*, p. 146, Paris, 1961, citant M. BARTH, *Confession et communion en Alsace au Moyen Âge*, dans *Revue d'Alsace*, 1956.

[51] G. ANRICH, op. cit., p. 18.

[52] Matthieu Zell est né en 1477 à Kaiserberg. Il étudia à l'Université de Fribourg en Brisgau où il prit ses grades ès arts et en théologie. Il y enseigna, puis il fut nommé à Strasbourg en 1518 comme curé administrateur de la Cathédrale. Il connaissait les œuvres de Luther mais il ne se considérait pas comme luthérien. Pourtant, dès 1521, il se met à expliquer, dans ses prédications, l'Épître aux Romains qui est à la base des innovations luthériennes. Il épouse Catherine Schutz, fille d'un menuisier, qui le seconde admirablement. Leur foyer va devenir le centre d'accueil de tous les prédicants ou évangéliques qui passaient ou vivaient dans la ville. Il mourut en 1548. Sur Matthieu Zell, consulter A. ERICHSON, *Mathäus Zell, der erste elsässische Reformator und evangelische Pfarrer in Strassburg*, Strasbourg, 1875.

cathédrale, s'efforce depuis deux ans de ramener les fidèles au pur évangile. Bucer trouve donc à Strasbourg un milieu favorable aux idées nouvelles dont la diffusion est assurée par six imprimeurs, luthériens par conviction ou par intérêt [53].

Depuis le mois de mars, Capiton, prévôt du Chapitre de Saint-Thomas, est à Strasbourg pour prendre possession de sa charge [54]. Il veut, semble-t-il, se retirer de la vie publique et mener une existence pieuse [55], mais Zell ne l'entend pas ainsi. Aidé par Bucer, il entreprend de faire sortir Capiton de sa retraite volontaire. Celui-ci abandonne alors définitivement l'attitude prudente des érasmiens pour se rallier franchement au programme des luthériens.

Les débuts de Bucer sont difficiles. Le magistrat est prévenu contre lui et l'évêque lui refuse l'autorisation de prêcher. Son

[53] M. GRAVIER, op. cit., p. 251. Dès 1521, sur huit imprimeurs, il y avait à Strasbourg six luthériens, un indifférent et un catholique. Cfr L. FÈBVRE et H.J. MARTIN, L'apparition du livre, pp. 438-439, Paris, 1958 : « Knobloch, connu pourtant pour sa générosité envers les institutions catholiques, transforme son atelier en officine de propagande luthérienne. » Voir aussi F. RITTER, op. cit., p. 197.

[54] Cette charge lui avait été longtemps contestée par un rival, Jacob Abel. Il était appuyé par Aléandre qui appréciait suffisamment l'influence de Capiton et son importance spirituelle pour recommander avec insistance de s'attacher un homme aussi dangereux. L'autorisation du pape était subordonnée à plusieurs conditions : Adrien VI attendait que Capiton intervienne en faveur du maintien de la paix et de l'ordre actuel de l'Église catholique. Par contre, s'il devait travailler à une révolution à l'exemple des luthériens, il aurait contre lui Dieu et son représentant, le pape et même l'Église catholique tout entière. Cfr une lettre d'Aléandre à Capiton, imprimée dans Zeitschrift für Kulturgeschichte, t. 16, p. 499, 1896. Après le passage notoire de Capiton dans le camp adverse, son adversaire reprit le procès et le parti catholique des chanoines prétendit désormais avoir son prévôt légitime en la personne de Jacob Abel. Pour les détails de cette affaire, voir P. KALKOFF, Wolfgang Capito im Dienste Erzbischofs Albrechts von Mainz, dans Neuen Studien zur Geschichte der Theologie und der Kirche, pp. 7-16, Berlin, 1907.

[55] ALLEN, Opus, t. 5, p. 305, 1. 88-89, n° 1374, Capiton à Érasme, 6 juillet 1523, Strasbourg. L'archevêque lui avait envoyé trois lettres où il le priait instamment de reprendre son poste de chancelier mais Capiton se sentait tellement fatigué des obligations pénibles de courtisan, des multiples contraintes et des attaques incessantes des deux partis, qu'il avait demandé son congé au cardinal et dans une forme telle que celui-ci ne pouvait vraiment pas le lui refuser (ALLEN, Opus, t. 5, p. 293, 1. 14-16, n° 1368, et t. 5, p. 305, 1. 87, n° 1374). Déjà, en 1521, sa lassitude perce dans les missives qu'il envoie à Érasme. Le 14 octobre 1521, il déclare : « Si mon maître n'acquiert ni âme, ni esprit, plus rien ne vaudra de me tuer de dégoût pour cette vie de cour » (ALLEN, Opus, t. 4, p. 598, 1. 151-154, n° 1241) et de nouveau, le 17 août 1522 : « La cour, mal nécessaire, m'entrave » (ALLEN, Opus, t. 5, p. 116, 1. 16-17, n° 1308).

mariage rend sa situation d'autant plus malaisée qu'aucun prédicateur n'avait encore osé, jusqu'alors, contracter mariage dans le
diocèse. C'est pourquoi il s'enquiert d'une situation auprès de
Zwingli [56]. Mais l'intervention de ses amis aplanit les difficultés
et le magistrat lui accorde publiquement sa protection. En août,
il reçoit le droit de s'exprimer librement [57]. À la suggestion de Zell,
il est employé avec succès à des cours bibliques populaires. Il publie
en août 1523 un traité d'édification *Das ym selbs niemant, sondern
anderen leben soll, und wie der mensch dahin kummen mög* [58] et
un *Sommaire* de ses prédications à Wissembourg [59].

Dans l'espoir de donner au mouvement une allure plus modérée,
le Chapitre cathédral fait appeler un prédicateur de grand renom,
plus diplomate, Gaspard Hédius, dit Hédion [60], ancien élève, protégé et successeur de Capiton à Bâle et à Mayence. La nomination
de Hédion par le Chapitre cathédral de Strasbourg ne peut étonner

---

[56] Voir une lettre de recommandation qu'Oecolampade envoie à Zwingli,
le 16 juin 1523. « Buceri causam tibi commendarem, nisi te scirem φιλανθρωπότατον.
Hominem si juvare potes, juva, obsecro. Ego mancus sum, manum porrigere
nequeo ; nihil alioquin ejus nomine facere detrectarem. Ingenio eruditione, ardore,
constantia, multisque aliis nominibus evangelio prodesse potest. » *Huldreich
Zwinlis sämtliche Werke*, t. 8, p. 91, 1. 9-13, n° 306.

[57] F. Wendel, *op. cit.*, p. 12.

[58] J.W. Baum, *op. cit.*, p. 589, n° 1, et R. Stupperich et E. Steinborn,
Bibliographia Buceriana, p. 45, n° 1.

[59] *Martin Butzer an ein christlichen Rath un Gemeyn der statt Weissenburg.
Summary seiner Predig daselbst gethon.* Cfr J.W. Baum, *op. cit.*, p. 589, n° 2,
et R. Stupperich et E. Steinborn, *op. cit.*, p. 45, n° 2.

[60] Gaspard Hédion est né en 1494. Il était compagnon d'études de Mélanchthon à Pforzheim. Il fut immatriculé à Fribourg, le 7 janvier 1513, devint
bachelier ès arts en 1514 et maître ès arts en 1516. En 1518, il entendit Zwingli
prêcher à Einsiedeln et conçut une grande admiration pour lui. Le 4 avril 1519,
il fut admis à la faculté de théologie de Bâle et travailla sous la direction de
Bruno Amerbach et de Capiton. Il était un intime du cercle érasmien. En octobre
1520, il suivit Capiton à Mayence et fut nommé prédicateur. Au printemps 1523,
il succéda à Capiton comme prédicateur à la cour et, plus tard, le rejoignit à
Strasbourg où il devint prédicateur à la cathédrale. Il fut rapidement lancé dans
le courant de la Réforme et il passa le reste de sa vie à Strasbourg. Le 30 mai
1524, il se maria avec Margaret Trenz, fille d'un jardinier de la ville. Son bon
sens pratique et sa pondération en firent un modérateur. Il prit part aux conférences de Marbourg, en 1529, et de Bonn, en 1543. Son œuvre capitale est la
Chronica der altenn christlichen Kirchen, Strasbourg, janvier 1530, consistant
en une traduction d'Eusèbe et d'autres, ce qui lui valut le titre de premier historien
de l'Église protestante. Ses relations avec Érasme demeurèrent pourtant amicales.
Il mourut le 17 octobre 1552. À son sujet, voir C. Spindler, *Hédion, essai
biographique et littéraire*, thèse, Strasbourg, 1864.

puisque, d'une part, il n'avait pas encore émis d'opinions dissidentes bien arrêtées, — il s'était même ouvertement prononcé contre toute espèce d'innovation dans le culte, — et puisque, d'autre part, le doyen du Chapitre était favorable à une réforme modérée [61]. Très vite, cependant, Hédion, « esprit pratique et positif » [62], comprend que « l'heure des atermoiements et de l'opportunisme était passée et que celle de s'engager était venue » [63] et il se place avec zèle du côté de la Réforme [64]. Dès lors, grâce à l'action convergente de tous ces prédicateurs [65], les idées nouvelles progressent. Le 1er décembre 1523, le magistrat décide, selon une formule arrêtée à la Diète de Nuremberg, que « tous les prédicateurs doivent s'en tenir au pur évangile » [66]. Jacques Sturm [67], cet « ornement de la noblesse allemande » [68] invite Bucer et Capiton à expliquer « le sens authentique des Écritures » et à exposer le résultat de leurs recherches dans des cours publics mais réservés à une élite en raison de leur caractère scientifique [69]. Dès ce moment, on peut considérer que la Réforme est solidement établie à Strasbourg [70].

[61] C. Spindler, op. cit., p. 28.

[62] C. Spindler, op. cit., p. 92.

[63] H. Strohl, Le protestantisme en Alsace, p. 35.

[64] C. Spindler, op. cit., pp. 27-28.

[65] C. Spindler, op. cit., p. 30 : « Les autorités de la ville excitées et aidées par des hommes aussi zélés pour la bonne cause, durent songer à faire jouir le peuple de tous les avantages des réformes et du nouvel état de choses. »

[66] Archives de Strasbourg, Discipline, xvie siècle, no 84, carton 48 : Mandat du magistrat ordonnant de prêcher le pur évangile sans expressions blessantes.

[67] Jacques Sturm est né en 1489. Il était fils de chevalier. Il fut élevé dans une famille pieuse sous l'influence de Geiler. À Heidelberg, il suivit les cours de Wimpfeling. Il devint maître ès arts à Fribourg et gradué en droit. Il fut élu en 1524, membre du Sénat de Strasbourg, avant d'en devenir l'un des quatre présidents trimestriels (Stettmeister), charge dans laquelle il devait devenir le plus grand homme d'Etat qu'ait eu l'Alsace. Il mourut en 1553. Sur son rôle politique, voir notamment J. Ficker, Jakob Sturms Entwurf zur Strassburger Verantwortung für den Augsburger Reichtag 1530, dans Elsass-Lothringisches Jahrbuch, pp. 149-158, 1941.

[68] A.L. Herminjard, Correspondance des réformateurs dans les pays de langue française, t. 5, p. 402, note 13.

[69] H. Strohl, op. cit., pp. 35-37, donne un bon résumé de la situation à cette époque. Cfr aussi É.G. Léonard, op. cit., t. 1, pp. 148-149.

[70] On peut considérer que l'implantation de la Réforme à Strasbourg se place entre le décret de 1522 qui autorise chaque prédicateur à annoncer librement l'évangile dans son église et celui du 1er décembre 1523 qui accordait le monopole de la chaire. Cfr P. Mesnard, L'évangélisme politique de Martin Bucer (1491-1551), L'Alsace et l'Allemagne du S.W. au début du xvie siècle, dans B.S.H.P.F., t. 102, p. 203, Paris, 1956. Cfr B. Moeller, Villes d'empire et Réformation, p. 25, Genève, 1966 : « Les villes libres furent les premières communautés qui embrassèrent officiellement la Réforme. »

En 1524, les élections donnent aux novateurs la majorité au Grand Conseil. Les prêtres mariés gagnent le droit de bourgeoisie qui les soustrait à la juridiction ecclésiastique [71]. L'évêque, Guillaume de Honstein [72], publie contre eux, le 14 mars, la sentence d'excommunication majeure, mais il ne les poursuit pas de fait. Et lorsque, au cours de l'année, Hédion et Capiton [73] se marient à leur tour, ils ne sont pas inquiétés.

B. Son activité de 1524 à 1529.

1524 est pour Bucer une année décisive. Le 24 janvier, les fidèles de la paroisse de Sainte-Aurélie le réclament comme prédicateur désigné « pour que, dirigés vers le seul Christ, nous vivions aussi entre nous d'une vie honorable et paisible, à la louange de Dieu, pour plaire à vos Excellences et selon l'intérêt public... ne recherchant que l'honneur de Dieu, le salut de nos âmes et le bien public de la ville » [74]. Le magistrat n'avait aucun droit sur un office dépendant du Chapitre de Saint-Thomas, mais il prend sur lui de faire néanmoins aboutir l'affaire. On en vient à un compromis. Présenté au peuple le 21 février, Bucer est élu par acclamation curé de la paroisse. Le magistrat ratifie cette décision le 31 mars 1524 [75]. Le 21 septembre, Bucer obtient le droit de bourgeoisie en

---

[71] F. Wendel, *Martin Bucer...*, p. 12, et F. Wendel, *Le mariage à Strasbourg...*, p. 69.

[72] Guillaume de Honstein est évêque de Strasbourg depuis 1506. Il meurt le 29 juin 1541.

[73] Capiton se marie le 1er août 1524 avec Agnès Roettel, fille d'un conseiller de Strasbourg. Cfr J.W. Baum, *op. cit.*, p. 264, et Allen, *Opus*, t. 5, p. 529, 1. 16-17, n° 1482, Érasme à Aléandre, Bâle, 2 septembre 1524. Il épousera en secondes noces Wibrandis Rosenblatt, veuve d'Oecolampade, le 11 avril 1532. Hédion épouse, le 30 mai 1524, Marguerite Trenz, fille d'une famille du métier des maraîchers-jardiniers (C. Spindler, *op. cit.*, p. 31).

[74] Bucer, *D.S.*, t. 1, pp. 366 et 368, cité par B. Moeller, *op. cit.*, p. 38. Cfr Archives de Strasbourg, *Église de Sainte-Aurélie*, n° 133, Carton 69, 1 : Sainte-Aurélie prie le Magistrat de nommer Martin Bucer, pasteur de la paroisse.

[75] Les paroissiens de Saint-Pierre-le-Jeune avaient élu semblablement Capiton, en mars 1524. En été, la situation se présentait comme suit : Hédion, maintenu prédicateur à la Cathédrale, Zell, curé de cette paroisse, Capiton, pasteur de Saint-Pierre-le-Jeune, Bucer, pasteur de Sainte-Aurélie puis de Saint-Thomas, Firn, pasteur de Saint-Thomas, Nigri, pasteur de Saint-Pierre-le-Vieux, Latomus, pasteur de Saint-Nicolas. Cfr H. Strohl, *op. cit.*, p. 37, et É.G. Léonard, *op. cit.*, t. 1, p. 150.

demandant son rattachement à la « tribu » ou métier des *Gärtner*, c'est-à-dire des maraîchers-jardiniers qui constituent la presque totalité de ses paroissiens [76]. Entretemps, la communion a été distribuée sous les deux espèces, dès le 16 février, à ceux qui le demandaient et, le 19 avril, pour la première fois, à Strasbourg, la messe est célébrée en allemand [77].

C'est cette année-là que le magistrat prend ouvertement le parti des novateurs : le 24 août, à la suite d'un avis des échevins, il décide de pourvoir désormais lui-même à la nomination et au paiement des prédicateurs [78]. Cette mesure soulèvera des polémiques incessantes avec les catholiques restés fidèles aux vieux usages. Chargé de rédiger une justification, Bucer publie son célèbre traité *Grund und Ursach* [79]. Il y expose que l'Église a d'autant moins besoin d'un clergé spécialisé pour les sacrements qu'elle n'a, à proprement parler, pas de sacrements, l'Esprit suffisant par lui-même.

Si Bucer a été gagné à la Réforme par Luther, l'influence d'Érasme le prédestine plutôt à se tourner vers Zwingli, ancien disciple de l'humaniste [80]. « Les origines préparent les diver-

---

[76] C. WITTMER et J.C. MEYER, *Le livre de la bourgeoisie de la ville de Strasbourg, 1440-1530*, t. 2, p. 700, Zurich, 1954 : « Item der wolgelert Martin buotzer hat das burgkrecht empfangen von Claus Buotzeren, dem Kubler, seinem Vatter ; wil dienen mit den gartneren. Actum ut supra (22. IX). » Capiton avait acquis le même droit le 9 juillet 1523. Cfr C. WITTMER et J.C. MEYER, *op. cit.*, p. 685 : « Item der hochgelert doctor Wolfgang Fabritius Capito probst zu sant Thoman hat das burgrecht koufft ; (hat) daby den artikel stet zu haltten gelopt und versprochen und dient zum spiegel ; dornstags noch Ulrichi episcopi (9. VII). »

[77] F. WENDEL, *Martin Bucer...*, p. 13, et F. WENDEL, *Le mariage à Strasbourg...*, p. 69.

[78] F. WENDEL, *Le mariage à Strasbourg...*, p. 70.

[79] *Grund und Ursach auss gotlicher schrifft der newerungen, an dem nachtmal des Herren, so man die Mess nennet Tauff, Feyrtagen, bildern und gesang, in der gemein Christi wann die zusammen kompt, durch und auf das wort gottes zu Strasburg fürgenommen*, Strasbourg, 1524. Cfr J.W. BAUM, *op. cit.*, pp. 590-591, n° 7, et R. STUPPERICH et E. STEINBORN, *op. cit.*, p. 46, n° 8.

[80] Ulrich Zwingli naquit le 1er janvier 1484 au Toggenbourg. Il fut adopté par son oncle, prêtre de paroisse à Wesen sur le Walensee. Après avoir étudié à Bâle et à Berne, il fut immatriculé à Vienne en 1500. En 1502, il retourna à Bâle où il devint bachelier ès arts, en 1504 et maître ès arts, en 1506. Ensuite, il fut prêtre de paroisse à Glaris. Son indépendance de caractère le poussa vivement vers le parti réformé. Dès 1519, il est prédicateur à Zurich. En 1522, il se marie. En 1523, il fait appel à la Bible comme seule source de vérité. Il adopte sur la question eucharistique des vues différentes de celles de Luther et entraîne à sa suite plusieurs réformateurs. Il meurt à Kappel, le 11 octobre 1531.

gences [81]. » Il adopte les vues de ce dernier et d'Oecolampade [82] sur l'Eucharistie, à savoir : « La Cène fait participer au corps du Christ, mais en tant qu'elle fait de l'Église le corps du Christ [83]. » Si Bucer s'est rallié à la doctrine symbolique professée par Zwingli et Oecolampade, « c'est moins sur leur autorité que parce qu'ils avaient su, le dernier surtout, la faire apparaître à ses yeux comme la doctrine traditionnelle » [84]. Mais il ne reste pas longtemps zwinglien. De 1524 à 1530, sa doctrine eucharistique se modifie. Il a compris que, pour ne pas sombrer, le mouvement doit trouver « un moyen terme sur lequel tous les partisans des nouvelles idées puissent s'entendre » [85]. Au lieu de suivre aveuglément Luther comme au début, ou de défendre résolument la doctrine de Zwingli [86], comme il l'avait fait récemment, il recherche alors l'harmonie et la concorde par une compréhension plus claire de la matière même de la discussion [87] et prépare ainsi la synthèse calviniste. Cette

---

[81] P. IMBART DE LA TOUR, *Les origines de la Réforme*, t. 3, *L'Évangélisme (1521-1538)*, p. 446, Paris, 1914.

[82] Jean Huusgen, dit Oecolampade, est né en 1482 à Weinsberg, près de Würzburg. Il suit d'abord des cours à Heilborn, puis, il va étudier le droit à Bologne, mais il revient en octobre 1499 à Heidelberg pour poursuivre des études de théologie. Il devient maître ès arts en 1503. Après avoir été instituteur à la cour du comte palatin Philippe, il retourne chez lui comme prêtre de paroisse. Certains des sermons qu'il prononça là ont été édités par Zazius à Fribourg, en 1512. En 1513, il s'inscrit à Tübingen et étudie le grec avec Mélanchthon ; ensuite, il retourne étudier l'hébreu à Heidelberg où il se lie d'amitié avec Capiton. De 1515 à 1518, il séjourne souvent à Bâle à l'invitation de l'évêque, Christophe d'Utenheim, et aide Érasme lors de l'édition du *Novum Instrumentum*. De 1518 à 1520, il va à Augsbourg, puis, il se retire dans un monastère mais, en 1522, il se range dans le camp réformé et retourne à Bâle où il passe le reste de sa vie. Il meurt le 24 novembre 1531.

[83] É.G. LÉONARD, *op. cit.*, t. 1, p. 151. W. KOEHLER, *Zwingli und Luther, ihr Streit über das Abendmahl nach seinem politischen und religiösen Beziehungen*, t. 1, pp. 208-225, Leipzig, 1924, étudie la genèse et l'évolution de la conception strasbourgeoise sur l'Eucharistie et met l'accent sur le rôle qu'y ont joué Zwingli et Carlstadt. Voir aussi H. STROHL, *La pensée de la Réforme*, p. 230.

[84] J.V. POLLET, *Martin Bucer, études sur la correspondance*, t. I, p. 10.

[85] F. WENDEL, *Martin Bucer...*, p. 24. Parmi les tentatives de conciliation, il faut citer, en 1530, la *Tetrapolitana*, en 1531, la ligue de Smalcalde, en 1536, la Concorde de Wittemberg.

[86] Pour les différences entre la doctrine de Bucer et celle de Zwingli, voir A. LANG, *Der Evangelienkommentar*, pp. 237-239, 245-246 et 433.

[87] H. EELLS, *The genesis of the Martin Bucer's Doctrine of the Lord's Supper*, dans *Princeton Theological Review*, p. 251, 1926. C'est lorsqu'il lut la *Confession sur la Cène* de Luther, publiée en 1528, qu'il s'aperçut qu'il avait mal compris Luther. « Ce que Luther croyait réellement, il décida maintenant que c'était l'union sacramentale de l'esprit avec le corps du Christ. » C'est ce

attitude conciliante et médiatrice est jugée sévèrement par Koehler :
« Bucer était le négociateur peu scrupuleux entre Luther et Zwingli.
Il se croyait honnête mais sa subtilité, son caractère candide (comme
disait Mélanchthon), sa théologie héraclitienne (comme disait Bibliander), le fit aller jusqu'à la limite de la malhonnêteté. Son souci
d'une alliance politique, il faut bien le dire, n'était pas un à-côté
chez lui, mais parfois une fin qui justifiait les moyens [88]. »

À la fin de 1524, la bourgeoisie de Strasbourg est acquise à
l'évangélisme mais les principales communautés ecclésiastiques
restent en dehors du mouvement. Les membres du riche et puissant
Chapitre cathédral et des Chapitres des trois collégiales ont, pour
la plupart, quitté la ville. Seul, le Chapitre de Saint-Thomas est
en train de devenir protestant sous l'influence de son prévôt Capiton [89]. Les réformateurs se heurtent aussi à l'opposition de l'aile
extrémiste du mouvement. D'innombrables sectes sont nées qui se
réclament de Luther : par exemple, les anabaptistes et ces « sectaires » dont certaines prédications anarchistes sont accueillies avec
joie par les meneurs des émeutes paysannes. Le caractère souple
de la Réforme strasbourgeoise a attiré dans la ville [90], dès les
premiers jours du mouvement, un grand nombre d'étrangers. Carlstadt [91] y séjourne quelques semaines en 1524. En octobre 1525,

qui l'incita à tendre tous ses efforts pour réaliser la paix entre les deux camps.
(Cfr H. EELLS, *The Failure of Church Unification efforts*, dans *Archiv für
Reformationsgeschichte*, p. 161, 1951.) Selon J.V. POLLET, *Julius Pflug. Correspondance*, t. I, *1510-1539*, p. 331, Leyde, 1969, Bucer trouvera à la Concorde
de Wittemberg (mai 1536), la formule permettant de concilier luthéranisme et
zwinglianisme.

[88] W. KOEHLER, *op. cit.*, t. 2, p. 523. Cfr W. KOEHLER, *op. cit.*, t. 1, pp. 816-
817. Le jugement de G. ANRICH, *op. cit.*, pp. 122-124, est plus nuancé. Voir
aussi H. EELLS, *The genesis*, p. 225.

[89] G. ANRICH, *op. cit.*, p. 27.

[90] Voir P. DOLLINGER, *La tolérance à Strasbourg au xvie siècle*, dans
Hommage à Lucien Fèbvre. Éventail de l'histoire vivante, t. 2, pp. 241-249,
Paris, 1953.

[91] André Bodenstein est né à Karlstadt, en Franconie. Il devient bachelier
ès arts en 1502, à Erfurt, et maître ès arts en 1505, à Wittemberg. En 1510,
il devient docteur en droit et, en 1513, professeur de théologie et archidiacre.
Il opte définitivement pour la Réforme en octobre 1520 et, pendant l'absence de
Luther à la Wartburg, en 1521-1522, il mène la communauté de Wittemberg.
En 1521, à Noël, il abandonne le culte romain et se marie le 20 janvier 1522.
Il prêche aux paysans en révolte à Rothenburg, en 1525. Il sympathise avec
les anabaptistes en Holstein et en Frise, de 1526 à 1529 et rejoint Zwingli dans
sa lutte contre les cantons suisses catholiques, en 1531. Il meurt le 24 décembre
1541. ALLEN, *Opus*, t. 3, p. 469.

ce sont les chefs du mouvement évangélique français, Jacques Lefèbre d'Étaples et Gérard Roussel, qui, s'enfuyant de Meaux, descendent chez Capiton [92], ce qui permettra au catholique Florimond de Raemond de déclarer : « Ce fut dans ton Argentine, qu'ils appelaient la nouvelle Jérusalem, laquelle se glorifie d'être voisine de la France, que l'hérésie à plusieurs têtes dressa son arsenal et recueillit une partie de ses forces pour la venir assaillir... Ce fut le réceptacle des bannis de la France [93]. » Presque tous les anabaptistes de marque sont accueillis dans la ville, Balthasar Hubmaier en 1525, Hans Denck en 1526, plus tard Sattler, Börrhaus, Hätzer, Kautz et Hoffmann [94]. Bucer entame avec ces derniers de nombreuses polémiques et pousse même les autorités à les proscrire. Il leur reproche non pas tant leurs idées théologiques que l'esprit de discorde dont ils favorisent la naissance dans l'Église. Les anabaptistes sont expulsés en février et avril 1527 [95]. Pourtant, l'unanimité ne se fait pas au sein du parti évangélique ; Capiton leur reste favorable [96]. Il est fortement influencé par Cellarius [97]

[92] Voir sur le séjour de Lefèvre d'Étaples à Strasbourg et sur ses activités en exil, A. CLERVAL, Strasbourg et la Réforme française, dans Revue d'Histoire de l'Église de France, t. 7, pp. 139-160, Paris, 1929.

[93] E. DOUMERGUE, Essai sur l'histoire du culte réformé, principalement au XVIe et au XIXe siècle, p. 6, Paris, 1890.

[94] W.G. MOORE, La Réforme allemande et la littérature française, Recherches sur la notoriété de Luther en France, pp. 92-93, Strasbourg, 1930, et Guillaume Farel, 1489-1565, Biographie nouvelle écrite d'après les documents originaux, par un groupe d'historiens, p. 153, Neuchatel, Paris, 1930.

[95] Pour les relations de Bucer et Capiton à l'égard des anabaptistes, voir A. HULSHOF, Geschiedenis van de Doopsgezinden te Straatsburg van 1525-1557, Amsterdam, 1905, et J.M. USTERI, Die Stellung der Strassburger Reformatoren Bucer und Capito zur Tauffrage, Gotha, 1884. Voir aussi B. MOELLER, op. cit., p. 68 et J. COURVOISIER, La notion d'Église chez Bucer dans son développement historique, pp. 5-15, Paris, 1933.

[96] É.G. LÉONARD, op. cit., p. 150. Capiton, le 31 mai 1527, écrit une admirable supplique en faveur des anabaptistes détenus à Horb, en Würtemberg. Cfr The Mennonite encyclopedia, t. 1, pp. 512-516, Scottdale (Penn.), 1955, et P. DOLLINGER, op. cit., p. 244.

[97] Martin Cellarius est né à Stuttgart, en 1499. Il fit ses études à Tübingen puis à Ingolstadt, près de Reuchlin et de Eck. Il devint ensuite un partisan de la Réforme et même un représentant des idées anabaptistes. Au service de ses idées, il mena, dès 1522, une vie errante, allant de Stuttgart en Suisse, en Autriche, en Pologne et en Prusse pour aboutir enfin à Strasbourg, dans l'entourage de Capiton. A partir de 1536, il vécut à Bâle où il travailla d'abord comme verrier puis comme professeur de rhétorique, dès 1541. Il mourut le 11 octobre 1564. ALLEN, Opus, t. 8, p. 422.

au point d'approuver en principe l'abolition du baptême des enfants. Il ne se détachera complètement de la secte qu'en 1533, lorsque les événements auront montré le danger qu'elle faisait courir à l'ensemble du mouvement protestant [98].

En même temps qu'il s'oppose aux sectes, Bucer poursuit son œuvre : l'introduction officielle de la Réforme à Strasbourg. Capiton est le premier à reconnaître la part importante prise par Bucer dans le mouvement : « Bucer est le coryphée et le soutien non seulement de l'érudition mais aussi du sens de la piété, de la constance, de l'intégrité, de l'amour du prochain »[99] et Capiton s'efface devant lui pour avoir sous-estimé le danger anabaptiste. « C'est en assurant contre lui (l'anabaptisme) la défense de l'évangélisme alsacien que Bucer conquit l'autorité théologique suffisante pour intervenir puissamment dans la grande controverse sur la Cène et pour devenir le champion incontesté de l'œcuménisme protestant [100]. »

Des ordonnances gouvernementales imposent des suppressions et des simplifications successives dans la liturgie : à la Noël 1524, abolition de l'élévation des espèces, plus tard, suppression des autels, des images [101], des vêtements sacrés [102]. Les réformateurs voudraient abroger la messe, mais les conseillers reculent devant cette mesure extrême, par crainte des représailles et, d'autre part, parce qu'une partie assez faible de la bourgeoisie tient à sauvegarder ce dernier vestige du culte traditionnel.

---

[98] Sur les sentiments d'Érasme à l'égard des anabaptistes, voir J. Huizinga, *Érasme*, p. 286, Paris, 1955. W. Koehler voit même dans Érasme un des pères spirituels de l'anabaptisme. Voir encore à ce sujet T. Hall, *Possibilities of Erasmian influence on Denck and Hubmaier in their views of the Freedom of the will*, dans *The Mennonite Quarterly Review*, t. 35, pp. 149-170, 1961. Cette opinion est contestée par E.W. Kohls, *Erasmus und die werdende evangelische Bewegung des 16. Jahrhundert*, dans *Scrinium Erasmianum*, t. 1, p. 215, Leyde, 1969.

[99] C'est un extrait d'une lettre de Capiton à Oecolampade du 23 janvier 1526 : « Bucerus hic est coryphaeus et columna, non solum eruditione sed etiam judicio pietatis constantia integritate, dilectione proximi ». Voir E. Staehelin, *Briefe und Akten zum Leben Oecolampade*, t. 1, pp. 453-454, n° 327. Sur les qualités attribuées à Bucer, voir encore *Zwinglis sämtliche Werke*, t. 8, p. 91, 1. 9-13, n° 306 (cfr note 55).

[100] P. Mesnard, *Bucer et la Réforme religieuse*, dans *B.S.H.P.F.*, t. 102, p. 207, Paris, 1956.

[101] Voir la lettre de Capiton à Ambroise Blaurer, Strasbourg, 17 décembre 1524, dans F. Schiess, *Briefwechsel der Brüder Ambrosius und Thomas Blaurer*, Fribourg, 1908, t. 1, p. 115 : « Reliqua Papistica omnia antiquata sunt. Supersunt adhuc aliquae statuae, quas propediem ejiciemus ».

[102] É.G. Léonard, *op. cit.*, t. 1, p. 150.

En 1528, les événements se précipitent. Le 20 février 1529, en dépit de l'envoi à Strasbourg d'une délégation impériale, les échevins approuvent l'abolition de la messe qui était encore célébrée dans quelques églises et couvents [103]. « Pour Bucer, c'était la consécration de patients efforts et le début d'un pouvoir qu'il sut conserver pendant près de vingt ans [104]. »

[103] Sur le rôle du magistrat dans cette affaire, voir ci-après, chapitre V, pp. 104-105.

[104] F. WENDEL, *Martin Bucer...*, p. 16.

CHAPITRE III

ATTITUDE D'ÉRASME
FACE À LA RÉFORME STRASBOURGEOISE
JUSQU'EN 1529

Les rapports entre Érasme et Strasbourg, devenue « le centre politique et religieux de la Haute Allemagne [105] », vont se détériorer dès 1524. Si, jusqu'alors, Érasme n'entretenait aucune relation avec Bucer, par contre, il considérait Capiton comme un ami très cher [106]. En 1516, en effet, celui-ci était devenu son collaborateur pour la fameuse édition du *Novum Instrumentum*. Son rôle était de vérifier les citations et les noms propres de l'Ancien Testament. Érasme reconnaissait sans peine que Capiton le surpassait en savoir dans ces matières [107]. Il le préférait même au grand hébraïsant Reuchlin [108], à l'indignation de Hutten [109]. Depuis ce moment,

---

[105] *Guillaume Farel, 1489-1565*, p. 153, Neuchatel, Paris, 1930.

[106] Sur le thème de l'amitié, voir V. TOURNEUR, *Érasme et l'amitié*, dans *Académie royale de Belgique, Bulletin de la classe des lettres et des sciences morales et politiques*, 5ᵉ série, t. 28, pp. 140-157, Bruxelles, 1942. Pour les relations entre Érasme et Capiton, voir ALLEN, *Opus*, nᵒˢ 459, 561, 600, 938, 1083, 1241, 1290, 1308, 1368, 1374.

[107] En 1516, Capiton publie une *Institutio in hebraicam literaturam*. La même année, il donne une édition complète des psaumes en hébreu, suivie d'une grammaire sommaire de cette langue. Deux ans plus tard, paraît une grammaire complète de la langue hébraïque mais le dictionnaire projeté ne sera jamais achevé.

[108] ALLEN, *Opus*, t. 2, p. 244, l. 13-14, nᵒ 413, Érasme à John Fisher, Saint-Omer, 5 juin 1516 : « Idem sentit Vuolphangus Capito concionator publicus Basiliensis, vir Hebraice longe doctior Reuchlino... » ce qui n'est pas sans étonner. Reuchlin, le champion de l'enseignement de l'hébreu, est né, le 22 février 1455, à Pforzheim. Il commence sa carrière universitaire à Fribourg, en 1470. Il devient bachelier ès arts en 1475, à Bâle et maître ès arts, en 1477. C'est vers 1492 qu'il se met à étudier l'hébreu et vers la même époque, il est anobli par l'empereur. Il meurt le 30 juin 1522. Voir G. VALLESE, *Erasmo e Reuchlin*, Naples, 3ᵉ éd., 1964.

[109] *L.B.*, t. 10, col. 1641 C-E, *Spongia* : « Dans une certaine lettre, j'ai écrit que Capiton est plus savant que Reuchlin dans les lettres hébraïques. Dieu immortel, quelles tragédies Hutten excite contre moi, comme si j'avais empoisonné

Capiton est en relations épistolaires suivies avec Érasme. Par ailleurs, en 1518, Capiton se met en rapports avec Zwingli et Luther et recommande, dans une préface anonyme, la publication, chez Froben, des premiers manifestes du moine augustin [110]. La connaissance personnelle qu'il fait de Luther lors d'une visite à Wittemberg et surtout la lecture de ses œuvres finissent par gagner entièrement Capiton à la cause nouvelle. Le 15 juin 1522, il envoie de Nuremberg une lettre très significative où il fait comprendre à Érasme son adhésion définitive à la Réforme [111], ce qui ne l'empêche pas de l'appeler « la lumière renaissante de ce siècle [112] ». C'est Capiton qui avertit Érasme du danger qu'il court à rester indécis par excès de prudence. Dès le 17 août 1522, il prévoit en effet qu'Érasme finira par se faire haïr des deux partis [113] et, le 6 juillet 1523, il revient à la charge : Érasme doit se déclarer pour ou contre le mouvement luthérien. Les réformés qui ont d'abord cru qu'Érasme était des leurs, puisqu'il avait célébré Luther [114] et n'avait jamais exalté la dignité pontificale, le soupçonnent maintenant de changer d'avis [115], depuis qu'il accuse

---

Reuchlin ! Il est établi que Capiton est le prince de la littérature hébraïque chez les Allemands. Serait-ce déshonorant pour lui, si un homme plus savant lui succédait ? Moi, je crois que ce serait beaucoup plus glorieux... Capnion est-il blessé, si, lorsque je le place au faîte de la gloire, je lui préfère Capiton, surtout en hébreu. Mais tu compares, dit-il (Hutten), le plus obscur des hommes au plus célèbre ! Capiton n'était pas un inconnu et auprès des érudits, il était renommé pour des opuscules... ». Cfr *Expostulatio*, publiée dans E. BOECKING, *Ulrichi Hutteni Opera Omnia*, t. 2, pp. 199-200, Leyde, 1895. Selon Hutten, Capiton dépasse à peine les premiers rudiments d'hébreu. C'est l'aide qu'il a apportée à Érasme dans l'édition du *Novum Instrumentum* et la jalousie de ce dernier envers Reuchlin qui lui valent ce jugement élogieux, dit Hutten.

[110] Cfr ALLEN, *Opus*, t. 5, pp. 602-603, l. 34-37, n° 1526, Érasme à Georges de Saxe, Bâle, 12 décembre 1524.

[111] ALLEN, *Opus*, t. 5, pp. 73-74, n° 1290.

[112] A. MEYER, *Étude critique sur les relations d'Érasme et de Luther*, p. 9, Paris, 1909. Il s'agit d'un extrait du *Judicium D. Lutheri* qui, en fait, ne fut jamais imprimé et est conservé aux archives de Bâle. Cfr F. RITTER, *Histoire de l'Imprimerie alsacienne aux XVᵉ et XVIᵉ siècle*, pp. 182-183, Strasbourg et Paris, 1955.

[113] ALLEN, *Opus*, t. 5, p. 116, l. 1-3, n° 1308 : « Cave ne, utranque factionem retenturus in amore tui, (in) utriusque odium incidas. Quiddam enim tale subodoror ».

[114] ALLEN, *Opus*, t. 4, p. 345, l. 14-18, n° 1143, Érasme à Léon X, Louvain, 13 septembre 1520 : « Je l'applaudis donc et j'applaudis en lui, non pas les mauvaises choses mais la gloire du Christ » et t. 4, p. 403, l. 124-143, n° 1167, Érasme à Campegio, Louvain, 6 décembre 1520. Voir aussi t. 4, p. 363, l. 32-34, n° 1153, Érasme à Godescalc Rosemont, Louvain, 18 octobre 1520.

[115] ALLEN, *Opus*, t. 5, p. 304, l. 39-42, n° 1374.

Luther d'impiété [116]. Capiton ne parlerait-il pas ici de sa propre expérience puisque, dans une imitation de la Passion du Christ, les luthériens l'ont identifié au traître Judas [117] ? De même, Luther, le 17 janvier 1522, lui a envoyé de la Wartburg une lettre très sévère où il lui reproche notamment de trop excuser, de trop pardonner sous le couvert de la charité chrétienne alors qu'en fait, le Christ a passé sa vie à dénoncer les abus et les vices. « La charité soutient tout, supporte tout, espère tout [118], mais la foi ou le Verbe ne soutient rien mais dénonce, dévore ou, comme le dit Jérémie, arrache, détruit et dissipe [119] et, 'maudit est celui qui fait frauduleusement l'œuvre de Dieu [120] '.» En effet, c'est une chose, Fabritius, de louer et d'excuser les vices, autre chose est de les guérir avec douceur et bonté. D'abord, il faut dire tout ce qui est juste et ce qui ne l'est pas, ensuite, dès que ton auditeur l'aura accepté, il faut le tolérer et, comme dit saint Paul, le recevoir comme faible dans la foi » [121]. Mais tu fais en sorte que, jamais, on ne connaisse la vérité et, au lieu de soigner les vices, tu les flattes » [122]. On voit par là, qu'avant d'opter définitivement pour la Réforme, Capiton a, lui aussi, été violemment pris à partie par les luthériens.

A. L'affaire Brunfels.

Pourtant, cette belle amitié entre Érasme et Capiton va se terminer de façon lamentable en 1524. Pour quelles raisons ? Érasme, non seulement reproche à Capiton d'avoir donné le gîte

[116] ALLEN, *Opus*, t. 5, p. 304, l. 45-46, n° 1374.
[117] ALLEN, *Opus*, t. 5, p. 306, l. 96-99, n° 1374. Par imitation de la Passion du Christ, ne faudrait-il pas entendre le *Passional Christi und Antichristi*, série de gravures parues en 1521, dues à Cranach mais inspirées par Luther. Capiton, en effet, ne parle pas seulement de libelles parus contre lui mais aussi de *picturis*. Voir sur le *Passional*, M. GRAVIER, *op. cit.*, p. 294.
[118] *I Cor.* 13, 7.
[119] *Jér.* I, 10.
[120] *Jér.* 48, 10.
[121] *Rom.*, 14,1.
[122] *W.A., Br.*, t. 2, p. 431 : « Caritas omnia sustinet, omnia suffert, omnia sperat; fides vero seu verbum nihil sustinet prorsus, sed arguit, devorat seu, ut Hieremias dicit, evellit destruit et dissipat, et « Maledictus est, qui facit opus Domini fraudulenter ». Aliud est enim, Fabrici, vitium laudare vel extenuare, aliud benigniter et suaviter curare. Primum omnium dicendum est, quid rectum et non rectum sit, deinde, ubi auditor susceperit, tolerandus et, ut Paulus ait, infirmus in fide suscipiendus est. Tua vero ratio id effecit, ut nunquam veritas agnoscatur et tamen interim blanditu et ficta humanitate praesumatur vitium sanari ».

à des hommes comme Eppendorf [123] et Brunfels [124] qui, à l'instar
de Hutten, ont publié contre lui des écrits diffamatoires, mais
encore, il l'accuse de les avoir instigués à écrire contre lui [125].
Il fait allusion ici à une œuvre de Otho Brunfels publiée entre
le 19 janvier et le 13 mars 1524 à Strasbourg, chez Jean Schott [126] :
le *Pro Ulricho Hutteno defuncto ad Erasmi Roterodami Spongiam
Responsio*, orné de caricatures d'Érasme et qui répond à la seconde
édition de la *Spongia Erasmi adversus aspergines Hutteni*. Brunfels
voulait, disait-il, y défendre un ami qui ne pouvait plus le faire
lui-même [127]. Érasme est fort affecté par cette *Responsio*. Il porte
plainte auprès du Grand Conseil de Strasbourg [128]. S'en prenant
aux caricatures, il souligne qu'elles sont contraires à tout esprit
évangélique ; il dénie à Schott le droit d'imprimer des pamphlets,
fût-ce pour nourrir sa femme et ses enfants [129] ; il ajoute que
lui-même ne l'a jamais offensé, à moins qu'on ne veuille considérer
comme une offense le fait qu'il ait fait imprimer ses écrits chez
Froben qui, par la qualité de sa production, s'est attiré la jalousie
de Schott [130]. Érasme avait déjà traité du problème de la « dégra-
dation mercantile de l'imprimerie » [131] dans l'adage *Festina lente* [132].

---

[123] On ignore sa date de naissance. On sait seulement qu'il devient bachelier
ès arts, le 11 mars 1508 à Leipzig ; Mélanchthon l'appréciait peu. Il rend visite à
Érasme, à Louvain, en 1520 et, dès 1522, il s'attache à lui, mais lorsque survient
la dispute entre Hutten et Érasme, Eppendorf suit Hutten et abandonne ses
anciens amis. C'est à la mort de Hutten qu'il gagne Strasbourg où il va influencer
Otho Brunfels notamment. ALLEN, *Opus*, t. 4, p. 303.

[124] ALLEN, *Opus*, t. 5, pp. 547-548, l. 108-112, Érasme à Mélanchthon, Bâle,
6 septembre 1524, n° 1496 et t. 5, pp. 481-482, l. 61-68, n° 1459, Érasme à
Hédion, Bâle, ca. juin 1524.

[125] ALLEN, *Opus*, t. 5, p. 482, l. 65-66, n° 1459.

[126] Pour la biographie de Jean Schott, voir F. RITTER, *op. cit.*, pp. 170-186.

[127] ALLEN, *Opus*, t. 5, p. 368, l. 5-6, n° 1405, Brunfels à Érasme, (Strasbourg),
(ca. décembre 1523).

[128] ALLEN, *Opus*, t. 5, pp. 416-417, n° 1429, Érasme au Conseil municipal
de Strasbourg, Bâle, mars 1524.

[129] Voir encore le colloque ἱππεύς ἄνιππος, *L.B.*, t. 1, col. 835 E, ou Érasme
parle sur le mode ironique des imprimeurs intéressés.

[130] ALLEN, *Opus*, t. 5, p. 481, l. 37-57, n° 1459 et t. 5, p. 433, l. 64-65,
n° 1437.

[131] M. BATAILLON, *La situation présente du message érasmien*, dans *Colloquium Erasmianum*, p. 11, Mons, 1968.

[132] L'adage *Festina lente* apparaît dans l'édition aldine de 1508. *L.B.*, t. 2,
col. 397 C-407 D. Voir à ce propos M. MANN PHILLIPS, *The Adages of Erasmus*,
pp. 171-190, Cambridge, 1964. Il s'agit ici du passage repris aux col. 403 B-
406 A.

Schott et Brunfels sont cités devant le Grand Conseil et sommés de se justifier. Les décisions que le Grand Conseil a prises contre Schott ne sont pas connues mais il semblerait que la lettre d'Érame ait eu des résultats tangibles sur la législation strasbourgeoise puisque, le 12 septembre 1524, le magistrat édicte quelques lois destinées à réglementer l'activité des imprimeurs. Tout ouvrage doit être soumis à la censure et ne peut être publié anonymement sous peine de prison et de confiscation [133]. Brunfels, par contre, n'est pas poursuivi, semble-t-il, puisqu'il est admis dès le 26 mars comme bourgeois de Strasbourg [134].

Érasme n'ose répondre à la *Responsio* parce que, dit-il, beaucoup d'autres alors publieront des pamphlets aussi venimeux [135]. Capiton, résidant à Strasbourg, ne peut qu'être mêlé à tous ces événements. Les soupçons d'Érasme se précisent. Le 2 avril 1524, il affirme à Conrad Goclénius [136] que Capiton, abusé par Eppendorf, a révélé à celui-ci certains secrets communs. Pour se disculper, Capiton envoie deux lettres à Érasme, mais en vain [137]. Il intervient en outre auprès d'Oecolampade, de Beatus Rhenanus et peut-être même de Froben [138] mais cette insistance est vaine : elle renforce encore les soupçons d'Érame [139]. De plus, ne lui affirme-t-on pas que Capiton n'est pas étranger à la *Responsio* ? Ce dernier n'a-t-il pas reconnu que Brunfels, ce galeux, cet ivrogne, avait passé deux

---

[133] F. RITTER, *op. cit.*, pp. 240-241. « D'une façon générale, ces prescriptions furent observées. En effet, en 1525 environ, 80 % des ouvrages publiés à Strasbourg portent le nom de l'imprimeur. Voir aussi F. RITTER, *La police de l'imprimerie et de la librairie à Strasbourg, depuis les origines jusqu'à la révolution française*, dans *Revue des bibliothèques*, t. 32, p. 163, 1922.

[134] ALLEN, *Opus*, t. 5, p. 367. Voir aussi chapitre II, note 40.

[135] ALLEN, *Opus*, t. 5, p. 421, l. 50-52, n° 1432, Érasme à Gérard de la Roche, Bâle, 26 mars 1524 : « et consultius arbitror negligere, quandoquidem audio non paucos alios accinctos ad hujusmodi vipereos libellos in me jaciendos ».

[136] ALLEN, *Opus*, t. 5, p. 434, l. 99-101, n° 1437, Érasme à Conrad Goclénius, Bâle, 2 avril 1524. Goclénius est né aux environs de décembre 1489. Le 1er décembre 1519, il fut nommé professeur de latin au collège de Busleiden et occupa ce poste jusqu'à sa mort. Il fut un ami intime d'Érasme qui le désigna comme l'un de ses exécuteurs testamentaires. C'est à lui qu'est adressée la dernière lettre d'Érasme, le 26 juin 1536. Sa dévotion au maître peut être comparée à celle de Beatus Rhenanus ou de Boniface Amerbach. Il mourut le 25 janvier 1539. ALLEN, *Opus*, t. 4, p. 504.

[137] *L.B.*, t. 10, col. 1616 B. Ces lettres sont perdues.

[138] *L.B.*, t. 10, col. 1616 B.

[139] ALLEN, *Opus*, t. 5, p. 434, l. 101, n° 1437 et t. 5, p. 548, l. 111-112n, n° 1496.

jours chez lui, et n'est-il pas exact qu'il se complait dans la compagnie d'Eppendorf? Or, dit Érasme, il est assez intelligent pour
comprendre les fourberies du dissipateur et le délire de l'écrivain [140].
En septembre, ses soupçons sont devenus certitude et provoquent
une lettre de rupture [141]. Érasme y résume en phrases très courtes
et sans fioritures ses griefs contre le parti de Strasbourg et y
rappelle son attachement à l'intérêt véritable de l'Évangile :
« je suis passé par tant de conjectures avant que mes soupçons ne
fassent place à la certitude! Toi, comme d'abord Otho et maintenant Eppendorf, vous luttez contre moi. Je t'en prie, utilise ces
talents contre ceux qui te veulent du mal, plutôt que contre Érasme!
Tu ne sais pas combien je peux souffrir. Il y a suffisamment de
tragédie sans rien y ajouter. Je travaille dans l'intérêt de l'évangile
bien plus sincèrement que tu ne le crois. En effet, je ne donnerai
jamais mon adhésion à votre église [142], à moins que je ne la voie
autre. Salut et donne à ce jeune homme (Eppendorf) un conseil
meilleur. » Il signe alors, sans espérance de pardon, semble-t-il,
« Érasme, autrefois tien dans le Christ ».

B. Le Libre Arbitre.

Malgré ses dénégations, Capiton n'a pu convaincre Érasme
de sa bonne foi. Au contraire, celui-ci voit dans ses agissements
un calcul : Capiton veut le calmer et le détourner de tout projet
de vengeance afin qu'il n'écrive pas contre Luther [143]. Depuis 1522,
en effet, l'opinion s'attendait à ce fameux ouvrage et Capiton de
s'étonner : « On prétend qu'Érasme écrit un livre contre Luther
mais je ne l'ai pas encore vu et je ne peux croire qu'Érasme ait osé
une telle chose [144] ». Adrien VI, le nouveau pape, pousse l'humaniste à sortir de sa neutralité [145]. En novembre 1523, par une

---

[140] ALLEN, *Opus*, t. 5, pp. 481-482, l. 61-67, n° 1459.

[141] ALLEN, *Opus*, t. 5, p. 532, n° 1485, Érasme à Capiton, Bâle, 2 septembre 1524.

[142] L'expression « dabo nomen » revient souvent sous la plume d'Érasme. Cfr ALLEN, *Opus*, t. 7, p. 231, l. 22-23, n° 1901 et t. 9, p. 453, l. 329-330, n° 2615. Voir aussi ALLEN, *Opus*, t. 9, p. 450, l. 195-196, n° 2615.

[143] ALLEN, *Opus*, t. 5, p. 434, l. 101-103, n° 1437.

[144] ALLEN, *Opus*, t. 5, p. 74, l. 37-38, n° 1290, Capiton à Érasme, Nuremberg, 5 juin 1522.

[145] ALLEN, *Opus*, t. 5, pp. 145-147, l. 12-67, n° 1324, Rome, 1er décembre 1522.

indiscrétion de Jean Faber [146], on apprend qu'Érasme a l'intention d'écrire un traité sur le *Libre Arbitre* [147]. Aussi, en avril 1524, Luther lui-même propose à l'humaniste un marché : « Sois simple spectateur de notre tragédie, ne grossis pas la troupe de mes adversaires et surtout, ne publie pas de livre contre moi, je n'en publierai pas contre toi [148] ». Malheureusement, la lettre de Luther contenait un passage qu'Érasme ne pouvait admettre : « Nous constatons déjà que le Seigneur ne t'a donné ni le courage, ni les aptitudes nécessaires pour assumer avec nous la lutte contre ce monstre (la papauté) et nous n'attendons pas de toi ce qui dépasse tes forces et ta capacité [149] ». Dès lors, Érasme n'a plus le choix. Il lui faut intervenir pour repousser cette accusation de lâcheté et pour ne pas paraître trahir l'Église [150].

En juillet 1524, il fait savoir à Pirckheimer [151] qu'il doit bien se résoudre à agir, maintenant que le bruit court qu'il est occupé

---

[146] ALLEN, *Opus*, t. 5, p. 434, l. 103, n° 1437. Cfr ALLEN, *Opus*, t. 5. p. 350, l. 14-15, n° 1397, Érasme à Jean Faber, Bâle, 21 novembre 1523 : « Le livre *De confitendo* est commencé. Si les forces sont suffisantes, le livre *De libero arbitrio* sera ajouté. »
Jean Faber est né en 1478. Il étudia à Tubingen puis à Fribourg où il fut élève de Zazius. En 1516, il devint chancelier de l'évêque de Bâle, en 1518, vicaire de l'évêque de Constance et, en 1521, évêque suffrageant. Il éprouvait des sympathies pour les humanistes et on crut bien qu'il allait rejoindre les réformateurs mais il se déclara fermement contre la nouvelle confession. En 1523, il devint ministre de Ferdinand dont il gagna la confiance et qui le combla d'honneurs et de charges. Il fut coadjuteur de l'évêque de Neustadt de 1528 à 1538, évêque de Vienne et doyen de Breslau en 1530. Il déploya dans ces différentes charges, une grande activité. On lui doit la fondation du collège trilingue de Saint-Nicolas à l'Université de Vienne. Il fut toujours favorable à Érasme. ALLEN, *Opus*, t. 2, p. 189.
[147] H. HUMBERTCLAUDE, *Érasme et Luther, leur polémique sur le libre arbitre*, Paris, 1909 et A. MEYER, *Étude critique sur les relations d'Érasme et de Luther*, Paris, 1909. Voir aussi E.G. LÉONARD, *op. cit.*, t. I, pp. 119-122 et C. AUGUSTIJN, *Erasmus en de Reformatie*, pp. 186-210, Paris, Amsterdam, 1962.
[148] ALLEN, *Opus*, t. 5, p. 447, l. 68-70, n° 1443, Luther à Érasme, Wittemberg, ca. 15 avril 1524.
[149] ALLEN, *Opus*, t. 5, p. 445, l. 9-12, n° 1443. Cfr t. 5, p. 447, l. 51-53, n° 1443.
[150] ALLEN, *Opus*, t. 5, p. 458, l. 40-56, n° 1448, Georges de Saxe à Érasme, Dresde, 21 mai 1524 et t. 5, pp. 549-550, l. 167-189, n° 1496.
[151] Willibald Pirckheimer naquit le 5 décembre 1470 à Eilstadt. Dès 1490, il partit pour l'Italie. Il étudia le grec à Padoue et le droit à Pavie. Il revint en Allemagne en 1497. Il devint conseiller de Nuremberg. Maximilien l'éleva à la dignité de conseiller impérial. Il resta à Nuremberg jusqu'en 1522, date à laquelle il résigna sa charge et s'adonna à l'étude. On lui doit des traductions de Lucien, de Pétrarque, une description de l'Allemagne et une histoire des guerres suisses. ALLEN, *Opus*, t. 2, p. 40.

à écrire un livre contre le réformateur de Wittemberg [152]. Il avait toujours espéré que Luther travaillerait de façon positive [153] mais c'est impossible avec des adeptes comme Brunfels, Farel, Zwingli, Oecolampade, Capiton, etc. Une constatation s'impose : « toujours, ils ont à la bouche évangile, parole de Dieu, foi, Christ, et Esprit-Saint mais, si l'on regarde leur façon de vivre, elle parle un tout autre langage [154] ». Ceux-là sont comme le cheval de Séjus [155], à tel point qu'Érasme préfère encore émigrer chez les Turcs [156] plutôt que de rejoindre leur mouvement. Il craint cependant une réaction très défavorable du côté des défenseurs de Luther [157]. « Le livre du *Libre Arbitre* va soulever, si je ne me trompe, bien des tempêtes. Déjà, quelques libelles virulents m'ont été jetés à la tête [158]. » On avait appris, en effet, du côté luthérien les efforts d'Érasme pour éloigner tous ses amis de cette faction [159]. Bucer notamment déclare qu'Érasme détourne les cœurs de la libre et pure connaissance de Dieu et du Christ [160]. Érasme publie son livre *Du libre arbitre*, le 1er septembre 1524. Luther qui reconnaît qu'on est là au cœur de la question [161], y répond par un *Traité du serf arbitre* qui paraît en septembre 1525 [162].

---

[152] ALLEN, *Opus*, t. 5, p. 496, l. 58-60, n° 1466, Érasme à Pirckheimer, Bâle, 21 juillet 1524.

[153] ALLEN, *Opus*, t. 5, p. 546, l. 46-59, n° 1496. Cfr t. 5, p. 543, l. 7-11, n° 1495, Érasme à Georges de Saxe, Bâle, 6 septembre 1524 et t. 5, p. 565, l. 18-19, n° 1506, Érasme à Jean Matthieu Giberti, Bâle, 13 octobre 1524.

[154] ALLEN, *Opus*, t. 5, p. 546, l. 62-63, n° 1496.

[155] ALLEN, *Opus*, t. 5, p. 334, l. 21-22, n° 1388, Érasme à Goclénius, Bâle, 25 septebre 1523. Posséder le cheval de Séjus se disait autrefois de celui qui était accablé par le malheur. Voir *L.B.*, t. 2, col. 395 F-396 B. Cfr Aulu Gelle, *Noctes Atticae*, livre 3, chapitre 9. Il se peut que cette supposition remonte au cheval de Troie.

[156] ALLEN, *Opus*, t. 5, p. 551, l. 18-19, n° 1497, Érasme à Spalatin, Bâle, 6 septembre 1524 et t. 5, p. 434, l. 98-99, n° 1437.

[157] ALLEN, *Opus*, t. 5, p. 521, l. 183-185, n° 1479, Érasme à Hajo Hermann, 31 août 1524.

[158] ALLEN, *Opus*, t. 5, p. 541, l. 4-7, n° 1493, Érasme à Henri VIII, Bâle, 6 septembre 1524.

[159] ALLEN, *Opus*, t. 5, p. 85, l. 22-23, n° 1299, Érasme à Josse Laurens, Bâle, 14 juillet 1522.

[160] Il s'agit d'une lettre de Bucer à Nessen, du début mai 1524, reproduite par J.W. BAUM, *op. cit.*, p. 257 : « ...da wir täglich erfahren müssen, wie er die Herzen so gar Mancher von dem freien und reinen Bekenntnis Gottes und Christi abwendig macht. »

[161] *W.A.*, t. 18, p. 786, *De servo arbitrio*.

[162] H. HUMBERTCLAUDE, *op. cit.*, et E.G. LÉONARD, *op. cit.*, t. 1, pp. 119-122.

Les Strasbourgeois rejettent le Libre Arbitre et par là même se retrouvent du côté de Luther dans la lutte engagée [163]. Dès le 14 octobre 1524, dans une lettre à Bruckner, Capiton flétrit ce « livre charnel [164] ». Le 23 novembre 1524, les réformateurs strasbourgeois expriment, dans une lettre à Luther, tout leur mépris pour « cet esclave de la gloire qui préférait la paix sous l'Antechrist à la guerre sous le Christ [165] », et stigmatisent l'influence défavorable de l'ouvrage d'Érasme, notamment en Basse Allemagne : « A ce propos, Jean Rhodius [166], un homme très pieux, qui a traversé notre ville pour aller à Bâle, nous a raconté des choses terribles, il y a deux jours. C'est lui (Érasme) qu'il faut incriminer si, à Cologne, quelques frères en sont arrivés à se quereller violemment à la suite d'une discussion sur son *Traité du Libre Arbitre* [167] ». Dans ce domaine encore, les divergences sont profondes entre Érasme et Strasbourg. Cette lutte, survenue à un moment où la vieillesse et la maladie l'accablent, lasse Érasme et l'épuise.

C. Ce qu'Érasme pense de la Réforme.

Bucer envoie, en 1527, une lettre à Érasme [168] où il lui demande peut-être une entrevue pour lui et ses amis lorsqu'ils passeront

[163] *Thesaurus Baumianus*, t. 2, Capiton à Pomeranus, 8 octobre 1525. Cfr J.V. POLLET, *op. cit.*, t. 2, p. 54 : « Ausus (Erasmus) interim asserere libertatem arbitrii, multis cavillis elevando Scripturae veritatem, cui nihil respondimus... ». Cfr *Zwinglis sämtliche Werke*, t. 8, p. 510, 1. 2-9, n° 444, Capiton à Zwingli, Strasbourg, 28 janvier 1526 et t. 9, p. 194, 1. 3-7, n° 643, Capiton à Zwingli, Strasbourg, 18 août 1527.

[164] Texte cité par A. MEYER, *op. cit.*, p. 107 : « Erasmi liberum arbitrium satis libere carmen palpat et humanas vires... ».

[165] *W.A. Br.*, t. 3, p. 386, 1.213-215, n° 797, les prédicateurs Capiton, Zell, Hédion, Firn et Bucer à Luther, Strasbourg, 23 novembre 1524 : « Quid enim aliud conatur quam ubique Scripturae autoritatem elevare et regni antichristiani quietem turbis praeferre regni Christiani? »

[166] Il s'agit probablement de Hinne Rode. On ignore la date de sa naissance et celle de sa mort. Vers 1520, il est recteur de l'école Saint-Jérôme appartenant aux frères de la vie commune d'Utrecht. Il a des sympathies pour la Réforme et adopte les thèses de Wessel sur la Cène. En 1521, il part pour Wittemberg. Il va ensuite à Bâle et à Zurich, en 1523-1524. A l'automne 1524, il est à Strasbourg chez Bucer. En 1525, on le retrouve à Deventer et, en 1527, il est pasteur évangélique en Frise orientale. Cfr *Die Religion in Geschichte und Gegenwart*, t. 5, col. 1135.

[167] *W.A., Br.*, t. 3, pp. 386-387, 1. 215-219, n° 797. Luther répondit par une *Brieff an die Christen zu Strassburg wider der schwerner geyst* à la mi-décembre 1524 (*W.A., Br.*, t. 15, pp. 391-397).

[168] Cette lettre n'existe plus.

par Bâle, en décembre, pour se rendre à la disputation de Berne [169],
mais cette entrevue n'a pas lieu [170], et Érasme, dans une réponse
qu'il adresse à Martin Bucer, prend ses distances vis-à-vis du
mouvement réformateur [171]. Il ne touche pas de façon nette aux
problèmes dogmatiques controversés. Ce sont les conséquences
malheureuses auxquelles aboutit la Réforme qui lui assurent les
arguments décisifs. Il fait de la Réforme une critique dure et claire
en trois points. Tout d'abord, il ne peut se persuader que la
contestation vienne de Dieu, ensuite un grand nombre parmi les
membres de cette communauté et même parmi ses chefs sont éloignés
de toute sincérité évangélique [172], enfin, il y a de grandes dissensions
parmi les dirigeants du mouvement [173]. Érasme insiste expressément
sur le fait que ses griefs reposent sur des expériences personelles
et non sur des informations de seconde main [174]. « Pour laisser de
côté les ' prophètes ' et les anabaptistes, quelle amertume dans
les pamphlets que ne cessent d'échanger Zwingli, Luther et
Osiander [175]. » Dès 1527, Érasme voit déjà le mouvement réformateur scindé en quatre groupes : les luthériens, les partisans de
Carlstadt, les anabaptistes et un groupe de prophètes [176] sur lesquels
Érasme ne donne pas de précisions [177]. La querelle à propos de
l'Eucharistie, la plus importante des controverses au sein de la
Réforme, à l'époque, offre naturellement à Érasme l'exemple le

---

[169] Sur la disputation de Berne et le rôle qu'y joua Bucer, voir J.-V. POLLET,
op. cit., t. 2, pp. 405-412.
[170] ALLEN, Opus, t. 7, pp. 281-282, l. 14-18, n° 1923, Érasme à Jérôme Emser,
Bâle, 29 décembre 1527.
[171] ALLEN, Opus, t. 7, p. 231, l. 22-23, n° 1901.
[172] Voir aussi ALLEN, Opus, t. 7, p. 360 ,l. 16-17, n° 1973, Érasme à Nicolas
Varius, Bâle, 19 mars 1528.
[173] ALLEN, Opus, t. 7, p. 231, l. 22-38, n° 1901.
[174] ALLEN, Opus, t. 7, p. 231, l. 26-30, n° 1901.
[175] ALLEN, Opus, t. 7, p. 231, l. 36-38, n° 1901. Cfr t. 6, p. 225, l. 17-20,
n° 1644 et L.B., t. 10, col. 1263 D, Hyperaspistes I.
[176] Sur ces derniers, voir ALLEN, Opus, t. 5, p. 15, l. 12-13, n° 1258, Érasme
à (Martin Davidts), Bâle, 9 février 1522. Il s'agirait des « prophètes de
Zwickau », Nicolas Storch, Marcus Thome et autres. Sur eux, voir J. JANSSEN,
L'Allemagne et la Réforme, t. 2, pp. 223-224, Paris, 1889. Voir aussi L. FÈBVRE,
Un destin, Martin Luther, pp. 158-161 et F. KUHN, Luther, sa vie, son œuvre,
t. 2, pp. 47-56.
[177] ALLEN, Opus, t. 7, p. 19, l. 195-197, n° 1805, Érasme à Jean Maldonatus,
Bâle, 30 mars 1527.

plus probant et le meilleur fondement pour son affirmation [178]. Au lieu de recommander l'évangile par la sainteté de ses mœurs, Luther se lance avec fureur dans une polémique avec le roi d'Angleterre [179] et oublie le rôle qu'il doit soutenir face au monde chrétien [180]. Mais ce qu'Érasme ne lui pardonne pas, c'est d'avoir trahi la cause de l'évangile, d'avoir déchaîné contre les honnêtes gens les princes, les évêques, les pseudomoines et les pseudothéologiens et d'avoir ainsi aggravé, au point de la doubler, une servitude déjà intolérable [181]. Même ceux qui, au début, favorisaient l'entreprise luthérienne par haine du pharisaïsme et par amour de la piété ne la considèrent plus qu'avec froideur [182]. Cette entreprise n'a rendu personne meilleur : « le mari ne trouve pas sa femme plus complaisante, le précepteur son élève plus obéissant, le magistrat un citoyen plus traitable, l'entrepreneur un ouvrier plus fidèle, l'acheteur un vendeur moins rusé [183]. » Bien au contraire [184], les princes voient renaître un peuple formé de vagabonds, de dissipateurs, de misérables, rassemblant en eux tous les autres défauts [185]. Érasme considère ces faits avec une douleur profonde car la situation se détériore et c'est lui « qui paiera les pots cassés [186] ». Pourtant, une réforme est indispensable. C'est à peine si, à Rome, on ne met pas l'autorité du pape avant celle du Christ. Seules

---

[178] Pour la même idée, voir *Hyperaspistes I, L.B.*, t. 10, col. 1283 E-1284 A et col. 1263 D. Voir aussi *L.B.*, t. 10, col. 1318 B : « Mais si l'Écriture est toujours claire, comment expliquer, dans vos écoles, ces disputes acharnées sur le sens des textes? Vous démontrez par l'Écriture la présence réelle dans l'Eucharistie. Zwingli, Oecolampade, Capiton ne découvrent dans les mêmes passages que la preuve d'un symbole (Cfr A. RENAUDET, *Etudes érasmiennes*, pp. 340-342, Paris, 1939).

[179] Il s'agit peut-être de l'*Antwort* de Luther (1527) au livre de Henri VIII *Literarum quibus... Henricus octavus... respondit ad quandam epistolam Martini Lutheri... exemplum.*

[180] ALLEN, *Opus*, t. 7, p. 231, l. 41-45, n° 1901.

[181] Voir aussi *L.B.*, t. 10, col. 1583 A-B et ALLEN, *Opus*, t. 4, p. 494, l. 5-7, n° 1203, Érasme à Louis Ber, Louvain, 14 mai 1521.

[182] ALLEN, *Opus*, t. 7, pp. 231-232, l. 45-50, n° 1901. Voir *Hyperaspistes I, L.B.*, t. 10, col. 1334 A : « Cette tyrannie des princes, des prélats, des théologiens et des moines, comme vous avez l'habitude de l'appeler, loin de l'affaiblir, vous l'exaspérez. »

[183] ALLEN, *Opus*, t. 7, p. 232, l. 55-59, n° 1901.

[184] ALLEN, *Opus*, t. 7, p. 199, l. 10-11, n° 1887, Érasme à un moine, Bâle, 15 octobre 1527.

[185] ALLEN, *Opus*, t. 7, p. 232, l. 61-64, n° 1901. Cfr t. 7, p. 199, l. 17-19, n° 1887.

[186] ALLEN, *Opus*, t. 7, l. 65-67, n° 1901.

les cérémonies importent pour juger de la piété des croyants, on
a rendu de plus en plus étroite la doctrine de la pénitence, les
moines règent impunément et rêvent de tyrannie [187]. Aussi, comme
le dit le proverbe, la corde trop tendue ne peut que se rompre [188].

Érasme se demande alors comment les réformateurs auraient dû
procéder [189]. Tout d'abord, il fallait veiller à éviter toute sédition [190]
et la modération leur aurait valu l'appui des princes et des évêques :
ils ne sont pas tous si mauvais qu'il faille désespérer d'eux [191].
En outre, il ne fallait rien détruire sans mettre a la place quelque
chose de meilleur [192]; or, tout au contraire, « ceux qui ont rejeté
la récitation des heures canoniales ne prient plus. La plupart de
ceux qui ont déposé le vêtement du pharisien sont pires qu'ils ne
l'étaient auparavant. Ceux qui méprisent les prescriptions des
évêques n'obéissent pas aux préceptes de Dieu, ceux qui négligent
le jeûne sont complaisants vis-à-vis du palais et du ventre [193] ».
D'autre part, fallait-il supprimer la messe parce que la plupart
en abusent? « Pour ma part, dit Érasme, abolir la messe ne m'a
jamais plu, même si je n'ai jamais aimé les trafics sordides qui
entourent la célébration de ce sacrifice [194]. Ainsi, si l'on pense qu'il

---

[187] ALLEN, *Opus*, t. 7, p. 232, l. 72-75, n° 1901.

[188] ALLEN, *Opus*, t. 7, p. 232, l. 75-76, n° 1901. Voir *L.B.*, t. 2, col. 208 D-
209 A. Voir H. DE LUBAC, *Exégèse médiévale, les quatre sens de l'Écriture*,
2e *partie*, II, pp. 427-454, Paris, 1964.

[189] Sur le programme érasmien de rétablissement de l'unité chrétienne, voir
J. LECLERC, *Histoire de la Tolérance au siècle de la Réforme*, t. 1, pp. 133-149,
Aubier, 1955.

[190] C'est-à-dire, selon Bucer, tout ce qui offense les princes et ce qui change
par l'accord des siècles (*Briefwechsel des Beatus Rhenanus*, n° 248, p. 349, Bucer
à Beatus Rhénanus, novembre 1525).

[191] ALLEN, *Opus*, t. 7, p. 232, l. 84-87, n° 1901.

[192] *L.B.*, t. 10, col. 1563 E : « Turbare res humanas nullo fructu pietatis
temeritas est, non fortitudo » dans le *Detectio praestigiarum*.

[193] ALLEN, *Opus*, t. 7, pp. 232-233, l. 88-92, n° 1901. Cfr t. 7, p. 199, l. 17-20,
n° 1887. R. STAEHELIN, *Erasmus Stellung zur Reformation hauptsächlich von
seine Beziehungen zu Basel*, p. 22, Bâle, 1873 se sert de ce passage pour en
déduire que c'est le déroulement extérieur violent de la Réforme plus que tout
le reste qui n'était pas du goût d'Érasme, « ce savant pacifiste, bâti d'une façon
trop fragile moralement et physiquement ». Voir aussi ALLEN, *Opus*, t. 5, p. 547,
l. 79-84, n° 1496.

[194] ALLEN, *Opus*, t. 7, pp. 232-233, l. 93-96, n° 1901. Cfr t. 7, p. 199, l. 12-16,
n° 1887 : « Je souhaitais qu'on diminuât le rôle des cérémonies au profit de la
véritable piété, mais on les rejette si brutalement qu'au lieu de la liberté de
l'esprit s'est instituée une liberté charnelle sans aucun frein. » Sur les trafics
« sordides » dont fait l'objet la messe, voir *Epistola apologetica*, fos D 5 v° -
D 7 r°.

faut abroger la messe en entier parce que la plupart en ont abusé, il faut supprimer aussi la prédication sacrée que vous admettez presque uniquement [195]. » Il en est de même du culte des saints et des images [196] : les abus évidents — et Érasme pense certainement ici à ceux qu'il a dénoncés vigoureusement dans l'*Éloge de la Folie* [197] et l'*Enchiridion* [198] et qu'il rejettera encore plus tard, en 1530 et en 1531 [199], — ne justifient pas une sentence d'abolition [200]. » Plût au ciel que l'on rejette plutôt les idoles de l'âme, que je vois de plus en plus monstrueuses chez ceux-là même qui tirent vanité du titre de l'évangile [201]. » L'erreur essentielle des luthériens est une erreur de méthode. « De même qu'ils ont, par la violence, decouragé ceux qui, en haine du pharisaïsme, étaient prêts à les suivre [202], de même, ils ont cru que, du jour au lendemain, l'action révolutionnaire peut créer un monde nouveau [203]. »

Érasme ne pardonne pas non plus aux réformés la ruine de la culture humaniste. « Partout où règne cette race d'hommes, de quelque nom qu'il faille la désigner, les études végètent et ne rencontrent pas de faveur [204] », et il donne en exemple la ville de Nuremberg. Les élèves y sont si peu nombreux, qu'il va falloir,

---

[195] ALLEN, *Opus*, t. 7. p. 233, l. 99-101, n° 1901.

[196] Voir à ce sujet J. WALTER, *La théorie d'Érasme sur l'Art Chrétien*, dans l'*Humanisme en Alsace*, pp. 179-191, Paris, 1939; L.-E. HALKIN, *Érasme*, pp. 106-109, Paris, 1969; L.-E. HALKIN, *Érasme pèlerin*, dans *Scrinium Erasmianum*, t. 2, pp. 239-252, Leyde, 1969.

[197] P. DE NOLHAC, *Érasme, Éloge de la Folie*, p. 86, chap. XLI, p. 100, chap. XLVII.

[198] *L.B.*, t. V, col. 32 F.

[199] ALLEN, *Opus*, t. 9, pp. 162-163, l. 196-249, n° 2443, Érasme à Sadolet, Fribourg, 7 mars 1531 et t. 8, p. 254, l. 85-105, n° 2205, Érasme à Botzheim.

[200] ALLEN, *Opus*, t. 7, p. 233, l. 101-102, n° 1901. Dès 1524, les images ont disparu de Strasbourg. Cfr un passage d'une lettre de Capiton à Blaurer, F. SCHIESS, *op. cit.*, t. 1, p. 115. Voir note 101.

[201] ALLEN, *Opus*, t. 5, p. 482, l. 82-85, n° 1459. Voir A. RENAUDET, *op. cit.*, p. 321. Pour la même expression, voir Boniface Wolfhard à Guillaume Farel, Strasbourg, 7 mars 1529, dans A.L. HERMINJARD, *Correspondance des réformateurs de langue française*, t. 2, p. 171, n° 255.

[202] ALLEN, *Opus*, t. 7, p. 232, l. 60-61, n° 1901.

[203] ALLEN, *Opus*, t. 7, p. 233, l. 97-98, n° 1901. Voir A. RENAUDET, *op. cit.*, p. 353.

[204] ALLEN, *Opus*, t. 7, p. 231, l. 18-19, n° 1901. Cfr t. 7, p. 199, l. 20-22, n° 1887.

pour les encourager à suivre les cours, leur payer une indemnité [205].
C'est chez Érasme un reproche constant qu'il adresse aux réformateurs. Ainsi, en 1524 déjà, il s'élevait contre Brunfels parce qu'il faisait notamment obstacle aux belles-lettres [206]. Il reprend cette accusation d'obscurantisme dans une lettre du 15 octobre 1527 à un moine [207] et, en 1530, dans sa *Responsio ad Fratres Germaniae inferioris* [208]. De fait, les réformateurs strasbourgeois n'écrivaient-ils pas, dès le 23 novembre 1524, à Luther : « Périssent les grâces de la langue latine, périssent les merveilles de l'érudition qui nuisent à la gloire de Christ, la parole du Christ nous sauve, celle des autres nous perd [209]... » Pour Érasme, par contre, « il n'y a pas de fossé entre l'Antiquité et le christianisme, mais, au contraire, continuité historique et achèvement culturel. La religion du Christ réalise dans leur plénitude les tendances les plus élevées des anciens [210] ».

D'autre part, il semblerait que Bucer ait tenté de réhabiliter Capiton dans l'esprit d'Érasme, sans y réussir d'ailleurs. Érasme considère qu'il n'y a pas lieu de revenir sur ce qui s'est passé [211]. Il n'aurait pas mêlé Capiton à l'affaire Brunfels si celui-ci ne s'y était pas lui-même mêlé et d'ailleurs, il lui a écrit à ce propos [212]. Érasme ne devait jamais pardonner ce qu'il considérait comme une trahison de son ancien ami. Il y revient en 1527 dans une lettre

---

[205] ALLEN, *Opus*, t. 7, p. 231, l. 19-21, n° 1901. Cfr t. 7, p. 414, l. 15-24, n° 2006, Érasme à Jean Faber, Bâle, 16 juillet 1528 et t. 7, p. 416, l. 33-36, n° 2008, Érasme à Gaspard Ursinus Vellius, Bâle, 16 juillet 1528. Il reviendra sur cette question dans sa *Responsio ad Fratres Germaniae inferioris*, *L.B.*, t. 10, col. 1618 D-E.

[206] ALLEN, *Opus*, t. 5. p. 416, l. 11-12, n° 1429. Sur Érasme et les belles-lettres,, voir L.-E. HALKIN, *Érasme*, pp. 59-80.

[207] ALLEN, *Opus*, t. 7, pp. 199-200, l. 20-21, n° 1887.

[208] *L.B.*, t. 10, col. 1598 A-B.

[209] *W.A.*, *Br.*, t. 3, p. 387, l. 222-224, n° 797 : « Pereat latinae linguae decor, pereat eruditionis miraculum quo Christi gloria obscuratur. Hujus verbo salvamur, aliorum magis perdimur. »

[210] L.-E. HALKIN, *Érasme*, p. 114. Cfr *L.B.*, t. 1, col. 681 F-682 B.

[211] ALLEN, *Opus*, t. 7, p. 231, l. 1-9, n° 1901.

[212] Érasme fait allusion ici à ALLEN, *Opus*, t. 5, n° 1485, à moins qu'il ne s'agisse d'une lettre perdue. En effet, dans une lettre qu'il adresse à Zwingli, le 26 septembre 1526, Capiton déclare avoir reçu d'Érasme une lettre irritée à laquelle il ne répondra d'ailleurs pas « pour ne pas exaspérer davantage le vieillard » (*Zwingliis sämtliche Werke*, t. 8, p. 725, l. 14-17, n° 531). On ne trouve trace de cette lettre ni dans Allen, ni dans le *Thesaurus Baumianus*.

à Thomas More [213] et, en 1528, dans une lettre à Willibald Pirckheimer [214]. Capiton est craintif, il n'ose agir ouvertement mais, dit-il, il intrigue dans l'ombre tout en protestant de ses bonnes dispositions à mon égard et « il pense que je ne comprends pas ». A cette époque, Érame avait d'ailleurs de nouvelles raisons de lui en vouloir. Un nouveau différend éclate et nous y retrouvons tous les protagonistes de 1524.

D. L'affaire Eppendorf [215].

En 1528 précisément, s'élève une grave querelle entre Eppendorf et Érasme [216]. Ce dernier ne pardonnait pas à Eppendorf son attitude dans la polémique avec Hutten. Il va d'ailleurs le mettre en scène dans le colloque ἱππεὺς ἄνιππος sive ementita nobilitas [217] et dans l'adage Proterviam fecit [218]. Par ailleurs, il engage le duc Georges de Saxe [219] à prendre des mesures contre son ancien protégé [220]. Le duc se rend au désir d'Érasme [221]. Eppendorf,

---

[213] ALLEN, Opus, t. 7, p. 10, l. 168-174, Érasme à Thomas More, Bâle, 30 mars 1527.

[214] ALLEN, Opus, t. 7, p. 383, l. 33-35, n° 1991, Érasme à Willibald Pirckheimer, Bâle, 24 avril 1528.

[215] Sur la polémique entre Érasme et Eppendorf, voir N. PINET, Érasme à Fribourg, d'après sa correspondance (avril 1529-avril 1532), Université de Liège, Mémoire de licence, 1968-1969, pp. 52-57. Sur cette affaire et ses prolongements, voir encore J.-V. POLLET, Julius Pflug. Correspondance, t. I, 1510-1539, pp. 186-187, 211-212, Leyde, 1969.

[216] J. HUIZINGA, Érasme, pp. 259-260, Paris, 1955.

[217] L.E. HALKIN, Les colloques d'Érasme, pp. 50-59, Bruxelles, 1946. Voir L.B., t. 1, col. 834-837 et B.B., t. 2, pp. 518-519. Ce colloque parut chez Cervicornus à Cologne, en 1528. Cfr I. TRENCSENYI-WALDAPFEL, Antiquité et réalité contemporaine dans les colloques d'Érasme, dans Acta antiqua academiae scientiarum Hungaricae, t. 15, p. 225, Budapest, 1967.

[218] L.B., t. 2, col. 349 E-350 E. Cfr P. SMITH, A key to the Colloquies of Erasmus, p. 14, Cambridge (Mass), 1927.

[219] Georges de Saxe est né le 27 août 1471. Il est l'un des plus grands opposants à la doctrine nouvelle. Il voit en Luther un moine défroqué et un agitateur qui s'élève contre l'ordre de l'Église et de l'État. Il soutient, en 1533, une polémique contre Luther et, en 1538, il devient membre de la ligue catholique de Nuremberg. Il meurt en 1539. Cfr Lexikon für Theologie und Kirche, t. 4, col. 697.

[220] ALLEN, Opus, t. 7, p. 10, l. 167-168, n° 1804. Cfr t. 5, p. 431, l. 12-13, n° 1437.

[221] ALLEN, Opus, t. 7, p. 289, l. 11-12, n° 1929, Érasme à Georges de Saxe, Bâle, 16 janvier 1528 et t. 8, p. 87, l. 1-3, n° 2124, Georges de Saxe à Érasme, 15 mars 1529.

exaspéré par cette intervention et par les attaques incessantes
d'Érasme, répond par une lettre stigmatisant la façon dont Érasme
avait traité Hutten [222] et il menace de le poursuivre devant les
tribunaux pour diffamation [223]. Au début de 1528, Eppendorf se
résoud à venir à Bâle pour forcer Érasme à se rétracter ou pour
lui intenter un procès et « faire en sorte que le vieillard se repente
de sa méchanceté [224] », écrit-il à Zwigli. On a recours finalement
à l'arb.itrage de Beatus Rhenanus et de Boniface Amerbach [225] qui
étaient liés avec les deux parties. Il en résulte un compromis où
Érasme a le mauvais rôle : il doit réhabiliter Eppendorf auprès
du duc, lui dédier un livre et verser vingt florins environ que les
arbitres distribueront aux pauvres de Strasbourg, de Bâle et de
Fribourg, en revanche, Eppendorf, qui avait écrit un livre contre
Érasme ne le publiera pas [226]. « Cette rumeur fit particulièrement

---

[222] ALLEN, *Opus*, t. 7, p. 317, l. 18-20, n° 1940, Érasme à Georges de Saxe,
Bâle (4 février), 1528. Cfr t. 7, p. 299, l. 46-51, n° 1934, Érasme à Botzheim,
Bâle, 1er février 1528. Voir aussi t. 7, p. 301, l. 100-101 et p. 302, l. 174, n° 1934.

[223] *B.B.*, t. 2, p. 388, analyse de la *Justa Querela*.

[224] Cfr une lettre d'Eppendorf à Zwingli, Bâle, 3 février 1528, dans *Zwinglis
sämtliche Werke*, t. 9, pp. 355-356, l. 6-8 et 1-3, n° 686 : « Sum nunc hic ut
magnum illum Erasmum ad palinodiam adigam. Sic enim coacervatis in nos
mendaciis clam et me inscio apud Georgium Saxonie et nostrum principem me
traduxit, ut non existimatione modo, verum etiam fortunis omnibus et vita peri-
clitate sumus. Spero me sic acturum, ut senem malignitatis suae peniteat. »
Cfr ALLEN, *Opus*, t. 7, pp. 298-310, n° 1934, et t. 7, pp. 319-320, n° 1943,
Érasme à Simon Pistorius, Bâle, 5 février 1528.

[225] Boniface Amerbach est né le 11 octobre 1495 à Bâle. Il était fils d'imprimeur. Dès 1507, à Sélestat, il eut pour maîtres Gebwiler et Sapidus. Il s'inscrivit
ensuite à Bâle, devint maître ès arts en 1513 et, en 1514, il alla étudier le droit
à Fribourg; en août 1524, on lui offrit une place de professeur à Fribourg mais,
en novembre, il fut appelé à Bâle pour devenir professeur de droit. Après avoir
pris son grade de docteur à Avignon, en février 1525, il entra en fonction.
Il passa le reste de sa vie à Bâle, dans l'accomplissement de ses devoirs professo-
raux et devint un homme de loi réputé. Il fut un des plus grands amis d'Érasme
dans les dernières années de sa vie et fut un de ses exécuteurs testamentaires.
Il mourut le 5 avril 1562. ALLEN, *Opus*, t. 2, p. 237.

[226] Voir ALLEN, *Opus*, t. 7, pp. 313-314, n° 1937, jugement rendu par Beatus
Rhenanus et Boniface Amerbach, Bâle, 3 février 1528. Cfr C. AUGUSTIJN, *op. cit.*,
pp. 213 et 217. A propos de ce procédé, voir encore *L.B.*, t. 1, col. 837 A-B,
tarduit par L.-E. HALKIN, *Les Colloques d'Érasme*, p. 57 : « Cherche querelle
à des gens fortunés, de préférence aux moines et aux prêtres qui sont en butte
à l'envie presque universelle de nos contemporains. L'un, diras-tu, se sera moqué
de tes armes ou aura craché sur ton blason, l'autre aura parlé de toi en termes
méprisants, un troisième sera l'auteur d'un écrit jugé calomnieux. Fais-leur
déclarer une guerre à mort par tes hérauts. N'épargne pas les menaces épou-
vantables de destruction, d'anéantissement, de ruine totale; terrifiés, ils viendront

plaisir aux pseudoévangéliques. Quel triomphe! Quels remous pour rien! [227] ». Et, dans l'ombre, Érasme soupçonne toujours les sombres machinations de Capiton [228]. Excédé, il décide de changer de politique. Il avait toujours demandé aux princes de ne pas sévir — excitant ainsi contre lui la colère de certains [229], — mais, désormais, il ne tentera plus d'infléchir leurs décisions dans le sens de l'indulgence [230].

A la fin de juin, Eppendorf écrit à Érasme pour lui réclamer l'exécution de la seconde clause de l'arbitrage, pensant que son adversaire n'osera plus discréditer un ennemi qu'il aura auparavant honoré publiquement [231]. Érasme tergiverse, prétend ne pas avoir reçu cette lettre. Amerbach, tente de l'excuser, prétextant qu'il est trop occupé avec Augustin et Sénèque pour composer autre chose [232]. Vers la fin de l'année 1530, Érasme publie sa version des faits dans l'*Adversus Mendacium et Obtrectationem utilis Admonitio* [233]. Eppendorf y répond en février 1531 par sa *Justa Querela* [234].

à composition. C'est alors qu'il te faudra mettre à un haut prix ta dignité, je veux dire : exiger trop, afin de recevoir ce que tu mérites. Si tu réclames trois mille pièces d'or, ils auront honte de t'en offrir moins de deux cents. »

[227] ALLEN, *Opus*, t. 7, p. 383, l. 28-29, n° 1991.

[228] ALLEN, *Opus*, t. 7, p. 231, l. 1-9, n° 1901. Voir aussi t. 7, p. 383, l. 33-36, n° 1991 et t. 7, p. 391, l. 313-318, n° 1992, Érasme à Willibald Pirckheimer, Bâle, 1er mai 1528.

[229] ALLEN, *Opus*, t. 5, p. 603, l. 54-72, n° 1526, Érasme à Georges de Saxe, 12 décembre 1524.

[230] ALLEN, *Opus*, t. 7, p. 383, l. 36-38, n° 1991. Cfr t. 7, p. 364, l. 87-89, Érasme à Hermann de Wied, Bâle, 19 mars 1528 et t. 7, pp. 373-374, l. 9-29, n° 1983, Érasme à Georges de Saxe, Bâle, 24 mars 1528 et t. 5, p. 546, l. 46-59, n° 1496.

[231] B.B., t. 2, pp. 389-390.

[232] ALLEN, *Opus*, t. 7, pp. 297-298, n° 1934, introduction.

[233] ALLEN, *Opus*, t. 7, pp. 297-298, n° 1934, introduction et *Briefwechsel des Beatus Rhenanus*, p. 395, n° 275, Eppendorf à Rhénanus, 9 mars 1531.

[234] B.B., t. 2, pp. 386-391.

CHAPITRE IV

L'EPISTOLA CONTRA PSEUDEVANGELICOS
(Novembre 1529)

En 1528, Érasme envisage sérieusement son départ de Bâle car il craint des émeutes [235]. En 1525, la première tentative de révolte avait échoué. De 1526 à 1528, de nombreux excès avaient été commis. On avait démoli les fonts baptismaux, détruit les crucifix. Jean Froben, — un des principaux liens qui unissaient encore Érasme à la ville, — était mort en octobre 1527. Par ailleurs, la situation devenait de plus en plus tendue à la suite des fureurs iconoclastes qui atteignent leur paroxysme à la mi-février 1529 [236]. Le 8 février 1529, le peuple se soulève et réclame la démission des conseillers favorables au catholicisme; le 9, les statues et les images sont brisées dans les églises; le 10, le sénat décide d'abolir la messe; le 14, le culte évangélique est, pour la première fois célébré à la cathédrale. Érasme dès lors doit partir, car « rester signifie approuver ce qui se fait désormais ici publiquement [237] ». Il met son projet à exécution en avril 1529. Les efforts d'Oecolampade pour le faire revenir sur sa décision n'ont aucun résultat. Érasme considère Bâle comme une ville entièrement perdue pour l'Église romaine [238]. D'autre part, il craint pour sa sécurité personnelle [239] et,

[235] ALLEN, Opus, t. 7, p. 78, l. 8-11, n° 1831, Érasme à Guillaume Warham, Bâle, 29 mai 1527.

[236] Sur les événements survenus à Bâle, en 1528 et en 1529, voir K.H. OELRICH, Der späte Erasmus, pp. 74-81, Munster, 1961, lequel se fonde particulièrement sur R. WACKERNAGEL, Geschichte der Stadt Basel, t. 3, Humanismus und Reformation in Basel, Bâle, 1924. Voir aussi Aktensammlung zur Geschichte der Basler Reformation, t. 3, n°s 86, 133, 155, 291, 298, 300, 301 et 323. Voir aussi H. GAGNEBIN, Études historiques sur la Réformation au XVIe siècle, en Allemagne, en Suisse et en France, 2e éd., Lausanne, 1936, p. 124 et P. ROTH, Durchbruch und Festsetzung der Reformation in Basel, Bâle, 1942.

[237] ALLEN, Opus, t. 8, n° 2133.

[238] ALLEN, Opus, t. 8, pp. 161-164, n° 2158, Érasme à Pirckheimer, Fribourg, 9 mai 1529 et t. 8, p. 448, l. 11-12, n° 2328, Érasme à Campegio, 24 juin 1530. Sur les raisons du départ d'Érasme et le choix de sa nouvelle résidence, voir N. PINET, op. cit., pp. 1-20.

[239] ALLEN, Opus, t. 8, p. 67, l. 12-13, n° 2108.

surtout, il veut sauvegarder sa liberté d'esprit en évitant de donner aux réformés l'occasion de se réclamer de lui [240], ce qu'ils avaient déjà fait en 1526. En effet, lorsqu'en 1525, parut à Strasbourg, par les bons soins de Farel et de Capiton, le premier ouvrage d'Oecolampade sur la Cène [241], Érasme lui avait reproché de s'opposer à la tradition et d'être trop proche de la doctrine eucharistique de Zwingli. « J'ai lu le livre de Jean Oecolampade *De verbis coenae Domini*. A mon avis, il est très savant, très habile et très élaboré, j'ajouterais même pieux si pouvait être pieux, ce qui combat l'avis général [242] de l'Église de laquelle il est, me semble-t-il, dangereux de s'écarter [243]. » Zwingli, Pellican [244] et Léon Jude [245]

[240] ALLEN, *Opus*, t. 8, p. 178, l. 11-15, n° 2167 : Érasme doit émigrer s'il ne veut pas être considéré comme un réformé bâlois. Voir aussi t. 8, p. 108, l. 98-100, n° 2133, Érasme à Jean Vergara, Bâle, 24 mars 1529.

[241] Il s'agit du *Joannis Oecolampadii de genuina verborum Domini : Hoc est corpus meum, juxta vetustissimos authores expositione liber*. A ce propos, voir P. POLMAN, *L'élément historique dans la Controverse religieuse du XVIe siècle*, pp. 55-57, Gembloux, 1932.

[242] Sur la notion de *consensus* chez Érasme, voir J.K. McCONICA, *Erasmus and the grammar of consent*, dans *Scrinium Erasmianum*, t. 2, pp. 77-99, Leyde, 1969. Sur le livre d'Oecolampade, voir plus précisément pp. 81-82.

[243] ALLEN, *Opus*, t. 6, p. 206, l. 1-5, n° 1636, Érasme au Sénat de Bâle (Bâle) (ca. octobre 1525). Cfr ALLEN, *Opus*, t. 6, p. 182, l. 83-85, n° 1620, Érasme à Béda, Bâle, 2 octobre 1525 et t. 6, p. 351, l. 52-53, n° 1717, Érasme à Pirckheimer, Bâle, 6 juin 1526. Voir W. KOEHLER, *Zwingli und Luther*, t. 1, p. 138, Leipzig, 1924.

[244] Conrad Pellican naquit le 8 janvier 1478 à Ruffach. Il fréquenta l'Université de Heidelberg, de 1491 à 1492. En 1494, il entra chez les franciscains. En 1496, il fut envoyé à Tubingen et commença à étudier l'hébreu. En 1501, il fut ordonné prêtre à Ruffach et, en 1502, il rejoignit Bâle comme lector theologiae chez les franciscains. Il devint un éminent hébraïsant et aida Froben pour l'édition de saint Jérôme. Il encourageait ses frères à lire les ouvrages d'Érasme et de Luther. Mis en demeure de choisir, il opta pour la Réforme et, avec Oecolampade, il devint professeur de théologie et même d'hébreu à Bâle. Il conserva sa chaire jusqu'en 1526. A la demande de Zwingli, il quitta alors Bâle pour aller occuper un poste de professeur d'hébreu à Zurich. Là, il se maria et passa le reste de sa vie à enseigner et à publier différents commentaires bibliques. Ses rapports avec Érasme étaient très intimes, mais, après son départ pour Zurich, ils se détériorèrent. En 1535, leurs relations redevinrent meilleures. Il mourut le 6 avril 1556. ALLEN, *Opus*, t. 6, p. 207.

[245] Léon Jude naquit vers 1482, en Haute Alsace. Après des études à Sélestat, il s'inscrivit à Bâle en 1499, pour étudier la médecine puis, il se tourna vers la théologie et devint l'ami de Zwingli. Il devint prêtre de paroisse en 1512 et le resta jusqu'en 1523. En février 1523, il gagna Zurich comme pasteur de Saint-Pierre et y passa le reste de sa vie. De 1519 à 1523, il traduisit quelques-uns des ouvrages d'Érasme : l'*Institutio Principis christiani*, la *Querela Pacis*, l'*Enchiridion* et d'autres encore. En 1526, il eut des difficultés avec Érasme parce qu'il

tentèrent de prouver qu'Érasme ne voulait pas leur accorder son adhésion par crainte des réactions catholiques [246]. Ce n'était pas la première fois que ses adversaires protestants qualifiaient Érasme de *timidus*. Déjà, en 1524, ils lui reprochaient sa modération et sa prudence [247]. Mais ne fallait-il pas, au contraire, que son courage

---

avait soutenu que ce dernier et Luther pensaient de même à propos de l'Eucharistie. Ses grands travaux furent une révision de la traduction allemande de la Bible, en 1540 et une nouvelle Bible latine traduite de l'hébreu, en 1543, en édition posthume car Jude mourut le 19 juin 1542, Cfr A. RENAUDET, *Etudes érasmiennes*, p. 54, Parits, 1939 et ALLEN, *Opus*, t. 6, p. 382.

[246] C. AUGUSTIJN, *op. cit.*, pp. 161-185. Léon Jude édite, en 1526, un libelle *Des hochgelehrten Erasmi und Doctor M. Lutherus maynung vom Nachtmal unnsers herren Ihesu Christi neuwlich aussgangen auff den achtzehenden tag Aprellens.* Il y affirme qu'Érasme partage les opinions des sacramentaires à propos de l'Eucharistie et que, s'il le nie, c'est par prudence (*Maynung*, p. C 3 (2/3), cité par G. KRODEL, *Die Abendmahlslehre des Erasmus von und seine Stellung am Anfang des Abendmahlsstreites der Reformatoren*, p. 258, Diss., Erlangen, 1955). Érasme, pour sa part, attribua à tort la paternité de cet écrit à Pellican (Cfr une note manuscrite sur la page de titre d'une copie de la réponse d'Érasme, le *De detectio Praestigiarum*, réimprimé à Nurenberg, Jo. Pretius, juin 1526 : « Libellum hunc sine nomine edidit et conscripsit Cunradus Pellicanus, quondam Minorita Basileae, nunc perversus hereticus et apostata. Quod Capito in quadam epistola ad ipsum conscripta testatus est »). Une lettre de Capiton qui fut interceptée, fait en effet de Pellican l'auteur de ce traité (ALLEN, *Opus*, t. 6, p. 383, l. 5-6, n° 1737, Érasme à Pellican, Bâle, ca. 27 août 1526). Allen prétend que cette lettre n'existe plus. Or, J.-V. POLLET, *op. cit.*, t. 2, p. 45, fait état d'une lettre inédite trouvée aux archives de l'Etat à Berne, *Unnütze Papiere*, n° 71, 70, copie, que Capiton adresse à Pellican, le 6 juin 1526 et dans laquelle il accuse réception d'un livre de Pellican intitulé *Von der meinung Erasmi und Luteri über die materi des sacrements*. Il s'agirait peut-être bien de la lettre interceptée puisque les dates et la matière concordent. Le 11 juin 1526, Capiton écrit encore : « Dein Biechlin von der Meynung Erasmi und Lutheri über die materi des sacrements hab ich mit grossen begirden gelesen. » Mais Capiton reconnaît bientôt son erreur. Il écrit le 12 août 1526 : « Aus Erasmus gegenantwort hab ichs geargwonet (dass Pellican der Verfasser sei) und darumb der gestalt zum Pellikan geschriben, auff das ich Auss seiner antwurt vergewist wurd... Doch weyss ich yetzung, das er es gewisslich nit gemacht hat » dans un ouvrage intitulé *Der nüwen zeytung und heymlichen wunderbarlichen offenbarung, so D. Hans Fabri jungst ufftriben, ...bericht und erklerung (Simmlersche Sammlung)*. Ce dernier renseignement m'a été aimablement communiqué par M. ROTT.

[247] ALLEN, *Opus*, t. 5, p. 482, l. 80, n° 1459 : « Fingunt me timidum ». Cfr une lettre de Boniface Amerbach, ca. juillet 1524, dont un extrait est repris dans ALLEN, *Opus*, t. 5, p. 482, note 80. « Erasmo ut quondam nihil apud nos celebrius, nempe cui omnes unanimi consensu summam verae theologiae cognitionem tribuebant ita nihil nunc apud Luteranos despectius : ut Pontificis adulator ut orator, ut timidus male audit, cum tamen eo tenore quo semel incepit, negotium Evangelicum indies Promoveat. » C'est ainsi que, grâce à une lettre de Sapidus à Bucer, du 3 août 1526, reproduite en partie dans ALLEN, t. 5, p. 482, note 80,

fût grand pour oser, dans une ville gagnée presque tout entière à
la Réforme, s'élever contre les chefs de cette nouvelle confession?
Érasme est persuadé que les réformés agissent ainsi pour le forcer
à rejoindre leurs rangs « mais même six cents Capiton ne me
feraient pas reconnaître quelque chose dont je ne suis pas persuadé.
Le terme approche, j'offrirai du moins au Christ une conscience
intègre [248] ». Les factions luthériennes pensent aussi que seule l'autorité morale d'Érasme empêche l'Allemagne entière d'embrasser
l'évangile [249]. Les catholiques intransigeants lui reprochent par contre
ses sympathies pour la nouvelle doctrine. Pour leur enlever toute
chance de discréditer son œuvre, Érasme choisit, comme nouvelle
résidence, la ville catholique de Fribourg. Contrairement à son
attente, il n'y trouve pas le repos. A peine arrivé, il s'engage
dans une grande polémique avec le Gueldrois Gérard Geldenhauer
et le réformateur strasbourgeois Martin Bucer, défenseurs de la
Réforme telle qu'elle s'était développée en Allemagne du Sud et
en Suisse.

Érasme n'est pas favorable au mouvement réformateur. C'est
un homme vieilli, qu'ont excédé les attaques de toutes parts et
qu'irritent les excès de la Réforme, qu'il s'agisse des fureurs
iconoclastes ou de la Guerre des Paysans. « La Réforme est devenue
pour lui quelque chose de par trop humain [250]. » D'autre part, il n'a
pas oublié le mal que lui avaient fait les Strasbourgeois lors de
l'affaire Hutten et, plus tard, lors de l'affaire Eppendorf. Aussi
va-t-il saisir toute occasion de prendre parti contre leur mouvement,
d'autant plus qu' « il désire se rendre acceptable aux yeux des
catholiques [251] ». Le prétexte lui en est donné, en 1529, par
Geldenhauer [252].

---

on apprend que Capiton, Bucer et les autres critiquaient en Érasme et en tous
les autres grands hommes la prudence humaine, la raison, les forces humaines et
les autres choses de cette sorte. Cfr Capiton à Zwingli, 1er janvier 1527, *Zwinglis
sämtliche Werke*, t. 9, p. 5, l. 8-9, n° 568. Voir aussi note 296.

[248] ALLEN, *Opus*, t. 6, p. 383, l. 16-18, n° 1737.
[249] ALLEN, *Opus*, t. 7, p. 10, l. 172-174, n° 1804.
[250] K.H. OELRICH, *op. cit.*, p. 51.
[251] C. AUGUSTIJN, *op. cit.*, p. 246.
[252] Cette querelle et ses développements sont traités par E. AMIEL, *Un libre-
penseur du xvie siècle, Érasme*, pp. 385-387, Paris, 1889, par J. DOELLINGER, *Die
Reformation, ihre innere Entwicklung und ihre Wirkungen im Umfange der
lutherischen Bekenntnisse*, t. 1, pp. 12-18, Francfort, 1846, réimpression 1962,
par H. EELLS, *Martin Bucer*, pp. 127-129, par G. KRODEL, *op. cit.*, p. 265, par
M. KREBS et H.G. ROTT, *Quellen zur Geschichte der Taüfer*, t. 7, *Elsass*,

A. Geldenhauer publie sous le nom d'Érasme.

Gérard Geldenhauer, encore appelé Gérard Noviomagus [253], humaniste, théologien et historien, naît vers 1482 à Nimègue. En 1517, il devient secrétaire de Philippe de Bourgogne, évêque d'Utrecht. Ce « représentant de l'humanisme biblique [254] » considère alors Érasme comme son guide spirituel et entretient avec lui des relations amicales [255]. En septembre 1525, il est envoyé en mission à Wittemberg par Christian II de Danemark. Luther fait sur lui une telle impression que, peu après, il partage définitivement les vues des réformés. Lorsqu'il revient aux Pays-Bas, il ne s'y sent plus en sécurité à cause de ses convictions religieuses. Il part pour Worms et, après son mariage, il s'installe, en 1527, comme précepteur à Strasbourg, où il acquiert le droit de bourgeoisie le 24 octobre 1528. Il y compose une *Historia Batavica* qu'il dédicace, en 1530, à Jacques Sturm, une *Institutio Scholae Christianae* et une biographie de Jean Wessel et de Rodolphe Agricola. Par la suite, il gagne Augsbourg en 1531, puis Marbourg en 1532, où il obtient, sur la recommandation de Capiton, Hédion et Bucer, un poste de professeur d'histoire, qu'il conservera jusqu'à sa mort, en 1542.

Pour servir la cause de la Réforme, il publie des pamphlets dont certains se présentent sous forme de lettres à divers princes. C'est ainsi qu'au printemps 1529, il publie une *Epistola Erasmi* [256]. En réalité, il ne s'agit pas d'une épître mais d'un fragment tiré des livres d'Érasme où celui-ci désapprouvait la mise à mort des hérétiques; s'y ajoutent quelques pages d'un petit nombre de lettres ou

---

1ʳᵉ partie, *Stadt Strasbourg, 1522-1532*, p. 124, Gütersloh, 1959, par J.W. DANKBAAR, *Martin Bucers Beziehungen zu den Niederlanden*, pp. 23-26, La Haye, 1961, par K.H. OELRICH, *op. cit.*, pp. 31-32. C. AUGUSTIJN, *op. cit.*, y consacre tout un chapitre, pp. 245-265 et J. PRINSEN, *Gerardus Geldenhauer Noviomagus, bijdrage tot de kennis van zijn leven en werken*, pp. 88-97, s'Gravenhage, 1898, axe son exposé sur la querelle Érasme-Geldenhauer.

[253] Voir J. PRINSEN, *op. cit.*, ainsi que J.W. DANKBAAR, *op. cit.*, pp. 23-26 et M. KREBS et H.G. ROTT, *op. cit.*, p. 124.

[254] C. AUGUSTIJN, *op. cit.*, p. 246.

[255] ALLEN, *Opus*, nᵒˢ 487, 645, 682, 714, 727, 759, 811, 812, 837, 1141, 1436.

[256] On ne la connaît que par l'*Epistola contra Pseudevangelicos*, L.B., t. 10, col. 1575 AB. Il s'agirait peut-être, dit Allen, de la traduction allemande d'un extrait de l'*Apologia ad monachos Hispanos : Ein Antwort...D. Erasmi... die Ersuchung und Verfolgung der Ketzer betreffend*, s.l., 1529. Cfr *B.B.*, t. 2, pp. 403-404.

de pièces de Noviomagus. Geldenhauer envoie cet écrit à la Diète de Spire, car la Réforme y est alors fort menacée[257]. Érasme a connaissance de ce fait alors qu'il se trouve toujours à Bâle, mais, s'il faut l'en croire, il ne lit pas le texte et n'en connaît la nature séditieuse que par autrui[258]. Il ne réagit d'ailleurs pas, parce qu'il prépare son départ pour Fribourg[259].

Pendant l'automne 1529, paraît une nouvelle publication reprenant l'écrit précédent sous une forme modifiée et augmentée chez Christian Egenolf[260] à Strasbourg. Elle porte comme titre *Desiderii Erasmi Roterodami Annotationes in Leges Pontificias et Caesareas De Haereticis. Epistolae aliquot Gerardi Noviomagi. De re Evangelica et Haereticorum poenis. Ad Carolum Quintum Imp. Caes. Aug. ad Germanorum Principes, in conventu Spirensi. Ad Carolum Gelriorum Ducem. Ad Philippum Hessorum Principem*[261]. Bientôt, paraît une traduction allemande[262]. Il s'agit d'un passage extrait d'une œuvre d'Érasme intitulée *Desiderii Erasmi Roterodami apologia adversus articulos aliquot per monachos quosdam in Hispaniis exhibitos*, parue à Bâle, en 1528[263]. Érasme y déclare en substance qu'on était beaucoup moins sévère autrefois contre les hérétiques

---

[257] *L.B.*, t. 10, col. 1575 A. Voir P. SMITH, *Erasmus, a study of his life, ideals and places in History*, p. 393, New-York, 2e éd., 1962.

[258] *L.B.*, t. 10, col. 1575 B : « Post hoc fragmentum (epistola Erasmi), sequabantur quaedam tuo nomine, simpliciter, ut ab omnibus audio, seditiosa. Nam mihi nondum vacavit legere.» Cfr *L.B.*, t. 10, col. 1602 F, *Epistola ad Fratres Germaniae inferioris.*

[259] *L.B.*, t. 10, col. 1575 B.

[260] F. RITTER, *op. cit.*, pp. 314-415. Christian Egenolf est né le 26 juin 1502 à Hademar (Nassau). Il fréquente l'université de Mayence. En 1524, il arrive à Strasbourg. Dès 1528, il s'installe comme imprimeur et, en 2 ans, publie 37 écrits. Le 20 septembre 1530, il demande et obtient le droit de bourgeoisie à Francfort. Il y déploie une grande activité jusqu'à sa mort, survenue le 9 février 1555.

[261] F. RITTER, *Bibliographie des livres imprimés en Alsace aux XVe et XVIe siècles*, 4e partie, *Catalogue des livres imprimés du XVIe siècle ne figurant pas à la Bibliothèque Nationale de Strasbourg*, n° 1559, Strasbourg, 1960.

[262] Il s'agit du *Verzaychnung Erasmi... über bapstliche unnd kaiserliche Recht vô den Ketzern. Etlich Sendbrieff Gerardi Noviomagi... vom evangelischen handel, vn vom Pene der yetzuermayntenn Ketzer. Aufs Latin yetz inn Teutsch gebracht*, Augsbourg, Sigismond Grimm, in Wintermonat 1529, in-4°. Voir *B.B.*, t. 2, p. 397.

[263] *B.B.*, t. 2, p. 392 : « Ce passage occupe dans l'original les ff 106 v°-107 r° à partir du mot *Constitutio*, ligne 1 jusqu'au mot *fasciculi*, l. 21 ». Ce texte occupe dans *L.B.*, la col. 1057 A-E du t. 9. Sur cette apologie, voir M. BATAILLON, *Erasmo y España*, pp. 274-276, Mexico, 2e éd., 1966. Voir aussi *B.B.*, t. 2, p. 416.

qu'on ne l'est de son temps : le pouvoir laïc tenait compte de la gravité relative de l'erreur. Il en donne pour exemple la *Constitutio octava* du code justinien [264], livre 1, et les livres V et VI des *Décrétales* [265], à l'article *De Haereticis* [266]. Érasme s'y prononce avec insistance en faveur de l'abolition de l'Inquisition et de son remplacement par une pédagogie religieuse. De son côté, Noviomagus, dans les lettres qu'il adresse à l'Empereur et aux princes allemands, s'étonne de la rigueur qu'ils mettent à poursuivre ceux qu'on appelle hérétiques et qui, en fait, vivent selon la loi de Dieu. Il tente de prouver, à l'aide de citations d'Érasme, que l'Église ne connaît que l'amour et non le glaive, que l'État n'a pas le droit de recourir d'abord à la force, mais qu'il doit négocier dans l'amour avec ceux qui veulent réformer l'Église. D'autre part, la meilleure façon, selon lui, de trouver de l'argent, c'est de permettre aux religieux de gagner leur vie par leur travail et de consacrer leurs possessions à l'entretien des pauvres et aux besoins de l'État.

Érasme voit dans ces publications une tentative de Geldenhauer pour le brouiller avec les princes. Ce qui s'explique mal, si l'on pense que Geldenhauer ne manifeste pas d'hostilité personnelle envers Érasme et n'a, par là, aucune raison de l'attaquer. Il est plus probable qu'en bon propagandiste « il entendait simplement exploiter l'autorité et le prestige du grand homme en faveur de la cause qu'il défendait [267] ».

[264] P. KRUEGER, *Corpus juris civilis*, t. 2, *Codex justinianus*, livre 1, 5, pp. 50-60, Berlin, 1906.

[265] E. FRIEDBERG, *Corpus juris canonicis*, t. 2, Décrétales pontificales, décrétales de Grégoire IX, livre 5, titre VII, col. 778 et sv. et décrétales de Boniface VIII, livre 5, titre II, col. 1070.

[266] Érasme explique encore sa pensée dans l'*Epistola contra Psuedevangelicos*, *L.B.*, t. 10, col. 1575 E-F. Érasme demande qu'il n'y ait pas de sévérité inconsidérée de la part des princes. « Il y a des dogmes scolastiques à propos desquels on ne convient pas toujours entre soi et à propos desquels il n'est pas toujours impie de douter : il est facile de se tromper et n'est pas aussitôt hérétique celui qui s'est trompé dans quelque article de foi. Lorsque la perversité de l'âme n'est pas sans remède, lorsqu'il n'y a aucune obstination, il faut aider par la charité chrétienne celui qui s'est trompé et ne pas le tuer. »

[267] *B.B.*, t. 2, p. 393. J. PRINSEN, *op. cit.*, p. 91, pense que Geldenhauer aurait peut-être agi ainsi par haine pour l'humaniste : « Il est possible que c'est une espèce de haine contre Érasme qui le poussa puisqu'il savait ce que le grand humaniste, qui se tenait coi, devait penser d'une affaire comme l'assassinat de personnes pour leur foi et puisqu'il savait aussi qu'Érasme pourrait tellement soutenir la Réforme et que tant de gens se rangeraient du côté de la révolution s'ils le voyaient changer de camp. » Les intentions que Prinsen prête ici à Geldenhauer nous paraissent excessives. Nous adopterions plutôt l'opinion de la *B.B.*

B. Réactions d'Érasme.

Érasme, toutefois, se rend compte que les *Annotationes*, sorties de leur contexte et rapprochées des lettres de Geldenhauer, prennent un sens plus radical [268]. En outre, il estime que ce procédé va lui causer un préjudice grave en le présentant comme un catholique rebelle. Aussi, voit-il en Geldenhauer son ennemi mortel : « Il me faisait du tort avec rage, comme si j'avais tué de ma propre main ses parents et ses grands-parents [269]. » L'annonce, par Amerbach, que les *Annotationes* ont été rapidement épuisées à Bâle a dû encore accroître sa colère [270]. Il se croit obligé d'exposer sa pensée sur les *Annotationes* et, par la même occasion, il en profite pour expliquer de façon précise ce qu'il pense de la Réforme en Allemagne du Sud et en Suisse. Cette lettre ouverte qu'il intitule *Epistola contra quosdam qui se falso iactant evangelicos* paraît, en novembre 1529, à Fribourg chez Jean Faber Emmeus [271].

L'*Epistola* par son titre même, pourrait ou voudrait même laisser entendre qu'Érasme ne s'attaque pas au mouvement luthérien, mais seulement à certains réformés auxquels il reproche d'usurper le nom d'évangéliques. Un adversaire lui écrira même que, dans cette lettre, au contraire, il semble flatter Luther [272].

---

[268] *L.B.*, t. 10, col. 1575 D.

[269] ALLEN, *Opus*, t. 8, p. 497, l. 79-81, n° 2355, Érasme à Jean Rinck, Fribourg, 19 juillet 1530. Voir aussi t. 8, p. 347, l. 20-25, n° 2264, Érasme à ?, s.l., s.d., t. 8, p. 454, l. 87-90, n° 2329, Érasme à André Alciat, Fribourg, ca. 24 juin 1530, t. 8, p. 498, l. 3-5, n° 2356, Érasme à Viglius Zuichemus et Charles Sucquet, Fribourg, 31 juillet 1530 et t. 9, p. 21, l. 26-28, n° 2371, Érasme à Pirckheimer, Fribourg, 29 août 1530.

[270] ALLEN, *Opus*, t. 8, p. 283, l. 21-23, n° 2219, de Boniface Amerbach à Érasme, Bâle, 27 septembre 1529 : « Exemplar non mitto, quod intra breve temporis spacium bibliopola ad unum omnia quotquot habebat apud nos vendiderit. » Cfr A. HARTMANN, *op. cit.*, t. 3, p. 448, n° 1380.

[271] *Bibliotheca erasmiana*, t. 1, pp. 97-98. Jean Faber Emmeus imprima à Bâle de 1526 à 1529, puis émigra à Fribourg avec le parti opposé à la Réforme. Il y imprima peut-être jusqu'en 1540. Beaucoup de ses livres sont des œuvres d'Érasme. Les *Epistolae Palaeonaeoi* sont les plus importantes.

[272] ALLEN, *Opus*, t. 9, p. 155, l. 78-82, n° 2441, Érasme à Eleutherius, Fribourg, 6 mars 1530 ou 1531 : « Quid audio? Blandior Lutero illa ad Vulturium Epistola, quod sperem illum causa casurum? Quod hoc enthymematis genus est, obsecro? Blandimur his quos speramus casuros? Sed quum vobis haec causa communis sit, excepta Eucharistia, qui fit ut in vos scribens, ut dicitis, illi blandiar? »

1° Contre Geldenhauer.

Dans sa lettre, Érasme appelle Geldenhauer *Vulturius Neoco-mus* [273], pour ne pas citer le nom de son adversaire, mais cette précaution est superflue. Celui qui était quelque peu au courant des polémiques du jour devait immédiatement reconnaître Gelden-hauer. En appelant Geldenhauer *Vulturius*, Érasme fait un rappro-chement entre la première partie de son nom chrétien Gérard et le néerlandais *Gier* ou l'allemand *Geier* qui signifient vautour [274] et peut-être, dans son esprit spoliateur. Quant au terme *Neocomus*, il voudrait, selon Prinsen [275] faire penser au comique qu'Érasme prétend voir en Geldenhauer et, en même temps, faire allusion au nom *Novio-magus*. Érasme envoie un exemplaire manuscrit de l'*Epistola* à Geldenhauer mais, quand ce dernier réagit, il est trop tard : le texte est sous presse et paraît à Fribourg [276] puis, peu après, ailleurs [277].

A la lecture, on s'aperçoit que l'attaque contre Neocomus n'est qu'un prétexte, qu'Érasme vise plus loin. Il ne s'en prend à Geldenhauer que dans la première partie. Il emploie le mode ironique. Geldenhauer semble s'être plaint des conditions misérables dans lesquelles il vit [278]. A quoi, Érasme répond que c'est le fait des gens qui vivent selon l'évangile de supporter la pauvreté. « Paul est glorifié parce que, connaissant l'abondance, il souffre la pauvreté, parce que, n'ayant rien, il possède tout [279] ». Du pain grossier et de l'eau, que désirer de plus? Les desserts attiques [280] ne conviennent pas à ceux qui pratiquent l'évangile [281]. Pour ne

---

[273] ALLEN, *Opus*, t. 9, p. 2, l. 13-15, n° 2358, Érasme à Mélanchthon, Fribourg, 2 août 1530 et t. 9, pp. 155-156, l. 92-94, n° 2441.

[274] Érasme lui-même s'en explique plus tard dans sa lettre à Éleutherius : ALLEN, *Opus*, t. 9, p. 156, l. 95-97, n° 2441.

[275] J. PRINSEN, *op. cit.*, p. 92.

[276] ALLEN, *Opus*, t. 8, pp. 303-304, n° 2238, Érasme à Geldenhauer, Fribourg, 3 décembre 1529. Voir aussi t. 8, p. 283, l. 11 et note, n° 2219.

[277] ALLEN, *Opus*, t. 9, p. 154, l. 17-25, n° 2441. Érasme y parle d'une édition faite à Cologne. Il y eut aussi une traduction allemande *Die Epistel D. Erasmi von Rotterdam wider etlich die sich fälschlich berhümen Evangelisch sein yetzt durch in wider besichtiget und mit seiner verwilligung ausz dem Latein in unser Teütsche zungen gestellet. Getrückt zu Nüremberg durch Friderich Peypus MDXXX. Cfr Bibliotheca erasmiana,* t. 1, pp. 97-98.

[278] *L.B.,* t. 10, col. 1574 A-B.

[279] *L.B.,* t. 10, col. 1574 B.

[280] *L.B.,* t. 2, col. 523 B-C. Choses suaves, douces, agréables.

[281] *L.B.,* t. 10, col. 1574 B.

pas aider Noviomagus, Érasme pourrait prendre prétexte d'une bulle du pape Léon X [282] qui voue à l'eau, au feu et à la prison ceux qui aident les hérétiques. Érasme s'empresse d'ajouter toutefois que cette bulle ne le concerne pas, parce qu'il n'aide pas un hérétique par sympathie pour sa cause, mais uniquement parce qu'il est son frère [283]. Bien plus, il faut « aider un homme, même condamné, pour la simple raison qu'il est un frère et parce que, tant qu'il respire, il y a espoir de le ramener à de meilleurs sentiments [284] ». En fait, dit Érasme, Geldenhauer s'est mis lui-même dans son tort : « Il ne fallait pas te jeter toi-même dans ce labyrinthe, d'où plaise à Dieu que tu puisses sortir [285]. » C'est en revenant de Wittemberg, en effet, que Geldenhauer avait été dépouillé de son argent, de ses vêtements, de ses bijoux et de ses armes dans le Brunswick [286]. Pourtant, Érasme aurait encore pu lui pardonner d'être passé à la Réforme, mais il ne fallait pas publier contre lui ces libelles à la Diète, à l'Empereur et aux princes [287]. « Tu as réussi seulement à nuire à votre cause et à irriter les princes contre les vôtres », car, dit Érasme, « ceux que tu appelles innocents, ils les tiennent pour séditieux et hérétiques et ce que tu nommes évangile, ils sont persuadés que c'est la doctrine de Satan [288]. » Est-ce là agir en ami [289]?

Autre tort de Geldenhauer : il a déformé la pensée d'Érasme. Érasme n'a jamais enseigné qu'il ne fallait pas appliquer la peine capitale aux hérétiques. « Jamais, je n'ai enlevé aux princes le droit du glaive parce que le Christ et les Apôtres ne le leur ont pas enlevé [290]. » Il s'est contenté de mettre les princes en garde contre une sévérité inconsidérée : « l'erreur est naturelle et, n'est pas

---

[282] P. FREDERICQ, *Corpus documentorum inquisitionis haereticae pravatis neerlandicae*, t. 4, pp. 37-40, Gand, s'Gravenhage, 1900. Il s'agit certainement de la Bulle du 3 janvier 1521 *Decet Romanorum*, contre Luther, ceux qui lui apportent de l'aide et le protègent.

[283] *L.B.*, t. 10, col. 1574 C.

[284] *L.B.*, t. 10, col. 1574 C. Cfr *L.B.*, t. 9, col. 580-582 F.

[285] *L.B.*, t. 10, col. 1574 D.

[286] J.W. DANKBAAR, *op. cit.*, p. 23 et J. PRINSEN, *op. cit.*, pp. 68 et 99. Bucer intervint, en 1531, auprès du chancelier de Brunswick, Jean Forster et Geldenhauer fut dédommagé.

[287] *L.B.*, t. 10, col. 1574 E et 1575 A-B.

[288] *L.B.*, t. 10, col. 1575 C-D.

[289] *L.B.*, t. 10, coll. 1575 D.

[290] *L.B.*, t. 10, col. 1575 E. Cfr ALLEN, *Opus*, t. 5, pp. 605-606, l. 154-171, n° 1526.

aussitôt hérétique celui qui s'est trompé dans quelque article de foi [291]. » Seul le relaps mérite le châtiment [292]. Il a encouragé les évêques et les théologiens à plus de mansuétude chrétienne, à l'exemple du Christ, des Apôtres et des Pères de l'Église. Leur mission, c'est d' « enseigner ceux qui se trompent, de réfuter les méchants, de guérir ceux qui sont tombés » [293]. Érasme a développé cette doctrine, lorsqu'il a répondu à Latomus [294], ensuite à Béda [295] et, enfin, aux calomnies des moines espagnols [296]. Quand même il ne serait pas permis de tuer n'importe quel hérétique, il est juste de faire disparaître les blasphémateurs et les séditieux qui menacent la sécurité de l'État. « Une trop grande clémence passe souvent pour de la faiblesse aux yeux des mauvais [297] » et « lorsque ceux qui passent pour hérétiques persuadent de ne pas tuer les hérétiques, il est clair, même pour un aveugle, que ce n'est pour défendre la

---

[291] *L.B.*, t. 10, col. 1575 E. Cfr ALLEN, *Opus*, t. 4, p. 106, 1. 234-243, n° 1033.

[292] *L.B.*, t. 10, col. 1575 E-F. « Ubi non subest perversitas animi, ubi nulla est pervicacia, ibi sublevandus est caritate Christiana qui lapsus est, non occidendus. » Voir à ce propos R.H. BAINTON, *Erasmus and the Persecuted*, dans *Scrinium Erasmianum*, t. 2, pp. 197-202, Leyde, 1969.

[293] *L.B.*, t. 10, col. 1576 A. Cfr ALLEN, *Opus*, t. 4, p. 102, 1. 102-106, n° 1033, t. 5, pp. 259-260, 1. 107-112, n° 1352, Érasme à Adrien VI (Bâle) (22 mars 1523).

[294] Jacques Latomus est né à Ath, dans le Hainaut, en 1475. Après avoir étudié à Paris, il alla à Louvain et devint élève d'Adrien d'Utrecht. En 1519, il devint docteur en théologie. En 1535, il devint professeur de théologie et chanoine de Saint-Pierre à Louvain. En 1520, il rédigea une défense de l'action des théologiens qui condamnaient le livre de Luther et devint un des chefs du parti orthodoxe à Louvain. Il mourut le 29 mai 1544. Voir aussi C. BENE, *Érasme et Saint Augustin*, pp. 289-327, Genève, 1969 et G. CHANTRAINE, *L'Apologia ad Latomum, deux conceptions de la théologie*, dans *Scrinium erasmianum*, t. 2, pp. 51-75, Leyde, 1969.

[295] Noël Beda est un Picard. Il devint, en 1504, directeur au collège de Montaigu, charge qu'il abandonna en 1513-1514. Dès le 5 mai 1520, il devint premier syndic de la Faculté de théologie de Paris, office créé à sa suggestion. Dès 1519, il avait commencé à imprimer des travaux latins de controverse théologique dirigés contre Clichtove, Lefèvre d'Etaples et Érasme. Sa véhémence lui aliéna même ses amis à la Sorbonne. Quand il poussa la hardiesse jusqu'à attaquer le *Miroir* de Marguerite de Navarre, l'indignation du roi lui valut deux ans d'exil, de 1533 à 1535. Il se retira finalement au Mont Saint-Michel où il mourut en 1536 ou en 1537. ALLEN, *Opus*, t. 6, p. 65.

[296] Érasme fait allusion ici à l'*Apologia ad J. Latomus*, Anvers, s.d., imprimée chez Froben à Bâle, en 1519, à l'*Apologia ad monachos quosdam Hispanos*, Bâle, Froben, 1528 et au *Prologus in supputationem calumniarum Natalis Bedae*, Bâle, Froben, 1527. Voir *L.B.*, t. 10, col. 1576 B. A propos de ces apologies, voir A. RENAUDET, *Études érasmiennes*, pp. 276-280, et pp. 289-291.

[297] *L.B.*, t. 10, col. 1576 D.

vérité mais pour chercher l'impunité pour leurs méfaits [298] ; ... si quelqu'un veut ne pas craindre le magistrat, qu'il pratique le bien et la puissance publique ne se manifestera pas par le châtiment mais, au contraire, par la faveur, d'après le sentiment de saint Paul » [299]. Enfin, rien ne peut irriter davantage les monarques que leur retirer le glaive des mains, et c'est ce que Geldenhauer a fait sous le nom d'Érasme. Est-ce là le fait d'un ami [300] ? Cette démarche risque de perdre Érasme aux yeux des princes et de lui faire courir un danger capital car « l'indignation du roi, dit Salomon, est messagère de mort » [301]. « Tu n'ignores pas de quels artifices la calomnie est armée et combien elle prospère même auprès des plus grands monarques. Souvent, un innocent est tué avant qu'il ne sache qu'il a été dénoncé [302]. » Si Geldenhauer agit par esprit de lucre, il est méprisable et s'il croit en agissant ainsi, le forcer à rejoindre le mouvement évangélique, il se trompe car, déclare Érasme, « je l'aurais déjà fait de mon plein gré, crois-moi, si mon esprit avait approuvé cette affaire » [303]. Il signifie par là qu'il ne pouvait rejoindre un mouvement que rien ne distinguait, sinon qu'il ne se signalait par aucune amélioration.

2° A l'égard de la Réforme.

Érasme en vient à ce qui lui tient bien plus à cœur : la réforme religieuse en Allemagne du Sud et en Suisse. Il précise cependant que les seuls juges légitimes dans cette affaire sont le Pape et l'Empereur [304]. Quel est le but des réformateurs ? C'est, disent-ils, de ramener au jour la vérité évangélique enfouie depuis plus de mille ans [304]. Si telle est leur intention, objecte Érasme, leur tâche est bien plus difficile que celle des Apôtres : ceux-ci devaient

---

[298] *L.B.*, t. 10, col. 1576 C.

[299] *L.B.*, t. 10, col. 1576 C. *Rom.*, 13.3.

[300] *L.B.*, t. 10, col. 1576 E-F.

[301] *L.B.*, t. 10, col. 1576 E. *Proverbes*, 16.14.

[302] *L.B.*, t. 10, col. 1576 F.

[303]*L.B.*, t. 10, col. 1577 A. Dès 1524, Érasme prenait déjà cette position et affirmait à Gaspard Hédion : « Ils me trouvent timides, ces gens prêts à tous les crimes. Mais, si c'était d'accord avec ma conscience, si je voyais des fruits évangéliques, ils verraient que je ne suis pas timide. » ALLEN, *Opus*, t. 5, p. 482, l. 81-82, n° 1459). Voir aussi note 241.

[304] *L.B.*, t. 10, col. 1577 D.

[305] *L.B.*, t. 10, col. 1577 E. Bucer nie que les évangéliques aient jamais proclamé cela, cfr *Epistola apologetica*, pp. B4r°-B5v°.

remplacer les rites juifs et détruire les superstitions païennes, déjà ébranlées dans les esprits lettrés et un peu dégrossis. Mais, parmi les choses actuelles, qu'y a-t-il d'absurde ou de ridicule [305] ? Ils voudraient faire croire au monde que, pendant plus de treize cents ans, on a mal compris les Saintes Écritures, qu'on a adoré une idole en lieu et place de Dieu et qu'on en revient enfin maintenant à la connaissance de la vérité [307]. Ils limitent par là les vérités de la foi aux seules formules bibliques [308]. De plus, alors que les Apôtres recommandaient leur doctrine par des miracles et une vie digne de l'évangile, les réformateurs tout au contraire protestent de façon turbulente contre « le luxe des prêtres, l'ambition des évêques, la tyrannie du pontife romain, le caquetage des sophistes, les prières, le jeûne et la messe [309] » et veulent tout supprimer sans discernement. Pourtant, accordent-ils moins d'importance au luxe, au bien-être, à l'argent que ceux qu'ils méprisent tant? « Montre-moi celui que votre évangile rend sobre alors qu'il aimait la bonne chère, montre-moi l'homme cruel qu'il a rendu bon, l'avare qu'il a rendu généreux, le médisant qu'il a rendu cordial et l'impudique qu'il a rendu chaste [310]. » Ils ont rejeté les images et les prières solennelles, ils ont aboli la messe, ils ont supprimé la confession, ils ne respectent pas le jeûne mais ont-il vraiment, par tous ces changements, augmenté la piété? Érasme ne le croit pas, car ils adorent leurs vices, ils ne prient plus, et lorsqu'ils reviennent après l'office, ils sont enflés d'un esprit mauvais, ils ne se confient même plus à Dieu, ils permettent l'ivrognerie [311], bref, « ils ont fui le judaïsme mais il sont devenus épicuriens [312] ». Leur mode de vie ne peut en rien se comparer à celui des Apôtres [313] et des

[306] *L.B.*, t. 10, col. 1577 E-F.

[307] *L.B.*, t. 10, col. 1577 F-1578 A.

[308] Érasme, par contre, soutient la notion de « développement » du dogme. Cfr L. BOUYER, *Autour d'Érasme*, p. 130, Paris, 1955. « Et, pour le dire une bonne fois, on a rasé presque tout ce que les hommes avaient introduit jadis dans le culte divin, si bien que l'on ne voit plus là que le seul culte de Dieu, fondé sur la pure et sincère Parole de Dieu » ; Roussel à Lesueur, Strasbourg, décembre 1525, dans A.L. HERMINJARD, *op. cit.*, t. I, p. 411, n° 168.

[309] *L.B.*, t. 10, col. 1578 B. Cfr ALLEN, *Opus*, t. 7, pp. 232-233, l. 88-102, n° 1901.

[310] *L.B.*, t. 10, col. 1578 C. Cfr ALLEN, *Opus*, t. 7, p. 232, l. 55-59, n° 1901 et t. 7, p. 360, l. 16-17, n° 1973.

[311] *L.B.*, t. 10, col. 1578 C-E. Cfr ALLEN, *Opus*, t. 7, pp. 232-233, l. 88-92, t. 7, p. 199, l. 17-20, n° 1887 et t. 5, p. 347, l. 79-84, n° 1496.

[312] *L.B.*, t. 10, col. 1578 E.

[313] *L.B.*, t. 10, col. 1578 F-1579 A.

premiers chrétiens [314]. Ils ont rejeté le joug des lois humaines mais
ils ne se sont pas soumis au doux joug de Dieu [315] et les choses en
sont arrivées à un point tel que la plupart des hommes d'honneur
préfèrent un exil volontaire à cette magnifique liberté tant vantée [316]
qui n'est, en fait, que la licence d'agir et de penser à sa guise [317].

Mais, alors que les réformateurs n'aiment personne autant
qu'eux-mêmes, alors qu'ils n'obéissent ni à Dieu, ni aux évêques,
ni aux princes, ni aux autorités, alors qu'ils servent les richesses,
le palais, le ventre et le bas-ventre, ils veulent être appelés évangéliques et revendiquent Luther pour leur maître [318], mais ils négligent,
dit Érasme, ce que Luther enseigne et inclue, à savoir la foi et
l'esprit. On n'observe chez aucun d'eux les fruits de l'esprit :
« l'amour, la joie, la paix, la tolérance, l'amitié, la bonté, la clémence,
la douceur, la fidélité, la modération, la domination de soi, la
pureté [319] », mais bien plutôt les œuvres de la chair [320].

Érasme aborde ici un autre problème, celui des rapports entre
la foi, les bonnes œuvres et la justification. Selon lui, ceci est
incontestable : « Sans la foi, il n'y a d'espoir de salut pour personne
et c'est de la foi, mais par la charité, que naissent nécessairement
les bonnes œuvres, si bien qu'ils se réclament impudemment de la
foi ceux qui ne s'appliquent pas aux bonnes œuvres et c'est en vain
qu'ils promettent le salut, ceux qui, sans la foi, glorifient les bonnes
œuvres [321]. »

Dans ces conditions, demande Érasme, comment justifier les
procédés sordides utilisés à son égard par Pellican et par Léon
Jude, comment expliquer l'attitude de Bucer, puisqu'ils ont tous

---

[314] *L.B.*, t. 10, col. 1579 C.

[315] *Matth.* 11.30.

[316] *L.B.*, t. 10, col. 1579 AB. Érasme ne déclarait-il pas dès 1523 qu'il aurait
mieux valu pour lui émigrer chez les Turcs plutôt que chez les Allemands
perfides (ALLEN, *Opus*, t. 5, p. 434, l. 97-99, n° 1437). Sur la notion de liberté
chez Érasme, voir J. ETIENNE, *Spiritualisme érasmien et théologiens louvanistes.
Un changement de problématique au XVIe siècle*, p. 57, Louvain, 1956.

[317] *L.B.*, t. 10, col. 1579 D. Voir ALLEN, *Opus*, t. 7, p. 282, l. 26-27, n° 1924,
Érasme à Georges de Saxe, Bâle, 30 décembre 1527.

[318] *L.B.*, t. 10, col. 1580 A.

[319] *L.B.*, t. 10, col. 1580 A. *Gal.* 5. 22-23. Cfr ALLEN, *Opus*, t. 5, p. 177,
l. 209-211, n° 1334.

[320] *L.B.*, t. 10, col. 1580 B. Cfr ALLEN, *Opus*, t. 7, p. 232, l. 61-64, n° 1901.
Voir aussi note 304.

[321] *L.B.*, t. 10, col. 1580 B.

les trois « tant de foi dans le cœur qu'elle déborde de leurs lèvres [322] » ?

a) Pellican [323].

D'après la correspondance échangée entre Érasme et Pellican à partir de 1525, on peut déduire que ce dernier avait déclaré publiquement à Bâle [324] qu'Érasme lui-même adhérait aux vues de Carlstadt et d'Oecolampade sur l'Eucharistie [325], en faisant état de confidences d'Érasme. Qu'avait déclaré Érasme dans l'intimité? S'il faut l'en croire, il n'a jamais dit que l'opinion d'Oecolampade sur la Cène était meilleure que l'opinion courante, mais bien qu'il pourrait y adhérer si l'autorité de l'Église l'approuvait [326]. Érasme avait aussitôt répondu à Pellican par une lettre [327], puis il lui avait proposé un entretien [328]. Au cours de cette entrevue, il lui avait prouvé que son opinion vis-à-vis de l'Eucharistie était toute différente de celle des sacramentaires [329]. Pellican avait alors écrit à ses amis pour louer la prudence d'Érasme. « Il laissait entendre ainsi que je ne parlais pas selon mes convictions, remarque Érasme, mais que je dissimulais habilement ce que je pensais [330]. » Non content de cela, il exhortait le magistrat à menacer Érasme afin qu'il avoue ses pensées intimes [331].

Zwingli, informé par Oecolampade [332], s'intéressa alors à la question et il fit circuler à Bâle, par l'intermédiaire d'Oecolampade, une lettre anonyme *Franci cujusdam epistola ad quendam civem*

---

[322] *L.B.*, t. 10, col. 1580 C.

[323] Sur les rapports entre Érasme et Pellican, voir H. MEYLAN, *Érasme et Pellican*, dans *Colloquium erasmianum*, pp. 245-254, Mons, 1968.

[324] S'agirait-il du prêche de Pellican *Die Abendmahlslehre Zwinglis und Oekolampads durch Stellen aus Schriften des Erasmus beleuchtet?* (Cfr E. STAEHELIN, *Briefe und Akten zum Leben Oecolompade*, t. 1, pp. 398 et 407).

[325] *L.B.*, t. 10, col. 1580 D. Voir aussi ALLEN, *Opus*, t. 6, pp. 208-212, n° 1637, Érasme à Pellican, Bâle (ca. 15 octobre 1525), t. 6, pp. 220-221, n° 1640, Érasme à Pellican (Bâle) (ca. octobre 1525), t. 6, p. 280, l. 36-44, n° 1674, Érasme à Jean Lasky, Bâle, 8 mars 1526.

[326] ALLEN, *Opus*, t. 6, p. 351, l. 52-53, n° 1717, Érasme à Pirckheimer, Bâle, 6 juin 1526.

[327] ALLEN, *Opus*, t. 6, pp. 208-212, n° 1637.

[328] ALLEN, *Opus*, t. 6, p. 280, l. 41-43, n° 1674.

[329] ALLEN, *Opus*, t. 6, p. 280, l. 43-59, n° 1674. Cfr *L.B.*, t. 10, col. 1580 D-E.

[330] *L.B.*, t. 10, col. 1580 E.

[331] *L.B.*, t. 10, col. 1580 E.

[332] G. KRODEL, *op. cit.*, p. 251.

Basliensem [333], dans laquelle il répondait en détails à la première lettre d'Érasme, Il lui reprochait de parler autrement qu'il ne pensait et de ne pas croire à la transsubstantiation [334]. Érasme accusa à tort Capiton d'être l'auteur de ce pamphlet [335] : à cette époque, en effet, Érasme lui imputait tout ce qui se tramait contre lui.

b) Léon Jude.

Un peu plus tard, paraissait une lettre anonyme, le *Maynung vom Nachtmal*, adressée à *Gaspar Nagolt burger zu Nörlingen* [336], le 18 avril 1526, et signée *Ludovicus Leopoldi, pfarrer zu Leberaw* [337]. Sous ce pseudonyme, se cachait Léon Jude. Il y prétendait qu'Érasme et Luther partageaient l'opinion de Carlstadt à propos de l'Eucharistie [338]. Il présenta la lettre au Conseil de Baden où, du 21 mai au 8 juin 1526, Eck [339], inspirateur de la bulle *Exsurge Domini* devait débattre avec Zwingli certaines thèses concernant le développement de la nouvelle Église en Suisse [340].

[333] *Zwinglis sämtliche Werke*, t. 2, pp. 407-413. Voir W. KOEHLER, *op. cit.*, t. 1, p. 140.

[334] K.H. OELRICH, *op. cit.*, p. 33.

[335] ALLEN, *Opus*, t. 6, p. 225, l. 5-7, n° 1644, Érasme à Pellican, Bâle (ca. novembre 1525) et t. 6, p. 281, l. 65-69, n° 1674. L'écrit de Zwingli est daté du 28 octobre 1525 : E. STAEHELIN, *op. cit.*, t. 1, p. 408, n° 292.

[336] Nörlingen ou Noerlingen est une ville de Souabe sur l'Eger.

[337] Il s'agit de Liepvre (en allemand Leberau) en Alsace (cfr E. FOERSTERMANN, *Altdeutsches Namenbuch*, t. 2, col. 48, Bonn, 1916). La signature était placée de telle manière qu'on ne pouvait savoir si c'était celle de l'auteur ou celle de l'imprimeur. Cfr A. MEYER, *op. cit.*, p. 131.

[338] *L.B.*, t. 10, col. 1580 F et ALLEN, *Opus*, t. 6, p. 353, l. 24-25, n° 1719, Érasme à Francis Molinius, Bâle (ca. 6 juin) 1526. Sur le *Maynung*, voir note 246.

[339] Jean Maier de Eck naquit le 13 novembre 1486. Il fréquenta successivement les universités de Heidelberg, de Tubingen où il acquit la maîtrise ès arts, de Cologne et de Fribourg. Après son doctorat en droit, en 1510, il devint professeur de théologie à Ingolstadt. Lors de l'apparition de la Réforme, il fut appelé à défendre la religion orthodoxe. Il fit continuellement la guerre à Luther et aux autres réformés sur des points de doctrine et son éloquence brillante lui apporta souvent le succès dans ces débats, mais il n'était pas populaire. Ses relations avec Érasme par ailleurs n'étaient pas des meilleures. Dès 1517, il était apparu comme un critique acéré du *Novum Instrumentum* et Érasme lui resta suspect jusqu'à la fin. Il mourut le 10 février 1543. ALLEN, *Opus*, t. 3, p. 208.

[340] ALLEN, *Opus*, t. 6, pp. 337-342, n° 1708, Érasme à la Confédération suisse, Bâle, 15 mai 1526, introduction. Cfr. A. RENAUDET, *Études érasmiennes*, p. 46. Zwingli ne s'y était pas présenté. Oecolampade avait pris sa place mais lui et ses adeptes furent condamnés pour hérésie. Oecolampade n'eut pour lui que les pasteurs de Bâle, et cinq autres ecclésiastiques d'Appenzell et de Schaffhouse. Cfr A.L. HERMINJARD, *op. cit.*, t. 1, pp. 434 et 439. Voir G. KRODEL, *op. cit.*, pp. 256-263.

Érasme réagit rapidement en envoyant au Conseil de Baden, par messager spécial, dès le 15 mai, une lettre qui, fut lue au Sénat de Bâle [341] sous sa forme allemande, parce que « peu lisent le latin ». Il y déclarait qu'il ne s'était jamais opposé sur ce point à l'Église catholique [342]. Et Érasme d'affirmer que Luther avait renié Carlstadt à cause du dogme de l'Eucharistie et que ce dernier était même allé jusqu'à la rétractation [343]. En écrivant le *Maynung*, l'auteur voulait, selon Érasme, créer une confusion dans les esprits qui ne distingueraient plus Luther de Carlstadt [344] et il essayait de prouver, avec des arguments ridicules, que « mes enseignements différaient de mes croyances intimes et cela uniquement par crainte [345] ». Érasme répondit de façon plus complète dans une lettre dédicacée aux *dilectis in Christo fratribus* où il réfutait les arguments de son adversaire. Cette lettre fut imprimée sans délai par Froben, en juin 1526, sous le titre *Detectio praestigiarum cujusdam libelli germanice scripti ficto authoris titulo, cum hac inscriptione « Erasmi et Luteri opiniones de Coena Domini* [346]. A la même époque, Froben demanda à Georges Carpentier [347] de lui en donner une traduction allemande qui parut sous le titre *Entdeckung Doctor Erasmi von Rotterdam der dückischen arglistenn eines Büchlin inn teutsch under einen erdichten titel mit diser uberschrifft, Erasmi und Luthers meinung vom nachtmal unsers herren kurtzlich hievor uff den XVIII tag Aprels uszgangen* [348]. Léon Jude y répondit immédiatement par l'*Uf entdeckung Doctor Erasmi von Roterdam der dückischen arglisten eynes tütschen büchlins, antwurt und entschuldigung*, paru à Zurich chez Froschauer, en 1526 [349].

[341] *L.B.*, t. 10, col. 1581 B. Voir ALLEN, *Opus*, t. 6, pp. 337-342, n° 1708.

[342] ALLEN, *Opus*, t. 6,p. 340, l. 30-42, n° 1708.

[343] M. GRAVIER, *op. cit.*, pp. 83-85 et pp. 254-255. Cfr L. FÈBVRE, *Un destin, Martin Luther*, pp. 161-162, Paris, 1945.

[344] *L.B.*, t. 10, col. 1580 F.

[345] ALLEN, *Opus*, t. 6, p. 340, l. 24-26, n° 1708.

[346] *Bibliotheca erasmiana*, t. 1, p. 74 et *L.B.*, t. 10, col. 1557. Cfr *L.B.*, t. 10, col. 1581 B.

[347] Georges Carpentier est un chartreux bâlois. C'est un chroniqueur. Après avoir mené la vie d'écolier nomade, il entra, en 1509, au couvent des chartreux du Petit-Bâle. Adepte du mouvement humaniste, il traduisit en allemand quelques écrits d'Érasme. Comme bibliothécaire de son couvent, il rédigea un catalogue, des annales et une continuation de la chronique d'Heinrich von Ahlfeld. C'est un adversaire des doctrines nouvelles. Il meurt probablement le 6 octobre 1528. Cfr *Dictionnaire historique et biographique de la Suisse*, t. 2, p. 419, Neuchâtel, 1924.

[348] ALLEN, *Opus*, t. 6, p. 338, n° 1708, introduction.

[349] *Bibliotheca erasmiana*, t. 1, p. 74. Cfr ALLEN, *Opus*, t. 6, pp. 337-342, n° 1708, introduction.

c) Bucer.

Après avoir donné l'exemple de deux réformés qui « ignorent l'esprit évangélique qu'ils préconisent [350] », Érasme se demande comment Bucer peut se justifier d'avoir publié sous un pseudonyme un ouvrage dédicacé au fils du roi de France et d'avoir poussé la ruse et la fourberie jusqu'à y glisser certains vocables français « pour que le soupçon ne tombe pas sur un auteur allemand et que le livre paraisse être écrit et édité par un Français, et ce à Lyon [351] ». Érasme n'est pas le seul à critiquer cet artifice. Luther déclare que Bucer a démontré par cet exploit « son esprit arrogant et pervers » [352]. De ces reproches, Bucer se justifie dans une lettre à Zwingli, au début de juillet 1529 [353] : « J'ai décidé de publier le commentaire sur les Psaumes sous un pseudonyme car, de cette façon, les livres sont achetés par les libraires des régions où c'est un crime capital d'éditer des livres portant notre signature. J'ai voulu, par cette ruse, apporter à nos frères captifs le moyen de traiter des Saintes Écritures de façon plus juste et, grâce aux consolations sacrées, les affermir dans la persécution qu'ils supportent. » Par ailleurs, il répond même à Érasme qu' « une supercherie qui ne heurte personne et est utile à beaucoup peut être considérée comme un acte de piété » [354]. Bucer exprime, dans cet ouvrage, l'espoir que le jeune prince, une fois devenu roi, agira comme un autre David, un autre Salomon, et rétablira en son lieu l'arche de

---

[350] *L.B.*, t. 10, col. 1581 D.

[351] *L.B.*, t. 10, col. 1581 D. Il s'agit de *Psalmorum libri quinque ad hebraicam veritatem versi et familiari explanatione elucidati per Aretium Felinum Argentoratensi, Mense sept. Anno MDXXIX* et porte comme dédicace *Clarissimo ac pientissimo principi Francisco Valesio Christianiss. Galliarum Regis primogenito et Delphino, Lugduni (Argentorati) III Jdus Julias Anno MDXXIX*. Voir J.W. BAUM, *op. cit.*, p. 593, n° 19 et R. STUPPERICH et E. STEINBORN, *op. cit.*, p. 48, n° 25.

[352] *W.A., Tischreden*, t. 4, n° 4185.

[353] *Zwinglis sämtliche Werke*, t. 10, pp. 316, 319 et 340-341 : « (Psalmorum) enarrationem, impulsus a fratribus Galliae et inferioris Germaniae, statui edere sub alieno nomine quo a Bibliopolis illorum libri emantur. Capitale enim est nostris nominibus praenotatos libros regionibus illis inferre... Tria specto hac impostura. Primum, si quo modo captivis illis fratribus sincerior tractandi Scripturas ratio commendari possit... tertium, ut tutius hinc sacris possent consolationibus in persecutione quam ferunt confirmari. » Cfr p. 245, n° 890 et F. SCHIESS, *op. cit.*, t. I, p. 204, n° 158, Bucer à Blaurer, 26 janvier (1530).

[354] *Epistola apologetica*, p. F5v° : « Pius dolus est, qui nocet nemini, prodest multis. »

l'Alliance [355]. De fait, Strasbourg était devenu un foyer de propagande des idées nouvelles dirigé vers la France [356]. Son rôle était de « multiplier à l'intention de la France les œuvres latines de Luther, donner des allemandes des textes latins qu'établissent des groupes de traducteurs ... cette production massive qui s'écoule vers la France irrite tant les catholiques français qu'ils ne savent trouver pour flétrir Strasbourg d'apostrophe assez violente » [357].

Bucer avait choisi un pseudonyme dont la signification était suggestive et par lequel il allait être connu pour le reste de sa vie. « De même que le Landgrave de Hesse est connu comme Caton et Mélanchthon comme Philippe, Bucer fut connu comme *Aretius* ou *Felinus*, ou les deux à la fois [358]. » Les catholiques romains utilisèrent ce surnom comme preuve de la perfidie de Bucer [359]. Bucer affirme avoir choisi ce nom parce que *Aretius* est la traduction grecque de Martin et *Felinus* la traduction latine de Bucer [360].

« Sont-ce par des facéties pareilles qu'on espère répandre l'évangile » [361] demande Érasme? Quoi qu'il en soit, « vous pouvez à peine imaginer combien ces mœurs me dégoûtent de toute cette entreprise, dit-il [362], ... si bien que il m'aurait été désagréable de faire alliance avec eux, même si leurs dogmes m'avaient moins déplu [363] ». « Il est possible que, pour mon malheur, je n'aie encore rencontré personne qui, selon moi, ne soit devenu pire qu'il n'était [364]. Érasme, quant à lui, est sûr de l'issue fatale de la

---

[355] A.L. HERMINJARD, *op. cit.*, t. 2, p. 195, n° 260. Il fait allusion ici à *II Samuel* 4 et à *I Rois* 8.

[356] A. CLERVAL, *Strasbourg et la réforme française*, dans *Revue d'Histoire de l'Église de France*, t. 7, pp. 148-149, Paris, 1929.

[357] L. FÈBVRE et H.J. MARTIN, *L'apparition du livre*, p. 448, Paris, 1958. Cfr note 351.

[358] H. EELLS, *Martin Bucer*, p. 69.

[359] Il faut remarquer toutefois qu'Érasme ne lui donna jamais ce surnom. Il se contenta de l'appeler *Bucephalus*. Cfr ALLEN, *Opus*, t. 9, p. 260, l. 28-29, Érasme à Nicolas Winman, Fribourg, 16 avril 1531.

[360] *Zwingli sämtliche Werke*, t. 10, pp. 316, 319 et 340-341. Cfr J.W. BAUM, *op. cit.*, p. 464 et H. EELLS, *op. cit.*, pp. 68-69. *Aretius* est une forme d'Arès, le nom grec du dieu romain Mars et Bucer est traduit par *Felinus* parce que *Butzen* signifie nettoyer et que l'une des principales habitudes du chat est de se laver avec la langue. A moins qu'il ne s'agisse d'une transposition latine de Putzi, devenue Butzi dans la bouche des Alsaciens, nom habituel donné au chat en Allemagne.

[361] *L.B.*, t. 10, col. 1581 E.

[362] *L.B.*, t. 10, col. 1582 B.

[363] ALLEN, *Opus*, t. 8, p. 231, l. 46-48, n° 2196, Érasme à Pirckheimer, Fribourg, 15 juillet 1529.

[364] *L.B.*, t. 10, col. 1582 B.

Réforme, car rien ne la recommande, ni prédication, ni miracle, ni
mœurs. Les réformateurs voudraient qu'en neuf ans la terre rejette
une doctrine recommandée par les miracles, par la vie exemplaire
des Apôtres, par les Pères et les martyrs, pour accepter des dogmes
que rien ne recommande! Ils voudraient faire croire que pendant
quatorze cents ans l'Église a été privée du Christ et que, pendant
le sommeil de son époux, elle a adoré des idoles et des fantômes,
qu'elle a été aveugle en expliquant les Saintes Écritures et que
les miracles des saints sont des manifestations de Satan [365]. Si
vraiment il en avait été ainsi, le Seigneur aurait puni les siens en
leur envoyant des pharaons, des Antiochus [366], des Cyrus et des
Nabuchodonosor et non des hommes évangéliques [367]. Souvent les
meilleures entreprises humaines dégénèrent et aboutissent finalement à des résultats désastreux. Il en est ainsi, notamment, de
l'institution monastique [368], mais on ne peut même pas concéder
aux évangéliques un début prometteur. Ils se sont efforcés de
démolir la tyrannie du Pape, des évêques et des moines, ils ont
voulu que chacun mange ce qui lui plaisait et se vête comme il
voulait, mais tout cela on pouvait l'obtenir auparavant par une
dispense pontificale ou épiscopale, tandis que maintenant, par leur
faute, la tyrannie romaine s'est renforcée [369] : il n'est plus permis
sous peine d'être jeté en prison ou brûlé, de soulever des questions
à propos de l'autorité pontificale, des donations, des restitutions,
du purgatoire [370] ; on est forcé d'accepter comme article de foi [371]
des choses qui horrifient les esprits pieux, comme par exemple que
la Sainte Vierge peut commander au Fils règnant avec le Père et
ainsi exaucer les prières [371], ou encore que l'homme engendre par

---

[365] *L.B.*, t. 10, col. 1582 B-E.

[366] Antiochus est le nom de treize rois de Syrie de la dynastie des Séleucides.
Érasme pense à Antiochus IX Épihane, roi de Syrie de 174 à 164 avant Jésus-
Christ qui persécuta les Juifs, saccagea Jérusalem, fit périr les sept Macchabées
et mourut dans des accès de frénésie.

[367] *L.B.*, t. 10, col. 1582 E-F.

[368] *L.B.*, t. 10, col. 1582 F-1583 A.

[369] *L.B.*, t. 10, col. 1583 A-B. Voir aussi *L.B.*, t. 10, col. 1334 A, *Hyperaspistes I* et ALLEN, *Opus*, t. 4, p. 494, l. 5-7, n° 1203, Érasme à Louis Ber,
Louvain, 14 mai 1521 et t. 7, pp. 230-231, l. 45-50, n° 1901.

[370] *L.B.*, t. 10, col. 1583 B.

[371] ALLEN, *Opus*, t. 4, p. 492, l. 254-255, n° 1202, Érasme à Josse Jonas,
Louvain, 10 mai 1521.

[372] *L.B.*, t. 1, col. 808 F : « Quam multi sunt qui magis fidunt praesidio
Virginis Matris, aut Christophori, quam ipsius Christi », dans le colloque
Ichtyophagia. Mais Érasme lui-même avait accompli un pèlerinage à N.-D. de

lui-même les œuvres méritoires; il est dangereux de déguster, même pour raison de santé, un œuf pendant le carême, il est interdit, sous peine de mort, de railler les moines et les théologiens, les clercs eux-mêmes n'échappent plus à la rigueur des juges laïcs [372]. Il faut absolument en revenir à la modération. Assurément, jamais peut-être Érasme n'a été aussi certain qu'il reste encore beaucoup de choses à corriger [374] mais, « ne réformons que ce qui est nécessaire au salut, dit-il, et conservons l'esprit de concorde jusqu'à ce que Dieu juge à propos de révéler la vérité [375]. Érasme renonce par là à scruter les mystères de la religion [376]. Il est absurde de vouloir revenir à l'état primitif de l'Église. « Rien n'est plus absurde qu'un adulte qui veut revenir au berceau et à l'enfance [377], car certaines choses se sont améliorées dans l'Église au cours de son histoire. Par exemple, le repas eucharistique n'est-il pas, de nos jours, plus décent qu'il ne le fut parfois chez les Corinthiens [378] ? L'office n'est-il pas célébré dans de meilleures conditions? Ne vaut-il pas mieux laisser à quelques hommes sûrs le soin de désigner ou de déposer les évêques? Par contre, l'emploi de la musique ou des images, exclu dans l'Église primitive, s'est développé jusqu'à dépasser la mesure et même s'éloigner de la bienséance [379]. « Nous voyons

Walsingham, en 1512. Cfr L.-E. HALKIN, *Érasme pèlerin*, dans *Scrinium Erasmianum*, t. 2, pp. 239-252, Leyde, 1969 et L.-E. HALKIN, *Érasme, enfant terrible de l'Église romaine*, pp. 4-6, dans *Revue générale belge*, juin 1969.

[373] *L.B.*, t. 10, col. 1583 C-D.

[374] *L.B.*, t. 10, col. 1583 E.

[375] *L.B.*, t. 10, col. 1583 D. ALLEN, *Opus*, t. 6, p. 311, l. 107-112, n° 1690, Érasme à Jean Faber, Bâle (ca 16 avril) 1526, t. 9, p. 15, l. 37-55, n° 2366, Érasme à Campegio, Fribourg, 18 août 1530 et t. 5, p. 178, l. 231-234, n° 1334. Voir aussi J.C. MARGOLIN, *Érasme et la Vérité*, dans *Recherches érasmiennes*, pp. 45-69, Genève, 1969.

[376] Érasme exprime déjà cette idée dans sa préface aux paraphrases de Jean, ALLEN, *Opus*, t. 5, p. 172, l. 375-383, n° 1333. Cfr ALLEN, *Opus*, t. 5, p. 164, l. 16-24, n° 1333. Voir à ce sujet J. COPPENS, *Les idées réformistes d'Érasme dans les préfaces aux paraphrases du Nouveau Testament*, dans *Scrinium Lovaniense, mélanges historiques Etienne van Cauwenbergh*, p. 355, Louvain, 1961.

[377] *L.B.*, t. 10, col. 1585 D.

[378] *L.B.*, t. 10, col. 1585 E-1586 C. *I Cor.* 11. 20-21.

[379] *L.B.*, t. 10, col. 1586 C-D. Cfr sur le même sujet ALLEN, *Opus*, t. 8, p. 254, l. 87-99, n° 2205, Érasme à Botzheim : « C'était certainement une belle chose que l'idée des images et des statues, tant pour la décoration artistique que pour l'encouragement à la piété par l'exemple du souvenir des saints. Mais à la fin, les sanctuaires s'emplissaient partout d'horreurs de peintures et nous sommes tombés presque dans l'idolâtrie, en donnant l'occasion de briser encore ce lien.

dans les sanctuaires des peintures aussi peu édifiantes que celles qui décorent les portiques et les cabarets [380]. » Cela ne signifie pas qu'il faille supprimer toute musique et faire disparaître toute image mais qu'il faut corriger ce qui est dépravé et vicié [381]. Érasme est persuadé que « si Paul vivait aujourd'hui, il ne condamnerait pas l'état présent de l'Église, il s'élèverait plutôt contre les vices des hommes et contre ceux à qui jamais rien ne plaît si ce n'est ce qu'ils ont eux-mêmes institué, encore qu'ils ne s'y tiennent pas [382] ».

La lettre se termine par une exhortation aux deux parties pour que catholiques et protestants retrouvent le chemin de l'union et cherchent ensemble le bien de l'Église car « si l'une des parties ne supporte pas le renouveau et si l'autre ne veut rien abandonner, quelle sera la fin de la dispute [383] ? »

Conclusions.

Lorsque Prinsen commente l'*Epistola contra Pseudevangelicos*, il juge sévèrement l'attitude d'Érasme et n'a que mépris pour « sa flatterie hypocrite des puissants de la terre » [384]. Ce jugement est-il justifié? Il faut considérer que le procédé utilisé par Geldenhauer n'était pas sans danger pour Érasme et surtout pour la lutte qu'il menait. Si Geldenhauer n'était pas important en soi, il le devenait comme représentant d'un mouvement qu'Érasme haïssait de plus en plus, car, à ses yeux, les gens qui en faisaient partie menaient une vie en flagrante contradiction avec leur doctrine. « Sous le

---

Le pieux office divin était certainement un exemple vénérable à proposer : louer Dieu par des hymnes et des cantiques spirituels. Hélas, on entend dans les églises une musique plus adaptée aux festins et aux noces qu'au culte divin, où les voix pieuses sont couvertes par une sorte de mugissement, on chante parfois même des chansons insensées à la place de cantiques divins, bref, puisqu'on ne fait dans les églises que de figurer le chant, ce lien encore est menacé. Cependant, qu'existe-t-il de plus sacré que la Messe? » Sur ce sujet, voir J.C. MARGOLIN, *Érasme et la musique*, pp. 16 et 17, Paris, 1965. Voirs aussi J.C. MARGOLIN, *Érasme et la musique*, dans *Recherches érasmiennes*, pp. 85-97, Genève, 1969.

[380] *L.B.*, t. 10, col. 1586 D.
[381] *L.B.*, t. 10, col. 1586 C-D. Cfr notes 194 à 200.
[382] *L.B.*, t. 10, col. 1587 A.
[383] *L.B.*, t. 10, col. 1587 A. *L.B.*, t. 5, col. 499 D, *De sarcienda* : « Les uns ne tolèrent aucune innovation, les autres ne laissent rien debout. Le résultat, c'est qu'une tempête s'est levée maintenant presque insurmontable.
[384] J. PRINSEN, *op. cit.*, p. 93.

masque de l'évangile, quelques imposteurs malfaisants se cachent [385]. » « Toujours, ils ont à la bouche évangile, parole de Dieu, foi, Christ et Esprit-Saint mais, si l'on regarde leur façon de vivre, elle parle un tout autre langage [386]. » Assez de paroles, qu'ils passent aux actes, dit Érasme [387].

Il était normal qu'Érasme s'attaque à ces gens-là, il l'était moins qu'il généralise. Bien sûr, il prétendra qu'il n'a voulu, dans cette lettre, ni faire du tort à la cause de l'évangile, ni attaquer le mouvement réformateur mais ceux qui, « par leur vie, font du tort à la cause dont ils veulent paraître les champions [388] ». Malgré tout, l'*Epistola contra pseudevangelicos* apparut aux yeux de tous comme une attaque de l'ensemble de la Réforme en Allemagne du Sud et en Suisse.

Par ailleurs, Érasme n'avait pas alors pour but principal de se réconcilier avec les catholiques. Il voulait avant tout avertir les deux parties, montrer à chacun son devoir et, enfin, servir la cause de l'unité de l'Église en pensant à la prochaine Diète [389], qui précisément allait donner aux princes et aux villes une occasion inattendue de défendre leurs croyances devant l'Empereur. Malgré les griefs qui peuvent lui être faits, on ne peut cependant pas refuser à Érasme d'avoir exposé honnêtement son opinion.

---

[385] ALLEN, *Opus*, t. 8, p. 347, l. 24-25, n° 2264, *Érasme à ?*, s.l., s.d.

[386] ALLEN, *Opus*, t. 5, p. 546, l. 62-63, n° 1496.

[387] ALLEN, *Opus*, t. 7, p. 360, l. 16-17, n° 1973.

[388] ALLEN, *Opus*, t. 8, pp. 418-419, l. 14-17, n° 2308, Érasme à Jean Choler, Fribourg, 13 avril 1530 et t. 8, p. 393, l. 11-13, n° 2293, Érasme aux Magistrats de Strasbourg, Fribourg, 28 mars 1530.

[389] Érasme le dit lui-même. Voir ALLEN, *Opus*, t. 8, p. 394, l. 14-16, n° 2293, t. 8, p. 412, l. 9-11, n° 2302, Érasme à Baptista Egnatius, Fribourg, 31 mars 1530, t. 8, pp. 418-419, l. 13-18, n° 2308 et t. 9, p. 321, l. 143-146, n° 2522, Érasme à Julius Pflug, Fribourg, 20 août 1531. La Diète d'Augsbourg a trois buts précis : entendre avec amitié et bienveillance chaque idée, opinion et avis, défaire ce qui serait des deux côtés mal établi ou mal exécuté et accepter tous une seule et vraie religion. Mais les villes protestantes du Sud (Strasbourg, Constance, Lindau et Memmingen) n'acceptèrent pas la doctrine luthérienne de l'Eucharistie et présentèrent la *Confession Tetrapolitana*, tandis que Zwingli envoyait sa *Fidei Ratio* (cfr *Die Religion im Geschichte und Gegenwart*, t. 1, col. 733-734) et J.-V. POLLET, *Julius Pflug. Correspondance*, t. I, p. 219, n° 51, Leyde, 1969, pour le texte de la *Confessio Tetrapolitana*, voir M. BUCER, *Deutsche Schriften*, t. 3, *Confessio Tetrapolitana und die Schriften des Jahres 1531*, éd. R. Stupperich, Paris, 1969.

CHAPITRE V

EPISTOLA APOLOGETICA
(Avril 1530)

A. Réactions strasbourgeoises à la lettre d'Érasme.

Érasme savait que sa lettre allait susciter des réactions mais la risposte de Geldenhauer le surprend désagréablement : « Vulturius prépare en secret une édition de ma lettre avec des remarques et des notes. C'est une plaisanterie peu délicate et je l'ai écrit aux magistrats de Strasbourg [390]. » De quoi s'agissait-il ? Geldenhauer avait publié dans les derniers mois de 1530 l'*Epistola contra pseudevangelicos* augmentée de ses propres considérations et observations [391], sans nom d'éditeur, ni lieu d'édition [392] mais, à première vue, cette édition semblait sortie de la plume d'Érasme [393]. Érasme en conclut immédiatement qu'Eppendorf avait son mot à dire dans cette affaire [394] et que le livre sortait des presses de Jean Schott à Strasbourg [395]. Plus tard, ses soupçons se porteront sur Pierre Scheffer, l'imprimeur de l'*Epistola apologetica* [396]. Dès le 24 mars

---

[390] ALLEN, *Opus*, t. 8, p. 442, l. 25-27, n° 2321, Érasme à Augustin Marius, Fribourg, 22 mai 1530. Cfr ALLEN, *Opus*, t. 8, p. 393, l. 1-4, n° 2293.

[391] Prinsen n'a pu découvrir trace d'une édition avec des notes (J. PRINSEN, *op. cit.*, p. 95) mais J.W. BAUM, en a vu un exemplaire et en donne une description détaillée (J.W. BAUM, *op. cit.*, p. 594. Cfr A. AUGUSTIJN, *op. cit.*, p. 251). Son titre est *Contra quosdam qui se falso jactant Evangelicos, Epistola Des. Erasmi Roterodami jam recens edita et scholiis illustrata* avec, comme devise, sur la page de titre : Horatius « Mordear opprobriis falsis, mutemque colores? Falsus honor juvat et mendax infamia terret, Quem, nisi mendosum, et mendacem? ». Sur le verso de la page de titre, figure la mention : « Quae lunulis inclusa, Lector, videris hoc pacto. Scholia sunt à Gerardo Noviomago in Evangelicae veritatis addita gloriam. »

[392] ALLEN, *Opus*, t. 8, p. 394, l. 7-9, n° 2294, Érasme à Boniface Amerbach (Fribourg) (ca. 28 mars 1530) et A. HARTMANN, *op. cit.*, t. 3, pp. 496-497, n° 1421.

[393] ALLEN, *Opus*, t. 8, p. 394, l. 7-9, n° 2294.

[394] ALLEN, *Opus*, t. 8, p. 394, l. 3-10, n° 2294.

[395] ALLEN, *Opus*, t. 8, p. 393, l. 6-10, n° 2293.

[396] ALLEN, *Opus*, t. 9, p. 286, l. 6-7, n° 2510, Jacques Sturm à Érasme, Strasbourg, 6 juillet 1531.

1530, Boniface Amerbach envoie à Érasme un exemplaire de cette
édition [397]. Ce dernier adresse aussitôt une lettre de protestation
aux magistrats de Strasbourg pour qu'ils empêchent la diffusion
de cet écrit [398] et il se plaint à Jacques Sturm [399]. S'il faut en croire
Érasme, l'imprimeur aurait été emprisonné sur le champ [400], mais
ces mesures ne peuvent empêcher la diffusion de la lettre.

Érasme parle avec mépris des remarques de Geldenhauer, les
qualifiant de *muliebra convicia* [401], de *scurrilia convicia* [402] ou encore
de *scurrilia scholia* [403]. En fait, les annotations de Geldenhauer
n'avaient pas grand poids. « C'était des remarques courtes et, la
plupart du temps, sans importance, où il rejetait les thèses d'Érasme
sans raisonnement. Son indignation fut surtout soulevée par l'affirmation d'Érasme selon laquelle Paul aurait approuvé l'état présent
de l'Église s'il avait vécu maintenant [404]. »

Toute autre était l'*Epistola apologetica ad syncerioris Christianismi sectatores per Frisiam Orientalem et alias Inferioris
Germaniae regiones*, écrite au nom des ministres de l'évangile
de l'Église strasbourgeoise et qui paraît en avril 1530 [405]. Cette

---

[397] ALLEN, *Opus*, t. 8, p. 388, l. 1-7, n° 2289, Boniface Amerbach à Érasme,
Bâle, 24 mars 1530 et A. HARTMANN, *op. cit.*, p. 496, n° 1420.

[398] ALLEN, *Opus*, t. 8, pp. 393-394, n° 2293 et t. 8, p. 442, l. 25-27, n° 2321.

[399] ALLEN, *Opus*, t. 9, p. 286, l. 9-14, n° 2510.

[400] ALLEN, *Opus*, t. 8, p. 442, l. 27-28, n° 2321 et t. 9, p. 154, l. 37-39,
n° 2441.

[401] ALLEN, *Opus*, t. 8, p. 393, l. 2, n° 2293.

[402] ALLEN, *Opus*, t. 8, p. 442, l. 26, n° 2321.

[403] ALLEN, *Opus*, t. 9, p. 154, l. 36, n° 2441, t. 9, p. 396, l. 21, n° 2579.
Cfr t. 9, p. 152, l. 21-22, n° 2440.

[404] C. AUGUSTIJN, *op. cit.*, pp. 251-252. Il donne en note un extrait d'une
note de Geldenhauer, p. C6v°, concernant la pensée de saint Paul : « O impudens,
ne quid aliud addam, dictum. Vide lector, quisquis es, Epistolam ad Galates, vide
hujus Annotationes et Paraphrases. Miseret me hominis tam graviter labendis,
quare verbum non amplius addam. Qui stat oret Dominum ne cadat. Haec
hactenus, propter infirmiores fratres qui forte hac epistola non nihil offensi sunt,
non adnotare non potuimus. Caeterum vindicta et ultio domini est. »

[405] Le titre complet de l'*Epistola* est *Epistola apologetica ad syncerioris
Christianismi sectatores per Frisiam orientalem, et alias inferioris Germaniae
regiones, in qua Evangelii Christi vere studiosi, non qui se falso Evangelicos
jactant, iis defenduntur criminibus, quae in illos Erasmi Roterodami epistola ad
Vulturium Neocomum, intendit. Per ministros Evangelii ecclesiae Argentoratensis,
MDXXX*. L'*epistola apologetica* fut éditée de concert par Pierre Schöffer et
Jean Schwintzer qu'on peut classer parmi les imprimeurs mineurs de Strasbourg.
Faut-il traduire cette dédicace par Frise orientale et Germanie inférieure ? Cette
lettre est adressée plus vraisemblablement aux fidèles sincères *depuis* la Frise
orientale (c'est-à-dire l'extrême Nord de l'Empire) jusqu'au Sud de l'Allemagne.
Cette traduction est d'ailleurs confirmée par l'énumération du f° B 32° (cfr *infra*
p. 98).

lettre ouverte constitue une excellente défense du mouvement réformateur en général et se sert de l'*Opus Epistolarum* d'Érasme [406], paru en 1529, pour réfuter par les paroles mêmes d'Érasme ce que celui-ci a déclaré dans l'*Epistola contra pseudevangelicos.*

B. Bucer est-il bien l'auteur de l'Epistola apologetica ?

Tous les historiens font de Bucer l'auteur de l'*Epistola apologetica,* mais ils ne justifient pas cette prise de position. Il semble que ce soit J.W. Baum qui, en 1860, attribua le premier à Bucer cette *apologetische Antwort auf den Brief des Erasmus von Rotterdam* [407]. Mentz [408] et Stupperich [409] l'ont suivi. Les indications du titre de cette *Epistola,* volontairement imprécises, permettent-elles cette attribution? Elles parlent seulement des *ministros evangelii Ecclesiae Argentoratensis.* D'autre part, la date se trouvant en fin de l'épître est fausse. Il n'y a pas de *22 Cal. Mai an. 1530* [410]. Dès lors, il est non seulement nécessaire de démontrer qui est l'auteur

Pierre Schöffer est né vers 1475 à Mayence. Il y fonde une imprimerie, mais éprouve des difficultés financières et va s'établir à Worms où il publie des ouvrages de tendance anabaptiste. L'hostilité à son égard l'oblige à quitter la ville et il s'installe, grâce à l'intervention de Bucer et de Capiton, à Strasbourg au plus tard en 1530. Il acquiert le droit de bourgeoisie en décembre 1529. Il s'associe avec Jean Schwintzer de 1530 à 1531. En 1541, il va s'installer à Venise, puis à Bâle et il meurt peu avant le 21 janvier 1547. Jean Schwintzer, quant à lui, est originaire de Silésie. Il devient lecteur à la faculté de théologie de Liegnitz, puis, chanoine, mais ses idées avancées l'obligent à émigrer et il échoue à Strasbourg. Il y acquiert, le 3 janvier 1525, le droit de bourgeoisie comme ouvrier typographe. Il quitte ensuite Strasbourg pour Worms où il s'engage comme ouvrier typographe chez Schöffer. Lorsque ce dernier vient à Strasbourg, Schwintzer le suit. Après sa séparation avec Schöffer, il publie, le 22 août 1531, la *Confessio Tetrapolitana.* Puis, il renonce à son métier d'imprimeur. Il devient premier scribe à la chancellerie de la ville. De 1533 à 1539, il exerce la même fonction au tribunal. En 1541, il entre au Petit Conseil, puis au Grand Conseil où, en 1553, il est encore mentionné comme procureur. Il meurt en 1560. (Cfr F. RITTER, *op. cit.,* pp. 317-322.

[406] *Opus Epistolarum,* Bâle, J. Froben, J. Herwagen et N. Episcopius, 1529 (cfr *Bibliotheca erasmiana,* t. 1, p. 100). Selon Oecolampade, la plupart de ces lettres étaient dirigées nommément contre Pellican, Capiton et Zwingli. Voir *Zwinglis sämtliche Werke,* t. 10, p. 228, l. 3-6, n° 883, Oecolampade à Zwingli, Bâle, 29 juillet (1529).

[407] J.W. BAUM, *op. cit.,* p. 464, n° 594.

[408] F. MENTZ, *Bibliographische Zusammenstellung der gedruckten Schriften Butzer,* dans *Zur 400 jährigen Geburtsfeier Martin Butzer,* pp. 117-118, Strasbourg, 1891.

[409] R. STUPPERICH et E. STEINBORN, *op. cit.,* p. 50, n° 30.

[410] *Epistola apologetica,* f° P 8 r°. Cfr *L.B.,* t. 10, col. 1629 B.

de cette lettre, mais aussi de fixer la date de sa rédaction et de sa publication. Ces deux problèmes sont d'ailleurs étroitement liés.

L'*Epistola contra pseudevangelicos* paraît en novembre 1529. Elle est envoyée à Bâle, dès avant le 15 janvier 1530, par Lucas Rollenbutz [411]. Cette publication suscite beaucoup d'agitation chez les réformateurs. Ceux-ci comprennent qu'il faut y répondre, car cette lettre nuit à leur cause jusqu'à la rendre odieuse [412]. Le 27 janvier 1530, Capiton déclare à Oecolampade qu'il est nécessaire de répliquer à Érasme mais qu'il n'a encore rien décidé et qu'il attend ses conseils [413]. Oecolampade indique les thèmes qu'il estime indispensable de développer : il faudra mettre en valeur l'innocence et la candeur des évangéliques face à la méchanceté des autres, opposer les conseils que donne Érasme à ce que les Écritures proposent. « Je prie pour que le Seigneur éclaire de sa grâce la plume de celui-là, quel qu'il soit, qui, devra réprimer l'insolence où se complaît le calomniateur [414]. »

Le 26 janvier 1530, Bucer écrit à Ambroise Blaurer [415] qu'il sera peut-être répondu à cette « élégance d'Érasme » [416]. Le 4 mars, la décision est prise. C'est lui qui prendra la plume. S'il a tant tardé, c'est qu'il était écrasé par ses occupations et que écrire contre

---

[411] E. STAEHELIN, *op. cit.*, t. 2, p. 408, n° 717, Oecolampade à Zwingli, Bâle, 15 janvier 1530. Cfr *Zwinglis sämtliche Werke*, t. 10, n° 958.

[412] *Zwinglis sämtliche Werke*, t. 10, p. 401, l. 4-6, n° 958, Oecolampade à Zwingli, Bâle, 15 janvier (1530). Le même texte est reproduit dans E. STAEHELIN, *op. cit.*, t. 2, p. 408, n° 717.

[413] E. STAEHELIN, *op. cit.*, t. 2, p. 414, n° 722, Capiton à Oecolampade (Strasbourg), 27 janvier 1530.

[414] E. STAEHELIN, *op. cit.*, t. 2, p. 415, n° 723, Oecolampade à Capiton, 3 février (1530).

[415] Ambroise Blaurer est né le 4 avril 1492. C'était le fils d'un conseiller de la ville de Constance. Il prit ses grades à Tubingen et y fit la connaissance de Mélanchthon. Ensuite, il entra à l'abbaye bénédictine d'Alpirsbach, en Forêt Noire et y fit déjà peut-être sa profession de foi en 1510. Vers 1520, il en devint prieur, mais, en 1522, il quitta le monastère sous l'influence des livres de Luther et de Mélanchthon que lui envoyait son frère Thomas. Dès lors, il devint l'un des leaders du mouvement réformateur à Constance. Il se maria en 1533 et, en 1534, il alla prêcher la Réforme en Souabe sous l'égide du duc Ulrich de Wurtemberg. Il retourna à Constance en 1540 mais lors de la capitulation de la ville en 1548 face à Charles-Quint et à Ferdinand, il fut obligé de fuir et mourut en exil le 6 décembre 1564. ALLEN, *Opus*, t. 5, p. 347.

[416] F. SCHIESS, *op. cit.*, t. 1, p. 205, n° 158 : « Mitto tibi elegantem Erasmi epistolam, cui forsan respondibitur.

Érasme le déchire [417]. Le 18 avril, la rédaction est déjà très avancée, puisque Bucer peut envoyer à Blaurer la plus grande partie de l'ouvrage [418]. Le 4 mai, il fait remettre à Zwingli, par l'intermédiaire de Christophe Froschauer, les deux derniers cahiers de quatre pages [419]. D'autre part, Boniface Wolfhard [420] écrit de Strasbourg à Guillaume Farel [421], après le 17 avril [422] : *Bucerus nunc aedidit Apologiam in Erasmum* [423] et Oecolampade attribue nommément à Bucer la paternité de l'entreprise [424]. On peut donc placer la publication de l'*Epistola* entre le 18 avril et le 4 mai 1530 et attribuer sans hésiter ce pamphlet à Bucer.

[417] F. Schiess, *op. cit.*, t. 1, p. 206, n° 159 : « Institui quidem illi (Erasmo) respondere; sed ita obruor negociis et distinet me recusio. »

[418] F. Schiess, *op. cit.*, t. 1, p. 209, n° 162 : « Restant forsan quaterniones tres, eos proximo nuncio tradam. » Or, l'*Epistola apologetica* compte cent et vingt pages in-8°. On peut donc conclure que neuf dixièmes de la lettre étaient déjà écrits à cette date. Il ne restait plus à écrire pratiquement que l'épilogue.

[419] *Zwinglis sämtliche Werke*, t. 10, p. 567, l. 8-9, n° 1019, Bucer à Zwingli, Strasbourg, 4 mai (1530) : « Mitto duos ultimos quaterniones apologiarum quos illo Christophorus vexit. » Christophe Froschauer est né vers 1490 et meurt le 1er mai 1564. Il est connu pour deux éditions de la Bible en allemand en 1524 et en 1531 à Zurich.

[420] Boniface Wolfhard est un ancien collègue de Farel à Montbéliard. En juillet 1527, Bucer avait essayé, mais en vain, de lui procurer une place de professeur en Silésie.

[421] Guillaume Farel est né en 1489. L' « Evangéliste de la Suisse française » appartenant à une bonne famille de Fareau près de Gap dans le Dauphiné. Il étudia à Paris et, au début, il était fermement orthodoxe. Grâce à la recommandation de Lefèvre, il fut nommé régent au collège du Cardinal Lemoine et, plus tard, il fut invité par Briçonnet à Meaux mais ses idées devenaient si avancées, qu'en 1523, il fut obligé de quitter la France. Il alla à Bâle où il rencontra Oecolampade et, vers le 29 février 1524, il soutint quelques thèses « hérétiques » devant l'Université. En mai et juin, il rendit visite à Zwingli à Zurich et, à son retour, il eut une entrevue avec Érasme qui creusa entre eux un large fossé. En juillet, il alla à Montbéliard et il y prêcha au printemps 1525. Il fut expulsé comme homme dangereux. Lorsque Berne se déclara pour la Réforme, en février 1528, il y trouva un abri et il continua à prêcher les nouvelles doctrines en Suisse occidentale, avec vigueur, malgré une vive opposition. En septembre 1536, il persuada Calvin, alors fugitif, de le rejoindre à Genève comme lecteur en Écriture Sainte. Il mourut le 3 septembre 1565. Cfr *Guillaume Farel, 1489-1565, Biographie nouvelle*, Neuchâtel, Paris, 1930, et J.C. Cools, *Érasme et Farel*, mémoire dactylographié, Liège, 1970.

[422] La lettre est écrite après Pâques, qui tombe cette année-là le 17 avril.

[423] A.L. Herminjard, *op. cit.*, t. 2, p. 247, n° 289, Boniface Wolfhard à Guillaume Farel, Strasbourg, fin avril 1530.

[424] *Zwinglis sämtliche Werke*, t. 10, p. 565, l. 11-12, n° 1018, Oecolampade à Zwingli, Bâle, 4 mai 1530 : « Bucerus fidelissime nostri omnium causam adversus Erasmum egit, tametsi multo plura potuisset. » Pour la dernière notation d'Oecolampade, voir chapitre V C introduction. Le même texte est reproduit dans E. Staehelin, *op. cit.*, t. 2, pp. 438-440, n° 742.

Érasme sait depuis avril, par Pierre Medmann [425], que les Strasbourgeois ourdissent quelque chose contre lui [426]. Boniface Amerbach parle même nommément de Bucer [427] et pourtant, Érasme a, semble-t-il, ignoré ou feint d'ignorer qui était l'auteur de l'*Epistola apologetica*. Il parle tantôt des *concirnatores* de Strasbourg [428], tantôt des *ecclesiastes* de Strasbourg [429]. Quelques mois plus tard, il reconnaît à Bucer la responsabilité d'une grande partie de l'ouvrage [430], mais il reste persuadé que Geldenhauer est le grand coupable [431]. C'est seulement le 16 avril 1531 dans une lettre à Nicolas Winmann [432], qu'il admet enfin que c'est là l'œuvre de *Bucephalus* [433]. C'est ainsi qu'il appelle Bucer.

C. Réponse aux accusations d'Érasme : l'Epistola apologetica.

On peut diviser la lettre de Bucer en trois parties. Il introduit le sujet en expliquant, pourquoi il est nécessaire de s'armer contre la lettre d'Érasme, en précisant quels sont ceux qu'il faut défendre. Ensuite, il va exposer la doctrine et la vie des novateurs. Dans une troisième partie, il s'applique à réfuter les accusations d'Érasme.

---

[425] Pierre Medmann est immatriculé à Wittemberg dès 1526 et à Cologne en 1527. Il devint ensuite le tuteur d'Antoine d'Ysenbourg et, en 1539, du jeune comte de Wied. C'était un ami intime de Mélanchthon. En 1555, il fut bourgmestre de Emden et fut aussi ambassadeur du comte Christophe d'Oldenbourg. Il mourut le 18 septembre 1584. ALLEN, *Opus*, t. 8, p. 413.

[426] ALLEN, *Opus*, t. 8, p. 414, l. 13-16, n° 2304, Pierre Medmann à Érasme, Strasbourg, 2 avril 1530.

[427] ALLEN, *Opus*, t. 8, p. 425, l. 1-3, n° 2312 (Bâle) (ca. 16 avril 1530). Cfr A. HARTMANN, *op. cit.*, t. 3, p. 506, n° 1426.

[428] ALLEN, *Opus*, t. 8, p. 446, l. 16-19, n° 2326, Érasme à Bernard de Cles, Fribourg, 6 juin (1530).

[429] ALLEN, *Opus*, t. 8, p. 445, l. 1, n° 2324, Érasme à Boniface Amerbach (Fribourg) (ca. 25 mai 1530). Cfr A. HARTMANN, *op. cit.*, t. 3, p. 517, n° 1439.

[430] ALLEN, *Opus*, t. 9, pp. 12-13, l. 18-20, n° 2365, Érasme à Mélanchthon, Fribourg, 17 août 1530 et t. 9, p. 21, l. 29-30, n° 2371. Voir aussi *L.B.*, t. 10, col. 1603 D.

[431] ALLEN, *Opus*, t. 8, p. 442, l. 28-40, n° 2321 et t. 8, p. 454, l. 87-92, n° 2329, Érasme à André Alciat, Fribourg (ca. 24 juin 1530), t. 9, p. 21, l. 26-31, n° 2371. Voir aussi *L.B.*, t. 10, col. 1624 D-F.

[432] Nicolas Winmann est natif de Fribourg en Suisse. D'une date inconnue jusqu'en 1538, il fut professeur de grec et d'hébreu à Ingolstadt. ALLEN, *Opus*, t. 9, p. 150.

[433] ALLEN, *Opus*, t. 9, p. 260, l. 28-29, n° 2486, Érasme à Nicolas Winmann, Fribourg, 16 avril 1531.

1° *Introduction*

Bucer établit tout d'abord que c'est le sort des chrétiens d'être calomniés et de devenir pour tous les hommes objet de mensonge ou de haine [434], selon la prédiction du Christ. D'autre part, le devoir essentiel du chrétien est d'attendre du Christ, et de lui seul, tout salut et toute justice [435], et non du Pape, des princes ou des ecclésiastiques. Or, ceux-ci qualifient d'hérétiques et punissent en conséquence ceux qui espèrent et qui enseignent aux autres à espérer, du Christ seul, le pardon des péchés et une place parmi les élus [436]. Dès lors, il est nécessaire de défendre ceux qui sont accusés faussement d'hérésie, surtout lorsque c'est Érasme qui prend la plume, « cet homme en tous points remarquable, y compris dans l'érudition sacrée et dont les mérites exceptionnels dans les belles-lettres et dans la connaissance de l'Écriture Sainte suscitent l'admiration de tous », car Érasme « manie la langue avec une éloquence et une habileté prodigieuse ». Il jouit d'une telle autorité morale qu'il peut faire admettre même aux sympathisants de la Réforme les calomnies les plus gratuites [437]. Pourquoi Érasme agit-il ainsi? Bucer ne veut pas émettre d'hypothèses et laisse Dieu en juger [438]. Érasme a dû être trompé et a cru des témoins de mauvaise foi [439].

Cependant, la défense des évangéliques sera difficile. Alors que nombre de royaume et de villes interdisent la lecture des livres réformés, les ouvrages des catholiques sont répandus à foison, et cela, au préjudice des idées nouvelles et de leurs propagateurs. Mais n'a-t-on pas mis, autrefois, des obstacles à la diffusion de la doctrine du Christ ? [440] D'autre part, l'adversaire est de taille et son contradicteur paraît insensé. Semblable à Cicéron, Érasme possède tous les dons de l'éloquence, « si bien que personne, jusqu'à présent, parmi ceux qui ont la faveur du peuple, n'a défendu sans ridicule et déshonneur ce qu'Érasme a attaqué ou attaqué ce qu'il a

---

[434] *Epistola apologetica,* fᵒˢ A 2 rᵒ - A 2 vᵒ. Cfr *Matth.* 10. 22, 24. 9, *Marc,* 13. 13, et *Luc* 21. 17 et 6.22.

[435] *Epistola apologetica,* fᵒ A 3 rᵒ : « a solo Christo omnem salutem et justitiam.... expectandam... »

[436] *Epistola apologetica,* fᵒ A 3 rᵒ.

[437] *Epistola apologetica,* fᵒˢ A 4 rᵒ - A 4 vˢ.

[438] *Epistola apologetica,* fᵒ A 4 vᵒ. *I Cor.* 4. 4-5, *Apo.* 2. 23, *Actes* 1. 24 et *I Chron.* 28. 9.

[439] *Epistola apologetica,* fᵒˢ A 4 vᵒ - A 5 rᵒ.

[440] *Epistola apologetica,* fᵒˢ A 5 rᵒ - A 5 vᵒ.

défendu [441] » ? Mais Érasme n'est pas infaillible. « Quoiqu'il soit de
trois fois le plus grand, il n'en reste pas moins qu'il est un homme
et, par là même, vanité, mensonge, néant et donc sujet à toutes les
passions et à tous les errements [442]. » Il a en cela des précédents
illustres : saint Pierre, toute l'Église de Jérusalem, les Pères,
Tertullien, Origène, Cyprien, sans parler des grands historiens
latins Suétone [443], Tacite [444] et Pline [445] qui appelaient superstition
funeste et maléfique la doctrine chrétienne, considéraient les membres de cette Église comme haïssables et dignes des pires tourments
mais ignoraient tout de la religion du Christ [446].

Bucer veut encore, avant d'aborder la défense proprement dite
du mouvement réformateur, faire une dernière mise au point. La
lettre d'Érasme qui, d'après son titre, est adressée aux pseudoévangéliques est, en fait, dirigée contre le mouvement auquel appartient
Geldenhauer, c'est-à-dire, — et Bucer énumère ici tous les protestants, — « les Églises de Saxe, toutes celles de Hesse, beaucoup de
France, de Nuremberg, d'Augsbourg, un grand nombre de Silésie,
de Moravie, toutes celles de Zurich, de Berne, de Strasbourg, de
Constance, de Bâle, de Saint-Gall, de Coire, de Mulhouse, de
Schaffhouse, de Lindau, Ulm, Reutlingen, Worms, Francfort, de
la Frise orientale et beaucoup d'autres encore [447] ».

Ensuite, Bucer expose ses intentions : il va donner une vue
détaillée de la doctrine que ses amis et lui-même veulent professer
et de la vie qu'ils veulent mener [448] et cela « sans rien embellir
faussement, sans rien dissimuler, sans rien ajouter à la vérité et
sans rien y retrancher... mais bien sincèrement et de bonne foi [449] ».

---

[441] *Epistola apologetica*, f° A 5 v°.

[442] *Epistola apologetica*, f° 4 6 v° : « Ut autem ter maximus sit, simul tamen
homo est, atque ideo ex se nihil, nisi vanitas, mendacium et nihilum, eoque nullis
morbis, nullis erroribus non obnoxius ».

[443] Suétone, *Néron*, XVI, 2 et XVII.

[444] Tacite, *Annales*, XV, 44.

[445] Pline, X, 96-97.

[446] *Epistola apologetica*, f°ˢ A 6 v° - B 2 v°.

[447] *Epistola apologetica*, f° B 3 r°.

[448] *Epistola apologetica*, f°ˢ B 4 r° - F 1 v°.

[449] *Epistola apologetica*, f° B 4 r° : «... nihil prorsus affingemus, nihil dissi-
mulabimus, nihil supra verum exaggerabimus, nihil quoque infra extenuabimus,
ita omnia ut ipsi eorum nobis coram Deo conscii sumus, ingenue fatebimur. Quod
ut nos candide et synceriter facturi sumus, ita sit nobis propitius Christus servator
et judex omnium. »

2° Doctrine et vie des Strasbourgeois

Tout d'abord, jamais les Strasbourgeois n'ont eu la prétention, comme l'affirme Érasme, de remettre en lumière la vérité évangélique comme si elle avait été enfouie depuis plus de mille ans. Jamais ils n'ont déclaré que les miracles des saints étaient l'œuvre de Satan, ni que le Christ avait été abandonné par son Église, car depuis toujours, il y a de bons disciples du Christ, dont le seul but est de vivre selon la doctrine de l'évangile et qui témoignent par leurs œuvres de la foi authentique. Néanmoins, on ne peut dissimuler qu'il est nécessaire d'apporter immédiatement des modifications dans l'Église, pour que puisse subsister la doctrine que le Christ et les Apôtres ont révélée, il y a plus de quatorze cents ans [450].

Bucer expose alors l'opinion des sacramentaires à propos de la Trinité [451], du libre arbitre [452], de la Loi [453], du baptême [454] et de l'Eucharistie [455]. Il envisage ensuite les devoirs des ministres de l'Église. Ils doivent recevoir leur charge d'en haut, dit-il [456], car « si l'esprit de Dieu n'est pas donné à l'homme, toutes choses

---

[450] *Epistola apologetica*, f⁰ˢ B 4 r° - B 5 v°. Sur ce point, Érasme est d'accord avec Bucer mais il ne partage pas l'avis du réformateur sur les moyens à employer. Cfr ALLEN, *Opus*, t. 7, p. 232, l. 72-76, n° 1901.

[451] *Epistola apologetica*, f⁰ˢ B 5 v° - B 7 v°. Cfr P. STEPHENS, *The Holy Spirit in the theology of Martin Bucer*, Cambridge, 1970 et J.J. HEITZ, *Étude sur la formation de la pensée ecclésiologique de Bucer d'après les traités polémiques et doctrinaux des années 1523-1528*, pp. 72-73, Strasbourg, 1947.

[452] *Epistola apologetica*, f⁰ˢ B 7 v° - B 8 v°.

[453] *Epistola apologetica*, f⁰ˢ B 8 v° - C 2 r°.

[454] *Epistola apologetica*, f⁰ˢ C 2 r° - C 2 v°. Bucer insiste sur le baptême des enfants et fait une différence entre le baptême de l'eau et le baptême du feu mais considère comme une « superstition » de croire le salut des enfants lié à leur baptême. Cfr J.J. HEITZ, *op. cit.*, p. 63, H. STROHL, *La pensée de la Réforme*, p. 288 et J. DELUMEAU, *Naissance et affirmation de la Réforme*, p. 129, Paris, 1965.

[455] *Epistola apologetica*, f⁰ˢ C 2 v° - C 5 r°. Bucer parle du caractère symbolique mais aussi vivifiant de l'Eucharistie. Il insiste également sur la tolérance, déclarant qu'il ne rejette pas ceux qui pensent autrement qu'eux dans ce domaine : « Jamais le Christ n'a donné jusqu'à présent, même aux plus sélectionnés, de voir partout les mêmes choses. »

[456] *Epistola apologetica*, f° C 5 r°. Rom. 10. 15. Cfr Bucer, dans son *Summary*, cité par J.J. HEITZ, *op. cit.*, p. 37 : « L'homme spirituel juge de toutes choses. Or, ne sont pas spirituels uniquement ceux qui portent tonsure et ont reçu le chrême... mais tous ceux qui possèdent l'Esprit du Christ. Le possèdent tous ceux qui sont siens. Siens sont tous ceux qui croient en lui. Si donc, vous croyez en Christ, vous lui appartenez, avec son Esprit, êtes spirituels, avez à juger et à discuter de toutes choses. »

sont folie, il ne peut les comprendre[457] ». Ils doivent obéir aux princes comme les Apôtres eux-mêmes l'ont fait[458]. Il n'est pas permis d'admettre à cette charge ceux que le Christ n'y a pas appelés car « pour nous, sa puissance, ses prérogatives et ce qu'on appelle ses droits primeront toujours sur les Ordres ecclésiastiques, sur l'évêque de Rome et les autres évêques[459] ».

D'où vient le schisme qui s'est élevé dans l'Église? A cela, Bucer répond que la scission est née du fait que ce n'était pas au Christ qu'on rendait honneur mais aux hommes. On prétendait procurer le salut par les messes, les prières, les indulgences, les confréries, les vêtements et les reliques[460]. On accordait aux statues et aux tableaux une importance excessive; cela, Érasme le reconnaît dans sa lettre à Vulturius et le déplore[461]. Aussi, dit Bucer, un vrai croyant[462] en peut se taire. Il se doit de dénoncer à haute et

[457] *Epistola apologetica*, f° C 5 r° : « Omnia siquidem spiritus dei homini nondum renato, stultitia sunt. » Cfr *I Cor.* 2. 14-15 et *II Cor.* 3. 4-5. Cfr le Commentaire des Évangiles, cité par H. Strohl, *op. cit.*, p. 77 : « Primarium est quod (Spiritus) nos divinarum rerum reddit intelligentes, ut ... verbum Dei... auditum ut indubitatum Dei verbum excipiamus. »

[458] *Rom.* 13. 1-7.

[459] *Epistola apologetica*, f° C 6 r° : « Salva erit itaque apud nos omnibus aeque Romano, atque aliis episcopis ecclesiasticae functionis ordinibus sua potestas, sua praeragotiva, sua denique quae vocant jura... » Dès son premier écrit *Das ym selbs...* Bucer avait une notion précise du ministère évangélique. Il la définit ainsi, s'inspirant de *I Tim.* 2 : « Ce ministère consiste en ce qu'un homme est appelé et institué par Dieu pour sauver les pécheurs (ce qui est la propre fonction de Notre Seigneur et Sauveur Jésus-Christ) et ainsi servir Dieu le Père et ce Seigneur Jésus-Christ et cela de telle manière qu'il est prêt à mettre en jeu, non seulement son corps et ses biens matériels mais même sa vie spirituelle et son salut, uniquement afin d'amener son prochain, en lui annonçant la parole de Dieu, à connaître l'Éternel et à être sauvé » (voir J.J. Hietz, *op. cit.*, pp. 21-22). Ce qui, selon Bucer décide de l'aptitude d'un homme à exercer le ministère, ce ne sont pas tant ses études, bien qu'il critique l'indifférence des sectaires à cet égard, mais c'est d'abord et par moment, Bucer va jusqu'à dire uniquement, le don de l'Esprit (cfr J.J. Heitz, *op. cit.*, p. 75, A. Lang, *op. cit.*, p. 193 et H. Strohl, *La pensée de la Réforme,* p. 225).

[460] Dans le *Summary*, en 1523, Bucer critique déjà avec virulence les pratiques, jeûnes, veilles, oraisons, prières aux saints, pèlerinages, adoration de la Vierge, intercession pour les âmes des défunts en purgatoire, indulgences. Sa critique se base sur deux principes : 1) Pour tout ce que nous faisons, il nous faut avoir dans l'Écriture preuve et assurance que cela plaise à Dieu; faute d'une telle assurance, ce n'est que péché. 2) Dieu est Esprit et il faut que ceux qui l'adorent, l'adorent en Esprit et en vérité (J.J. Heitz, *op. cit.*, p. 43).

[461] *L.B.*, t. 10, col. 1583 A-D.

[462] « Dans la pensée de Bucer, la vraie piété... s'entend d'une conception spiritualiste de la religion opposée aux observances et aux cérémonies extérieures

intelligible voix ces blasphèmes et de venger la gloire du Christ [463];
mais alors les évêques crient à l'hérésie car « ils préfèrent que les
hommes croient aux messes et aux statues, sources d'un bien plus
grand profit pour les gens d'Église [464] »; ils instaurent des commis-
sions d'enquêtes qui ne laissent aux croyants qu'une alternative :
ou abjurer, ou périr par le bras séculier [465]. Érasme lui-même n'a
échappé à leurs fureurs que par la protection des plus grands
monarques [466]. L'Église a déjà traversé bien des crises au temps
d'Origène, de Jérôme et même de saint Bernard, mais jamais encore
elle n'était tombée aussi bas [467]. Érasme lui-même s'en plaint [468]. Dès
lors, une réforme est devenue nécessaire : « C'est pourquoi les
nôtres commencèrent à prêcher que le temps était venu de haïr
ses parents, sa femme et ses enfants, la vie même, pour le Christ,

parmi lesquelles il range les signes sacramentels » (J.-V. POLLET, op. cit., t. 1,
p. 38). Cette opposition viendrait d'Érasme lui-même (cfr J.-V. POLLET, op. cit.,
t. 2, p. 77).

[463] Epistola apologetica, f⁰ˢ C 6 r⁰ - C 7 v⁰.

[464] Epistola apologetica, f⁰ˢ C 7 r⁰ - C 7 v⁰ : « Missis et statuis fidere homines
malebant,, unde major redibat quaestus. »

[465] La même alternative est laissée au prêtre en pays réformé, selon Érasme.
Les religieux doivent choisir : ou déposer le froc ou partir (ALLEN, Opus, t. 8,
p. 107, 1. 69-70, n⁰ 2133 et t. 8, p. 113, 1. 203-204, n⁰ 2134). Voir encore
A.L. HERMINJARD, op. cit., t. 1, n⁰ 167, p. 407, Roussel à l'évêque de Meaux,
Strasbourg, décembre 1525 : « Les monastères ont été en partie détruits : quelques-
uns sont devenus des écoles. Cependant, avec ceux qu'ils appellent religieux, le
Sénat s'est comporté sans tyrannie : les uns sortent d'eux-mêmes dans le monde
et se livrent à un honnête métier, les autres sont tolérés dans leurs cellules mais il
a été réglé que l'on ne pourrait plus à l'avenir recevoir dans l'état monastique. »
De fait, selon P. DOLLINGER, La tolérance à Strasbourg au XVIᵉ siècle, p. 246,
la peine qui frappait les écarts de religion était presque toujours le bannissement.
Aucun bûcher ne fut allumé à Strasbourg. Deux exécutions capitales seulement
eurent lieu entre 1525 et 1550 pour fait de religion : l'une pour blasphème et
l'autre pour bigamie.
Sur les premiers martyrs réformés, voir Le livre des martyrs qui est un
recueil de plusieurs Martyrs qui ont enduré la mort pour le nom de notre Seigneur
Jésus-Christ, depuis Jean Hus jusques à cette année présente, MDLIIIII, de
l'imprimerie de Jean Crespin, au mois d'août 1554. Les deux premiers martyrs
luthériens sont brûlés à Bruxelles, le 1ᵉʳ juillet 1523. De 1523 à 1530, on compte
une vingtaine de martyrs dont Crespin connaît le sort par différentes sources,
notamment par des récits d'Oecolampade et de Luther. Bucer peut donc, lui
aussi, en avoir eu connaissance. De plus, deux exécutions ont eu lieu non loin
de Strasbourg, à Nancy et à Vic, près de Metz.

[466] Epistola apologetica, f⁰ C 7 r⁰. Bucer fait peut-être allusion ici à la
querelle d'Érasme avec les moines espagnols.

[467] Epistola apologetica, f⁰ˢ C 8 v⁰ - D 2 r⁰.

[468] Voir notamment ALLEN, Opus, t. 7, p. 232, 1. 72-76, n⁰ 1901.

qu'il valait donc la peine de remettre tout entre ses mains, de tout attendre de lui et également de ne rien réformer qui ne soit selon sa prescription [469]. » Et, à ce propos, Bucer s'attaque notamment aux cérémonies, à la messe, au monachisme et au culte des images [470]. C'est ainsi qu'il s'en prend aux prières canoniales qui ridiculisent Dieu lui-même et qui sont prononcées dans une langue que le peuple ne comprend pas [471]. Il n'épargne pas non plus les prières pour les morts qui ont procuré aux ecclésiastiques plus de la moitié de ce qu'ils possèdent [472]. « En quoi aidons-nous les morts par ces mots ou ces choses ? Comme si Dieu allait alors adoucir ou éteindre, à cause d'elles, la flamme du purgatoire [473] ! » Sans parler, ajoute Bucer, des éléments empruntés aux païens : « l'eau lustrale, les cierges, les couronnes, les parfums, les vêtements de deuil » [474]. D'autre part, l'Écriture enseigne que la prière sert à sanctifier le nom de Dieu, à se ranger à sa volonté et non à la modifier [475]. Elle ne parle jamais de prières adressées à de saints défunts pour qu'ils nous aident dans la vie présente. Bucer en conclut que ces pratiques sont contraires à la volonté divine [476]. Si déjà, on décèle des superstitions et des sacrilèges dans la récitation des heures et dans les prières pour les morts, tous ces éléments sont multipliés à l'infini dans la messe. On n'attend plus le salut de Dieu mais des prêtres, à tel point que des milliers de gens s'imaginent gagner la vie éternelle, sans piété, parce qu'ils écoutent simplement la messe [477]. La patience de Dieu est vraiment étonnante. Comment se fait-il qu'il n'ait pas encore bouleversé toute la terre à cause de la messe

---

[469] *Epistola apologetica*, f⁰ˢ D 3 r⁰ - D 3 v⁰ : « Adhortati igitur nostros coepimus jam advenisse tempus cum etiam parentes, uxores et liberos imo et propriam animam odisse oporteat propter Christum. Operae ergo precium esse omnia prae hoc abnegare, utque ab uno hoc expectamus omnia ita nihil non ad ejus praescriptum reformare. » *Luc* 12. 51-56 et 14. 26 et *Matth.* 19. 29 et 10. 34-39.

[470] *Epistola apologetica*, f⁰ˢ D 3 v⁰ - E 1 v⁰.

[471] *Epistola apologetica*, f⁰ˢ D 3 v⁰ - D 4 r⁰.

[472] *Epistola apologetica*, f⁰ D 4 r⁰ : « ... Idem factum et de exequiis mortuorum, quae Ecclesiasticis supra dimidium opum, quas possident, advexerunt. »

[473] *Epistola apologetica*, f⁰ D 4 r⁰ : « ... quasi demulctus illis Deus, flammam purgatorii, vel mitigit, vel restinguat... »

[474] *Epistola apologetica*, f⁰ D 4 v⁰.

[475] *Luc* 11. 2-5.

[476] *Epistola apologetica*, f⁰ˢ D 4 v⁰ - D 5 r⁰.

[477] *Epistola apologetica*, f⁰ˢ D 5 v⁰ - D 7 r⁰.

alors qu'il a frappé Oza pour avoir osé toucher l'Arche d'Alliance [478] et qu'il a envoyé la peste à Corinthe parce que ses habitants avaient célébré la Cène sans respect pour le Christ [479] ? En vérité, « la messe est chère à tous ceux qui la disent parce qu'elle rapporte gros et pour nulle autre raison [480] », car ces blasphèmes, cette imposture, dit Bucer, on les vend aux malheureux mortels. C'est pourquoi les réformés ont décidé de supprimer les autels [481]. Bucer arrive alors à la vie monastique, « vraie peste du Christianisme » [482]. « Les moines ne se distinguent en rien des autres religieux si ce n'est qu'ils sont encore plus superstitieux... Pour la dignité de leur ordre, pour la sainteté et la doctrine de leurs saints tutélaires, ils sont prêts à se battre sans vergogne et, de plus, ils font impudemment commerce de leurs mérites et de ceux de leurs saints [483]. » Bucer montre ce qu'il en est réellement des vœux d'obéissance [484], de pauvreté [485] et de chasteté [486]. De même, il prétend qu'on ne peut forcer aucun prêtre au célibat. Il est faux de dire que chacun peut obtenir le don de chasteté par les prières, alors que le Christ a déclaré que tout le monde n'en est pas capable [487]. En fait, pour Bucer, « le mariage

---

[478] *II Samuel* 6. 6-7. Oza est un lévite qui pendant le tranport de l'arche vers Jérusalem osa étendre la main vers l'arche de Dieu alors que le char penchait. La colère de Jéhovah s'enflamma contre Oza et Dieu le frappa sur place à cause de sa faute. Voir *Dictionnaire de la Bible*, t. 4, col. 1939-1940.

[479] *Epistola apologetica*, f° D 6 v°. *I Cor.* 11. 27-30.

[480] *Epistola apologetica*, f° D 6 v° : « ... missae nulla alia quam lucri causa charae et observatae fuerunt... »

[481] Pour l'attitude de Bucer envers la messe, voir J.J. HEITZ, *op. cit.*, pp. 43-44.

[482] *Epistola apologetica*, f° D 7 r°.

[483] *Epistola apologetica*, f° D 7 r° : « ... nihil aliud a reliquis ecclesiasticis differant, quam quod qui volunt inter illos esse religiosiores, istas superstitiones habent et frequentiores... Denique pro ordinis sui quisque dignitate et tutelarium deorum doctrina et sanctitate digladiantur insanius, meritaque cum sua tum divorum suorum vendunt impudentius. »

[484] *Epistola apologetica*, f° D 7 v°.

[485] *Epistola apologetica*, f° D 7 v°.

[486] *Epistola apologetica*, f°ˢ D 7 v° - D 8 v°. Cfr ALLEN, *Opus*, t. 3, p. 376, l. 569-572, n° 858, Érasme à Paul Volz, 14 août 1518.

[487] *Epistola apologetica*, f° D 8 v°. *Matth.* 19. 12, *I Cor.* 7. 7 et *I Tim.* 4. 2-5. Déjà dans un traité de 1523, le *Verantwortung Martin Butzers uff das im seine widerwertigen, ein theil mit der worheit, ein theil mit lügen, zum ärgsten zumessen...*, Bucer critique radicalement l'idéal monacal. Il est impossible selon lui de vivre à la fois selon la règle du couvent et celle du Christ et de se conformer en même temps à l'une et à l'autre. D'autre part, c'est une prétention irrecevable de la part de l'Ordre d'exiger de ses membres des vœux postérieurs à l'engagement du baptème (cfr J.J. HEITZ, *op. cit.*, p. 28). Cfr Érasme à

est un ordre bon et agréable à Dieu, utile à tous les hommes que
Dieu n'appelle pas à des choses plus élevées ou qu'il ne rend pas
incapables de se marier, c'est-à-dire à tous ceux qui sont comme fut
Adam ». Il n'admet donc que deux raisons qui empêchent de
contracter mariage : l'appel de Dieu et l'incapacité physique [488].
Bucer s'en prend aussi aux images [489]. Celles-ci doivent être enlevées
des églises. Quel blasphème de déclarer que les images peuvent
nous amener à une piété zélée, « alors que Dieu a institué pour son
peuple tant d'autres rites extérieurs qui révèlent sa bonté [490] » !

Ensuite, Bucer défend longuement le droit qu'a le gouvernement
civil d'entreprendre une réforme [491]. L'autorité des magistrats est
sacrosainte [492] mais, en revanche, elle est subordonnée à l'autorité
des Écritures. Les dirigeants doivent chasser ceux qui, sous prétexte
du culte de Dieu, n'ont en vue que le gain; ils doivent empêcher les
cérémonies qui ne sont rien moins que des superstitions [493]. Ils ont
reçu de Dieu le glaive, vengeur des maux, et par là, ils ont le devoir

---

Gaspard Hédion, ALLEN ,Opus, t. 5, pp. 482-483, 1. 94-100, n° 1459 : « J'ai
toujours et très librement enseigné devant les papistes, comme vous les nommez,
qu'on ne doit pas refuser le mariage aux futurs prêtres, candidats à l'ordination,
s'ils sont incapables de garder la continence, et je ne parlerais pas autrement en
présence du Souverain Pontife. Assurément, je préfère la continence, mais je ne
vois presqu'aucun prêtre qui l'observe. »

[488] Extrait de l'ouvrage de Bucer Du mariage et du divorce d'après les lois
divines et impériales, p. 5b, cité par F. WENDEL, Le mariage à Strasbourg à
l'époque de la Réforme, p. 46. Pour l'opinion d'Érasme sur le mariage, voir
É.V. TELLE, Érasme de Rotterdam et le septième sacrement. Étude d'évangélisme
matrimonial au XVIᵉ siècle et contribution à la biographie intellectuelle d'Érasme,
Genève, 1954.

[489] Epistola apologetica, fᵒˢ D 8 vᵒ - E 1 vᵒ.

[490] Epistola apologetica, fᵒ E 1 rᵒ : « ... cum ille (Deus) populo tam multos
alios, quibus suae bonitatis admonerentur, externos ritus instituit... »

[491] Epistola apologetica, fᵒˢ E 1 vᵒ - E 8 vᵒ.

[492] I Pierre 2. 18 et Rom. 13. 1-7. J.J. HEITZ, op. cit., p. 23, commente
le Das Ym Selbs : « Les fonctions du pouvoir ne consistent pas sans doute à
prêcher la parole de Dieu, mais il convient que ce pouvoir soit exercé selon
Sa Loi et qu'il contribue suivant ses possibilités à ce que cette parole se répande. »
Il est en effet institué par Dieu lui-même et doit pour cette raison servir lui aussi
à la gloire de ce Dieu. Bucer insiste sur ce fondement divin de l'autorité civile. »

[493] Voir encore à ce propos un extrait de la prédication de Bucer à
Augsbourg, en 1534, reproduit par J.V. POLLET, op. cit., t. 2, p. 231 : « il appar-
tenait au magistrat sous peine de péché » missas et (ut vocant) universas sacrifi-
culorum abominationes et illam imaginum idolatriam auferre atque exterminare. »
Voir aussi B. MOELLER, Villes d'Empire et Réformation, pp. 56-58. La compétence
des autorités a cependant des limites. « Celles-ci doivent régler la conduite des
hommes, sans toutefois pénétrer les cœurs, ni toucher la foi. » Cfr H. STROHL,
La pensée de la Réforme, p. 246 et A. LANG, op. cit., p. 55.

de s'opposer à une puissance supérieure, lorsque celle-ci fait obstacle aux lois divines car, « pour un chrétien, il vaut mieux mourir que de supporter un pouvoir qui n'est pas conforme en toutes choses à la volonté de celui qui a tout créé et à qui nous appartenons tous, tant que nous sommes [494] ». Ils ne doivent reconnaître aucun pouvoir, si ce n'est celui exercé selon la décision de Dieu. Et quelles sont ces décisions? « Celui qui détient le pouvoir doit veiller à ce que la religion soit prospère, à ce que tout le monde adore Dieu avec zèle et sincérité, à ce que personne ne s'en moque par un culte simulé ou inventé par les hommes, à ce qu'on n'enseigne pas mal la piété au peuple [495]. » Bucer rappelle enfin que le seul désir des réformés est de mener une vie exemplaire tout entière consacrée à la gloire du Christ [496].

3° *Bucer réfute les arguments d'Érasme*

La plus grande partie du texte est consacré à la réfutation des accusations d'Érasme. Bucer les divise en trois groupes. Tout d'abord, Érasme avait prétendu que les novateurs utilisaient toutes les ruses pour réussir dans leur entreprise [497]. Ensuite, selon Érasme, ils n'avaient pas le droit d'identifier leur cause à celle des Apôtres et, encore moins, de proscrire la doctrine et les usages que l'Église connaissait depuis quatorze cents ans [498]. Enfin, à cause des réformateurs, le joug de la tyrannie s'était alourdi et toute liberté avait été supprimée [499].

a) Les novateurs n'utilisent pas toutes les ruses pour réussir dans leur entreprise.

Que reproche en fait Érasme aux réformés? Il les accuse d'avoir recueilli dans ses propres écrits et dans les écrits des autres per-

---

[494] *Epistola apologetica*, f°s E 4 r° - E 4 v° : « Chirstianis potius moriendum est quad suscipiendum imperium, non per omnia pro ejus gerendum voluntate, cujus totum est cujusque nosipsi sumus, quanti quanti sumus. »

[495] *Epistola apologetica*, f° E 5 v° : « Is claris adeo cum praeceptis, tum laudatissimorum principum exemples docuit, ante omnia ei qui imperium gerit, curandum, ut quantum ejus fuerit, sarta tecta sit religio ut syncero studio cuncti deum colant nullo simulato et humanitatus excogitato cultu irrideant ut pure pietatem populus doceatur. »

[496] *Epistola apologetica*, f° F 1 v°.

[497] *Epistola apologetica*, f° F 2 r°. Cfr *L.B.*, t. 10, col. 1580 C-1582 B.

[498] *Epistola apologetica*, f° F 2 r°. Cfr *L.B.*, t. 10, col. 1577 D-1579 B et 1582 E.

[499] *Epistola apologetica*, f° F 2 r°. Cfr *L.B.*, t. 10, col. 1583 A-D.

sonnes qui ne pensent pas comme eux, certains extraits et de les
avoir divulgués pour appuyer leurs dires. A cela, Bucer répond qu'il
ne voit pas pourquoi il est interdit, pour répandre la vérité de Dieu,
d'exploiter des écrits édités et par là passés dans le domaine public,
quoi qu'en pensent leurs auteurs, indépendamment du sens que leur
donnent ou que leur donnaient ceux-ci [500] « Tout ce qui est vrai
appartient au Christ et c'est le propre du chrétien de le revendiquer
partout où il le découvre [501] ». En cela, ils imitent Paul qui prétend
reconnaître le Dieu des chrétiens derrière le dieu inconnu des
Athéniens [502]. Aucun réformé n'a jamais prétendu qu'Érasme parta-
geait l'opinion des sacramentaires à propos de la Cène. S'il en était
autrement, « Érasme nous convaincrait justement de fraude [503] ».
Nous n'avons fait que rassembler ce qu'Érasme et d'autres avaient
dit à propos de l'Eucharistie pour le soumettre au jugement du
public. Bien loin de nous l'intention de blesser Érasme « par qui
Dieu nous a donné tant de bonnes choses [504] ».

Bucer prend alors la défense de Pellican, de Léon Jude et de
Geldenhauer. Selon Bucer, Pellican n'a jamais, dans ses lettres,
reproché à Érasme sa trop humaine prudence. Il ne lui a jamais
attribué des propos que celui-ci n'ait effectivement tenus. Quant à
la lettre aux magistrats de Bâle, conseillant à ceux-ci d'user de
menaces envers Érasme, Bucer n'en a jamais entendu parler et
même, déclare-t-il, « si vraiment Pellican a suggéré des menaces,
nous connaissons suffisamment sa douceur pour savoir qu'elles
n'étaient pas bien redoutables [505] ». Le livre de Léon Jude, d'autre
part, n'a pas pour but, dit Bucer, de prouver qu'Érasme et Luther
ont à propos de l'Eucharistie les mêmes opinions que Carlstadt,
mais bien de comparer leurs publications et leurs propos. De plus,
ajoute-t-il, nous ne sommes pour rien dans cette œuvre. Du reste,
où y a-t-on utilisé de façon impie la ruse et la tromperie ? « Celui
qui a publié ses écrits ne doit pas être indigné si quelqu'un d'autre
en fait usage même pour sa commodité et à plus forte raison pour
la cause du Christ, pourvu qu'on n'y apporte aucune modifi-

---

[500] *Epistola apologetica*, f° F 3 r°.
[501] *Epistola apologetica*, f° F 3 r° : « Christi est quicquid verum est et
Christianis ideo ut proprium vindicandum, ubicunque id deprehenderint. »
[502] *Epistola apologetica*, f° F 3 r°. Voir *Actes* 17. 22-23.
[503] *Epistola apologetica*, f° F 3 v°.
[504] *Epistola apologetica*, f° F 3 v°.
[505] *Epistola apologetica*, f°ˢ F 4 r° - F 4 v°.

cation [506]. » Dès lors, la plainte d'Érasme est irrecevable [507]. Les reproches à Geldenhauer ne se justifient pas davantage [508]. Noviomagus est trop âgé pour s'amuser à jouer, lorsqu'il s'agit d'une telle affaire; ensuite, il méprise trop le lucre pour agir indignement pour un si léger profit; enfin, il est trop droit pour faire du tort à quelqu'un, d'autant plus qu'il se saurait désapprouvé par le Christ. Geldenhauer n'a donc jamais violé le droit de l'amitié et mis Érasme en danger. Comment d'ailleurs Érasme peut-il se sentir en danger, lui qui s'est défendu avec succès contre Lee [509], contre Stunica [510]

---

[506] *Epistola apologetica,* f° F 5 r° : « Certe qui sua scripta publico donaverit, non debet indignari si quis illis etiam pro suo commodo, nedum negocii Christi, fuerit usus, modo incorruptis. »

[507] *Epistola apologetica,* f°s F 4 v° - F 5 v°.

[508] *Epistola apologetica,* f°s F 6 r° - F 7 r°.

[509] Edouard Lee était natif du Kent. Après avoir pris ses grades à Oxford et à Cambridge en 1500 et en 1504, il reçut une prébende à Lincoln en 1512 et, en 1515, son diplôme de droit à Cambridge. En juillet 1517, il étudia le grec à Louvain et fit rapidement la connaissance d'Érasme. Il entretenait des relations amicales avec Thomas More. Lorsqu'il apprit qu'Érasme était engagé dans une nouvelle édition du *Novum Instrumentum,* Lee prépara quelques critiques qu'il mit d'abord en manuscrit, à l'étranger sous le titre de *Decem conclusiones* et, par après, dans un volume plus épais, les *Annotationes.* Lors d'une nouvelle édition, Érasme prit en considération les remarques de Lee et introduisit dans les notes de l'ouvrage des passages pour les controverser. Lee ne fut pas content et, au retour d'Érasme à Bâle, une querelle peut-être accentuée par une antipathie personnelle, éclata entre eux. Lee s'engagea dans une attaque contre le *Novum Instrumentum.* Dans les deux camps, on utilisa l'apologie. Érasme avait l'appui de violents pamphlets, notamment les *Epistolae eruditorum virorum,* où ses amis anglais et allemands chargeaient Lee sans décence. Il semble que Lee se soit attaqué à Érasme pour acquérir de la renommée et non par souci d'orthodoxie. Du côté d'Érasme, la violence avec laquelle il ressentait habituellement les critiques publiques fut renforcée par la considération que son adversaire était un homme jeune et presqu'inconnu. Après des longueurs absurdes, l'affaire finit en 1520. Lee retourna en Angleterre et devint chapelain royal en 1523. Le roi en fit son protégé et lui accorda, en 1531, l'archevêché d'York. Il continua par la suite à servir le roi en créant une Église d'Angleterre, séparée de Rome mais hostile aux réformés. Il mourut le 13 septembre 1544. ALLEN, *Opus,* t. 3, p. 203.

[510] Jacques Lopis Stunica était membre d'une famille espagnole distinguée. Comme théologien de l'Université d'Alcala, il avait une connaissance assez approfondie du grec et de l'hébreu. Lors de la parution du *Novum Instrumentum* d'Érasme en 1516, il prépara quelques critiques. Ximenes lui interdit de les publier mais, à la mort du cardinal, il édita ses deux séries d'*Annotationes* contre Lefèvre d'Étaples et Érasme. Dès 1520, il se rendit à Rome et y continua ses attaques contre l'œuvre d'Érasme. Par la suite, il revint à de meilleurs sentiments et, au lieu de publier les critiques qu'il avait à faire à la quatrième édition du *Novum Testamentum,* en 1527, Stunica proposa à Érasme de les lui communiquer mais en privé. Il en fut empêché par la mort qui survint à Naples, fin 1531. Érasme a répondu à Stunica par quatre écrits : *Apologia respondens ad ea quae Jacobus Lopis Stunica taxaverat in prima Novi Testamenti aeditione,* Louvain, Th. Mar-

et contre les moines espagnols [511]? D'autre part, Geldenhauer n'a
jamais écrit pour exciter à la sédition, mais bien pour conduire à
la piété. Il n'a pas voulu défendre les hérétiques mais ceux qui se
voient accusés faussement d'hérésie par les ennemis du Christ. Par
ailleurs, il s'est efforcé, selon ce que nous croyons juste, d'avertir
les princes des signes indubitables de la colère divine. Il est faux,
comme le fait Érasme, d'opposer à nos principes l'exemple des
paysans [512] que nous détestons plus que quiconque, dit Bucer, parce
qu'ils ont négligé ce précepte : si on frappe sur la joue gauche,
il faut tendre la joue droite, lorsqu'on réclame la tunique, il faut
céder le manteau [513]. Bref, en réponse à cette première accusation,
Bucer a voulu montrer que lui et les siens prenaient soin de la cause
du Christ et qu'ils ne recouraient à aucun moyen indigne de cette
cause.

b) Les novateurs n'identifient pas leur cause à celle des Apôtres
et ne rejettent ni la doctrine, ni les usages de l'Église.

La majeure partie de l'*Epistola apologetica* est consacrée à la
réfutation de la deuxième accusation d'Érasme; à savoir que les
réformés combattent l'institution des Apôtres, veulent abolir ce
que l'Église enseigne, pour y substituer des pratiques pernicieuses.
En fait, prétend Bucer, les réformés veulent uniquement changer ce
qui est contraire à la parole manifeste de Dieu et qui a été introduit
pour le plus grand profit des princes de l'Église. En cela, leur
lutte prolonge celle des Apôtres, encore que ceux-ci aient eu la tâche
beaucoup plus difficile : « Car les rites juifs reposaient sur la parole
vivante de Dieu révélée par tant de passages de la Bible, tandis
que les pratiques superstitieuses que nous combattons y sont diamé-
tralement opposées [514]. » Qu'y a-t-il d'absurde ou de ridicule dans

---

tens (1521), *Apologia adversus libellum Stunicae cui titulum fecit, Blasphemiae
et Impietates Erasmi*, Bâle, Froben, 1522, *Apologia ad prodromon Stunicae*, Bâle,
Froben, 1522 et *Apologia ad Stunicae Conclusiones*, Bâle, Froben, 1524. ALLEN,
Opus, t. 4, p. 621.

[511] *Desiderii Erasmi Roterodami apologia adversus articulos aliquot per
monachos quosdam in Hispaniis exhibitos*, Bâle, Froben, 1528.

[512] ALLEN, *Opus*, t. 6, p. 301, l. 18-28, n° 1686, Érasme à Chieregato, Bâle,
1er avril 1526.

[513] *Epistola apologetica*, fos F 7 v° - F 8 v°. *Matth. 5. 39-40*.

[514] *Epistola apologetica*, f° G 1 v° : « Ritus enim Judaici vivo Dei verbo,
tamque multis in locis expresso, nitebantur, cum superstitiones quibus cum nobis
bellum est, cum illo pugnent ex diametro. » Bucer prend ici le contrepied
d'Érasme. Cfr *L.B.*, t. 10, col. 1577 E-F.

ce que vous ébranlez, demande Érasme? Bucer lui répond que certaines croyances chrétiennes sont tout aussi absurdes que les cérémonies païennes : « Nous [515], nous attribuons assurément la puissance de Dieu à des anges innombrables et à des saints. Nous avons assigné à chacun une fonction, des églises, des statues, des autels que nous leur avons consacrés. Nous leur demandons presque ce que les païens réclamaient de leurs dieux [516]. » Qu'y a-t-il de plus absurde, voire de plus monstrueux que de se proclamer vicaire du Christ, comme le font les Boniface, Clément, Alexandre, Jules et papes de toutes sortes, les cardinaux, les évêques et tous leurs lieutenants, mais d'œuvrer en fait pour Satan et de mener une vie qui n'est qu'une chaîne d'infamies [517]? Quoi de plus absurde que l'usage des images, le luxe des prêtes, l'ambition des évêques, la tyrannie du pape, les déclarations bruyantes des sophistes [518]? Bucer repousse également le reproche de discorde [519]: des discussions s'éatient déjà élevées parmi les Apôtres sur des sujets de moindre importance [520], pour ne pas parler des conciles [521], des universités et des théologiens scolastiques, alors que les réformateurs ont toujours été unanimement d'accord avec les Saintes Écritures. Comment Érasme peut-il leur reprocher de renouveler les dogmes et d'enseigner des choses qu'au début ils ont tues, alors qu'il loue les Apôtres pour leur prudence, eux qui sont allés jusqu'à supprimer la divinité du Christ [522]? Il y a donc pour Érasme deux poids et deux mesures. Il loue l'Église d'avoir renouvelé les rites mais il nous en fait un crime; or, nous arrivons de plus en plus, par nos efforts, à la pureté évangélique dont l'Église s'est de plus en plus écartée [523].

[515] Il pense ici aux catholiques.

[516] *Epistola apologetica*, f° G 1 v° : « Et nos sane Dei potentiam in innumeros angelos et divos partiti sumus, templa singulis, statuas, ara suasque ceremonias cuique dicavimus, propria singulis munia assignavimus, nec fere ab illis alia quam a diis ethnici, oravimus... »

[517] *Epistola apologetica*, f° G 2 v°.

[518] *Epistola apologetica*, f° G 3 r°.

[519] Voir à ce propos, les accusations d'Érasme dans *Hyperaspistes I, L.B.*, t. 10, col. 1263 D. Cfr ALLEN, *Opus*, t. 6, p. 225, l. 17-20, n° 1644.

[520] *Epistola apologetica*, f°s G 4 v° - G 5 v°. *Actes* 10, *Actes* 15, *Actes* 21. 20-26 et *Gal.* 2. 11-14.

[521] Bucer parle ici des conciles d'Alexandrie, de Calcédoine, d'Antioche, d'Éphèse et de Nicée.

[522] *Epistola apologetica*, f° G 5 r°, *Actes* 2. 22-29 et *Actes* 17. 30-31.

[523] *Epistola apologetica*, f° G 5 r° : « Simile est quod in hac ipsa Epistola laudat ecclesiam ritus novasse, nobis vero id crimini dat, cum nos tamen ad Evangelii puritatem novando magisque accesserimus, sui autem longius semper ad ea recesserint. »

Bucer est surtout blessé par la déclaration d'Érasme, selon qui
la prédication du nouvel évangile, au lieu de rendre les chrétiens
meilleurs, les aurait rendus plus mauvais. Avec beaucoup d'éloquence, il s'applique à montrer toutes les améliorations que la
Réforme a apportées sur le plan moral. Tout d'abord, les princes et
les États ont supporté les injures, les outrages et les calomnies des
pseudoecclesiastiques, — ce qu'ils n'auraient jamais fait auparavant.
Ils pratiquent vis-à-vis de leurs adversaires une tolérance qui est
loin d'être réciproque. « Il n'y a personne, parmi tous ceux qui
profèrent les choses les plus hostiles contre notre religion, qui ne
puisse venir en sûreté près de nous et mener ses affaires d'une
façon souvent plus commode qu'auprès de ses coreligionnaires [524]. »
Bucer en donne pour exemple la clémence inusitée du prince de
Hesse lors de la répression des désordres paysans [525]. Ensuite, les
réformés ont un grand souci des pauvres et des étrangers [526]. Ils sont
d'une constance à toute épreuve, « préférant confesser la foi du
Christ et quitter la vie présente par le fer, la potence, l'eau, le feu
et toutes sortes de tourments, plutôt que de la passer doucement
dans les richesses et les délices après avoir renié leur foi [527] ».
Il restait encore des erreurs à corriger, bien sûr, mais quel mal ne
se donnait-on pas à Zurich, à Berne, à Bâle, à Constance, à Strasbourg et dans les autres villes pour y introduire une manière de
vivre nouvelle [528] et vraiment chrétienne, dont les résultats ne se
sont pas fait attendre. « Dans ces villes, des milliers de gens qui
auparavant éatient jouisseurs, goinfres, ivrognes, pour ne rien dire
de plus, qui aimaient le jeu et pour la plupart ne détestaient pas
l'adultère, ont maintenant pris femme et mènent une vie de la plus
grande décence et de la plus parfaite sobriété [529]. » Combien y en

---

[524] *Epistola apologetica*, f° G 6 v° : « ... cum nemo omnium sit etiam eorum
qui in nostram religionem hostilissima designant, qui non tuto apud nos versetur
suaque saepe commodius quam apud suae farinae homines, negocia conficiat. »
[525] *Epistola apologetica*, f°ˢ G 7 r° - G 7 v°.
[526] *Epistola apologetica*, f°ˢ G 7 v° - G 8 r°.
[527] *Epistola apologetica*, f° G 8 r° : « ... malentes fidem Christi confessi, ferro
laqueo, aqua, igni et nullo non tormentorum genere vitam praesentem ponere,
quam eam producere cunctis opibus et delitiis affluentem illo negato. »
[528] *Epistola apologetica*, f°ˢ G 8 v° - H 1 v°.
[529] *Epistola apologetica*, f° H 1 v° : « In quibus tot sunt millia, qui cum antea
scortari, commessari, inebriari et id genus flagitia pro ludo haberent; plerisque
nec ab adulteriis abhorrerent, nunc ductis uxoribus, summa cum honestate et
frugalitate vitam degunt. »

a-t-il qui se sont appauvris pour avoir accepté l'évangile [530]? Certains ont émigré, d'autres ont abandonné un métier qui rapportait gros mais qui était en contradiction avec la doctrine évangélique, « préférant être pauvres et faibles dans la maison de Dieu que riches et forts dans le tabernacle des ennemis du Christ » [531]. Zwingli a dépensé tout son argent à aider ceux qui étaient dans le besoin et s'est endetté, « à tel point qu'il n'aurait pu payer, même s'il avait vendu aux enchères tout ce qu'il possédait ». Oecolampade, Ambroise Blaurer et Jean Zwick [532] ont annoncé l'évangile à leurs propres frais [533]. Érasme sait cela. Comment, dès lors, n'a-t-il pas honte, demande Bucer, de rendre les nôtres égaux en cupidité aux esclaves de Mammon [534]? D'ailleurs, il se contredit puisqu'il blâme leur indigence dans une lettre à Mélanchthon [535]. Toutes les accusations d'Érasme sont en contradiction flagrante avec ce qu'il prêche

---

[530] *Epistola apologeticla*, f° G 5 v° - G 6 r°.

[531] *Epistola apologetica*, f° H 2 r° : « ... malentes tenues et inopes degere in domo Dei... quam dites et beati in tabernaculis osorum Christi... »

[532] Jean Zwick naquit vers 1496 à Constance. Alors qu'il était encore un enfant, l'abbé de Reichenau le destina à devenir prêtre de paroisse à Riedlingen sur le Danube mais ses études furent dirigées vers le droit. En 1509, il était inscrit à Fribourg et eut pour maître Zazius. En 1518, il était inscrit à Bologne mais, en juin 1519, on le retrouve à Cracovie. En 1520, il était à Sienne. Sur le chemin du retour, il rendit visite à Alciat, en Avignon, et se prit d'amitié pour Boniface Amerbach. Il s'inscrivit ensuite à Bâle, en 1521, et y resta au moins jusqu'en mars 1522. En novembre 1522, il devint prêtre de paroisse à Riedlingen mais il s'opposait déjà a l'évêque de Constance. Comme ami des Blaurer, de Vanner, de Zwingli et de Vadian, il rejoignit rapidement la Réforme. En 1525, obligé de quitter Riedlingen. il s'installa à Constance. Comme prédicateur et comme compositeur d'hymnes, il prit une part considérable aux changements religieux. Il mourut le 23 octobre 1542. ALLEN, *Opus*, t. 5, p. 584.

[533] *Epistola apologetica*, f° M 8 r°.

[534] *Epistola apologetica*, f° H 2 v°. Une lettre de Geldenhauer à Cranevelt, datée de Worms, le 21 août 1526, confirme toutes les affirmations de Bucer. Les mœurs à Strasbourg sont tout à fait différentes, déclare Geldenhauer, de celles qu'il a rencontrées dans d'autres villes. Personne n'y mendie, les pauvres étrangers sont nourris un jour et une nuit grâce au denier public. Les citoyens pauvres reçoivent de quoi vivre honnêtement, les imprécations, les jurons, la goinferie, l'ébriété, le jeu sont interdits par édit public et punis sévèrement. Les belles-lettres et les trois langues y sont chaque jour enseignées gratuitement et l'évangile y est prêché journellement et très simplement (DE VOCHT, *Literae virorum eruditorum ad Fransciscum Craneveldium*, n° 198, p. 515). Bucer lui-même expose, dans cette épître, les réalisations des magistrats : *Epistola apologetica*, f°s I 5 v° - I 7 r°. Cfr aussi C. SPINDLER, *op. cit.*, p. 55. Voir aussi A.L. HERMINJARD, *op. cit.*, t. I, n° 167, pp. 406-407, Roussel à l'évêque de Meaux, Strasbourg, décembre 1525.

[535] ALLEN, *Opus*, t. 5, p. 544, l. 8-9, n° 1496.

dans ses livres à propos de la modestie, de la justice et de la douceur
chrétienne [536], mais il est sans pitié pour ceux qui dénigrent ses
écrits [537] et il n'hésite pas à distiller son poison à des milliers
d'exemplaires [538]. Au lieu de faire des suppositions gratuites à propos
de nos rites, dit encore Bucer, Érasme ferait mieux de voir par
lui-même ce que nous avons introduit et ce que nous avons abandonné. Il jugerait alors en connaissance de cause et non d'après les
visages de ceux qui reviennent d'un prêche [539]. Bucer décrit ensuite
le déroulement du culte réformé [540]. « Les ministres du culte sont
vêtus comme tout le monde, avec la simplicité qui convient à qui
célèbre le mystère de la mort du Christ. D'abord, ils invitent le
peuple à confesser ses péchés à Dieu et le peuple tout entier répète
les formules bibliques qu'ils lui proposent. Ensuite, on prie en
commun pour demander le pardon des péchés, on psalmodie, on
récite, on explique l'Écriture Sainte, on prie pour les magistrats
et pour les autres fidèles, mais cela, dans la seule langue qui,
comprise de tous, peut profiter à tous. Il est beaucoup plus saint,
en effet, de respecter que d'interdire cet usage que l'Esprit du
Christ a ordonné par saint Paul [541]. On explique le mystère de la
Sainte Cène. On célèbre la bonté de Dieu à notre égard, lui qui
livra son Fils à la mort pour nous rendre à la vie, on exalte l'amour
du Christ qui n'a pas hésité à donner sa vie pour nous. On répète
ce que le Seigneur, lorsqu'il a institué cette Cène, a dit, a fait et a
recommandé de faire, on ordonne que s'abstiennent de cette Eucharistie ceux qui ne désirent pas encore vivre de tout leur cœur pour
le Christ, on distribue à tous le pain et le vin : ce n'est pas un seul
qui communie pour tous. Cela est bien plus conforme à la doctrine

---

[536] *Epistola apologetica,* f° H 5 v°.

[537] *Epistola apologetica,* f°s I 1 v°-I 2 r°.

[538] *Epistola apologetica,* f° I 2 v°.

[539] *Epistola apologetica,* f°s H 8 r°-H 8 v°.

[540] *Epistola apologetica,* f°s H 8 v°-I 1 v°. Cfr ALLEN, *Opus,* t. 8, pp. 109-114,
n° 2134, Érasme à Alfonso Fonseca, Bâle, 25 mars 1529. Érasme décrit dans
cette lettre la situation de l'Église à Bâle et conclut, p. 113, l. 208-209 : « Ego
misere metuo ne pharisaismo succedat paganismus. » Il nous a paru intéressant
de reproduire cette description intégralement. Voir encore une description de
Roussel dans une lettre à Nicolas Lesueur : A.L. HERMINJARD, *op. cit.,* t. I,
n° 168, p. 411, reproduite par A. CLERVAL, *Strasbourg et la Réforme française,*
pp. 146-147. Voir encore Valerandus POLLANUS, *Liturgia sacra (1551-1555),*
édition et traduction de A.C. HONDERS, pp. 78-97, Leyde, 1970.

[541] *I Cor.* 14. 10-19. Cfr *L.B.,* t. 5, col. 140 C, *L.B.,* t. 5, col. 856 B, *L.B.,* t. 9,
col. 783 E-784 F. Voir aussi L.-E. HALKIN, *Érasme et les langues,* dans *Revue
des langues vivantes* t. 35, p. 569, Bruxelles, 1969.

du Christ que ne le sont les agissements de ceux qui se proclament ses vicaires et qui cependant ordonnent des choses qui lui sont contraires. Enfin, on rend grâce, en commun, au Rédempteur et le peuple s'en va, confié à la bonté du Père des cieux. » Selon Bucer, Érasme ne doit pas craindre l'apparition du paganisme dans les cérémonies des réformés plus que dans celles de l'âge apostolique : les premières ne sont que la restauration des secondes. A l'opposé des défauts de l'Église catholique romaine, Bucer montre les améliorations apportées dans le cercle des réformés, qu'il s'agisse de la messe, de la confession, du jeûne, des prières, de la vie même des prêtres [542].

Quels sont ces hommes bons qui, selon Érasme, ont préféré un exil souvent pénible à la liberté évangélique? Ce sont, dit Bucer, « ceux qui n'ont pu voir abolir les rites de l'Église catholique mais qui ont pu, auparavant, voir abolir, bien mieux, fouler aux pieds, les rites du Christ [543] ». Quant à l'exil pénible, parlons-en! La plupart ont trouvé refuge à Ueberlingen [544] ou à Fribourg et Érasme lui-même avoue que son propre exil n'est pas insupportable [545] même si sa bourse a dû en souffrir [546]. Bien plus, auprès des réformés, il n'est menacé d'aucun danger alors qu'il ne se hasarderait pas auprès de nombreux évêques [547].

Pour expliquer les troubles survenus en Suisse dans les années précédentes, Bucer envisage successivement les événements qui ne déroulèrent à Bâle [548], à Berne [549] et dans les cantons suisses [550].

[542] *Epistola apologetica*, f⁰ˢ I 1 v⁰-I 3 v⁰.

[543] *Epistola apologetica*, f⁰ I 7 r⁰ : « Sed non potuerunt videre abolitos ritus Ecclesiae catholicae, qui potuerunt igitur antehac, et modo videre aboleri, imo conculcari ritus Christi? »

[544] Ville libre sur le lac de Constance.

[545] *Epistola apologetica*, f⁰ I 6 v⁰. Concernant l'exil d'Érasme et ses sentiments à ce sujet, voir N. PINET, *op. cit.*, pp. 13 et 18. Cfr ALLEN, *Opus*, t. 8, p. 139, l. 4-5, n⁰ 2151, Érasme à Boniface Amerbach, 25 avril 1529, t. 8, p. 225, l. 119-121, n⁰ 2192, t. 8, p. 188, l. 26-28, n⁰ 2173.

[546] Cfr *L.B.*, t. 10, col. 1573 D : « Tu croirais à peine combien de difficultés domestiques j'ai rencontrées depuis que j'ai quitté Bâle. Là-bas, en effet, en plus d'autres avantages, j'avais une maison et un lit payés grâce à des subsides étrangers, tandis qu'ici, tout a dû être préparé avec mon argent.

[547] *Epistola apologetica*, f⁰ I 7 v⁰. Pour la même idée, cfr ALLEN, *Opus*, t. 9, p. 154, l. 43-47, n⁰ 2441.

[548] *Epistola apologetica*, f⁰ˢ I 8 v⁰ ˗ K 2 r⁰.

[549] *Epistola apologetica*, f⁰ˢ K 2 r⁰-K 3 r⁰. Sur les désordres à Berne, voir H. GAGNEBIN, *op. cit.*, p. 123. Le gouvernement envoie des troupes pour soumettre les habitants des campagnes hostiles au nouvel ordre de choses et les prive de leurs franchises communales.

[550] *Epistola apologetica*, f⁰ˢ K 3 r⁰-K 3 v⁰.

S'il y eut des désordres, ce fut la faute des catholiques. Les réformés ont répondu à la provocation [551]. Il semble effectivement que les catholiques aient pris les armes les premiers, parce que, inférieurs en nombre, ils craignaient pour leurs biens. Les réformés les ont imités et en ont profité, dit Érasme, pour briser les statues, chauler les fresques et livrer le reste au feu, sans égard pour la valeur artistique des objets ainsi détruits [552], mais ils n'ont pas usé de violence à l'égard des personnes [553].

Bucer récuse expressément le soulèvement des paysans qui n'a rien à voir avec la Réforme [554], c'est une révolte sociale : « Ils ont affirmé en public que leurs chefs habitaient la forêt hercynienne [555] et qu'ils ne voulaient rien avoir de commun avec l'évangile [556]. » Bucer fait très certainement allusion ici aux *Griefs et doléances des paysans, rédigés en douze articles* [557], parus en mars 1524, où il était dit, dans une courte préface, que l'évangile n'était pas la cause de la sédition. Le texte toutefois continue comme suit : « L'évangile est la bonne nouvelle du Messie qui apporte aux hommes la paix et l'union; et les paysans ne demandent qu'à y conformer leur vie. Si des ennemis de Christ s'opposent à ce désir légitime, n'accusez pas l'évangile, mais uniquement les tyrans qui en empêchent la prédication. Pourquoi appeler révoltés et séditieux des hommes qui

---

[551] Érasme avouera que les catholiques avaient pris les armes les premiers mais il excusait ce fait en disant que, malgré la défense du Conseil, et malgré le serment que leurs disciples avaient prêté, les protestants avaient tenu des assemblées révolutionnaires et le parti catholique avait peine à défendre l'autorité du Conseil. Cfr ALLEN, *Opus,* t. 9, p. 448, 1. 122-130, n° 2615, Érasme à Bucer, Fribourg, 2 mars 1532. Voir aussi t. 8, p. 162, 1. 9-11, n° 2158 : « Ecclesiastica pars, ubi videret contra Senatus edictum contraque jusjurandum fieri conventicula, induit arma; mox idem fecit altera, operas etiam educens in forum ac bombardas. » Cfr *L.B.,* t. 10, col. 1613 B-E et 1614 B-D.

[552] ALLEN, *Opus,* t. 8, p. 162, n° 2158, Érasme à Pirckheimer, Fribourg, 9 mai 1529.

[553] ALLEN, *Opus,* t. 8, p. 192, 1. 66-67, n° 2176. Seul, H. Meltinger, magistrat de Bâle et voisin d'Érasme aurait été malmené s'il n'avait fui. Voir ALLEN, *Opus,* t. 8, p. 73, n°2112, t. 8, p. 162, 1. 17-19, n° 2158, t. 8, p. 169, 1. 31-33, n° 2162, t. 8, p. 245, 1. 37-42, n° 2201.

[554] Selon K. KLAEHN, *Martin Luther, sa conception politique,* pp. 49-50, Paris, s.d. (1941), l'influence de Zwingli sur les émeutes qui éclatèrent dans le sud de l'Allemagne et en Suisse est certainement plus grande encore que celle de Luther.

[555] La Forêt Noire.

[556] *Epistola apologetica,* f° K 4 r°.

[557] Le texte de ces *Douze Articles* est publié en traducion française par F. KUHN, *Luther, sa vie et son œuvre,* t. 2, pp. 194-196, Paris, 1884.

ne prétendent qu'à ce droit naturel ? » [558]. Omission préméditée ou gauchissement involontaire de la part de Bucer? Il est malaisé de trancher. Il commente également l'attitude de Capiton [559], de Hédion [560], de Zwingli [561] et de Farel [562]. Il rejette à ce propos les accusations qu'Érasme a proférées tout au long de ses lettres contre ces quatre personnages. Érasme pense qu'on aurait pu éviter toutes les difficultés en prêchant le Christ sans sortir des limites imposées par les circonstances du moment, mais Bucer ne l'approuve pas : « Nous sommes pourtant persuadés que lorsqu'on aime le Christ de tout son cœur, de toute son âme et de toutes ses forces, on ne peut rien taire de lui [563] selon l'exemple de Paul [564]. »

Autre accusation d'Érasme : partout où règne la Réforme, c'est la mort des belles-lettres. Or, ceux qui firent du tort aux belles-lettres, ce sont les magistrats et les ecclésiastiques. Davantage, c'est après la réception de l'évangile que les lettres ont été honorées dans des villes comme Nuremberg, Zurich, Strasbourg ou Berne [565]. Car, auparavant, les ecclésiastiques pensaient que « rien n'était aussi pernicieux pour leurs impostures que d'apporter au peuple le moyen de bien raisonner [566] ». Par ailleurs, Érasme s'est montré un hôte ingrat envers la ville de Bâle. Il a osé écrire que le nouvel évangile y a engendré une nouvelle race d'hommes prêts à toutes les monstruosités [567] et que s'il connaissait une ville exempte d'une telle engeance, il y émigrerait aussitôt. Par là, triomphe Bucer, il admet que partout sévissent des fléaux de toutes sortes; c'est donc qu'ils ne sont pas l'œuvre de notre évangile mais bien celle de Satan qui sème l'ivraie parmi le froment du Seigneur [568]. En fait, « nous

[558] F. KUHN, op. cit., t. 2, p. 194 et G. CASALIS, Luther et l'Église confessante, p. 117, Paris, 1962.

[559] Epistola apologetica, f^{os} K 6 v° - K 7 v°.

[560] Epistola apologetica, f^{os} K 7 v° - K 8 r°.

[561] Epistola apologetica, f^{os} L 1 r° - L 1 v°.

[562] Epistola apologetica, f^{os} L 2 v° - L 3 r°.

[563] Epistola apologetica, f° L 2 r° : « Nobis sane persuasum est, ut est toto chorde, tota anima, totis viribus Christus amandus, ita nihil eius posse dissimulari. »

[564] Actes 20. 27.

[565] Epistola apologetica, f° L 4 v°.

[566] Epistola apologetica, f° L 4 v° : « Sentiunt enim nihil tam pernitiosum suis imposturis, quam multos rectis imbui judiciis. »

[567] Epistola apologetica, f° L 7 v°. Voir ALLEN, Opus, t. 5, p. 592, 1. 87-89, n° 1522, Érasme à Stromer, Bâle, 10 décembre, 1524.

[568] Epistola apologetica, f^{os} L 7 v° - L 8 r°.

détestons les mœurs indignes de l'évangile [569] ». Bref, pour répondre
en une seule phrase à la deuxième accusation d'Érasme, les réformés
affirment de toutes leurs forces que le monde conspire contre
l'enseignement apostolique qui fut transmis quatorze cents ans auparavant, celui-là même pour lequel les Apôtres montrèrent tant de
zèle qu'ils semblaient vouloir y amener le monde en un an [570]. Et si
les hommes de bien nous jugent mal, dit Bucer, ils se montrent
contre nous plutôt des Gamaliel [571] que des Caïphe [572]. Érasme, en
agissant ainsi, a voulu ménager sa renommée [573] et emporter l'adhésion non seulement de la dernière mais même de la première classe
des ecclésiastiques [574].

c) Les novateurs n'ont pas alourdi le joug de la tyrannie, ni supprimé toute liberté.

Selon Érasme l'évangile réformé aurait doublé le joug de la
tyrannie alors qu'il avait promis la liberté. Bucer met d'abord une
chose au point : si les réformés veulent rejeter la tyrannie des papes,
des évêques et des moines, ce n'est pas pour pouvoir manger ce
qui leur plaît ou se vêtir à leur guise, mais pour obtenir cette liberté
que le Christ a réclamée. Ils ne peuvent admettre que la hiérarchie
ecclésiastique « refuse injustement une liberté qu'elle vend plus
injustement encore [575] ». C'est un fait, il n'y a plus aucune liberté
et le moindre manquement aux prescriptions du clergé est puni

---

[569] *Epistola apologetica*, f° M 2 v° : « Mores Evangelio indignos detestamur,
ut nemo magis...
[570] *Epistola apologetica*, f° M 5 r° : « Nam in hoc toti sumus, ut in doctrinam
apostolicam, quae tradita est ante annos mille quadringentos mundus toto pectore
conspiret, in idem apostoli sic incumbebant, ut videri potuerint velle huc illum
uno anno pertrahere. »
[571] Membre du Sanhédrin qui prit en pleine séance la parole en faveur des
Apôtres. En conseiller sage et prévoyant, il prémunit les juges contre une réso-
lution violente et précipitée. Au lieu de recourir à une répression sévère, il faut
laisser au temps la conclusion de l'affaire : « Si l'idée ou l'entreprise des Apôtres,
dit-il, en terminant, vient de Dieu, vous n'êtes pas capables de l'entraver et vous
vous exposez à combattre contre Dieu lui-même. » (*Actes* 5. 33-40.) Voir
Dictionnaire de la Bible, t. 3, col. 102-104. Dans une lettre à Mélanchthon, Érasme
lui-même se compare à Gamaliel. Cfr ALLEN, *Opus*, t. 5. p. 546, l. 52-55,
n° 1496 : « Ne adhuc quidem ullam praetermitto occasionem, scribens ad Caesarem
aliosque principes, Gamalielem quendam agens optansque felicem aliquem fabulae
exitum. »
[572] *Epistola apologetica*, f° M 7 r°.
[573] *Epistola apologetica*, f° M 2 r°.
[574] *Epistola apologetica*, f° M 2 v°.
[575] *Epistola apologetica*, f° N 1 r°.

sévèrement [576]. En vérité, « ces prêtres ne sont pas des hommes mais des bêtes féroces; c'est pourquoi, même la vérité du Christ les met en colère et les exaspère lorsqu'elle est prêchée [577] ». Par ses agissements, Érasme leur fournit des armes efficaces pour combattre ceux qui sont « dotés d'un jugement correct et de zèle pour la vérité [578] ». Les membres du clergé ne cherchent qu'à s'enrichir en mettant à prix le moindre de leurs services [579]. On ne pouvait tout de même pas se taire? Le Christ lui-même avait annoncé la persécution qui accablerait ses témoins. Mais, on ne peut promouvoir l'évangile sans témoigner que « tout salut et toute justice viennent du Christ seul [580] ». « Les saints Apôtres et les évêques peuvent seulement planter et arroser, c'est-à-dire enseigner et avertir [581]. » Le seul désir, le seul but des réformateurs est d'assainir ce qui est corrompu [582].

Bucer repousse ensuite le reproche de vouloir ramener au berceau une Église qui aurait atteint l'âge adulte. Car l'âge adulte consiste pour l'Église à ressembler pleinement au Christ par sa vie, comme l'affirme saint Paul [583]. Or, l'Église, bien loin d'avoir atteint l'âge adulte, était défigurée par les prétendues améliorations qu'on y avait introduites au cours des âges [584].

Érasme commet enfin une faute de méthode : « Nous ne doutons pas qu'Érasme et ceux qui suivent son conseil, ... en fermant les yeux sur nombre de choses inexcusables ou en les excusant par une interprétation accomodante ..., pour maintenir la tranquillité du monde, nuisent sérieusement à la pureté de l'évangile [585]. » Érasme en arrive à supprimer jugement, vérité et liberté.

---

[576] *Epistola apologetica*, f⁰ˢ N 1 r⁰ - N 2 v⁰.

[577] *Epistola apologetica*, f⁰ N 2 v⁰ : « Tales autem cum sint isti, non homines sed truculentissimae beluae, quas etiam praedicata Christi veritas exasperat, et in furorem agit... »

[578] *Epistola apologetica*, f⁰ N 3 r⁰.

[579] *Epistola apologetica*, f⁰ˢ N 3 v⁰ - N 4 v⁰.

[580] *Epistola apologetica*, f⁰ˢ N 4 v⁰ - N 5 v⁰. *Matth.* 10.

[581] *Epistola apologetica*, f⁰ˢ N 7 r⁰ - N 7 v⁰ : « ... Hoc est palam testandi, ab uno Christo petendam omnem et justitiam et salutem, nec posse quicquam quamlibet sanctos Apostolos et episcopos aliud quam plantare et rigare, hoc est docere et monere. »

[582] *Epistola apologetica*, f⁰ˢ N 6 v⁰ - N 8 v⁰.

[583] *Epistola apologetica*, f⁰ O 4 r⁰. *Eph.* 4. 13-15.

[584] *Epistola apologetica*, f⁰ˢ O 5 r⁰ - O 8 v⁰.

[585] *Epistola apologetica*, f⁰ P 1 v⁰ : « Nobis dubium non est Erasmus et qui ipsius consilium sequuntur, dum mundi tranquillitatem, vel sui vel aliorum caussa tanti faciunt, ut existiment, ad tam multa quae excusari nequeunt conni-

4° *Épilogue*

Dans l'épilogue, Bucer résume encore une fois les résultats obtenus par les réformateurs [586] et les oppose aux calomnies cruelles et aux mensonges proférés par Érasme sur la foi de délateurs. Pourtant, c'est à contre-cœur qu'il a dû écrire contre Érasme. En effet, l'âme de l'humaniste « est pure mais ce qu'il a écrit contre nous est si féroce, si cruel et si faux que forcés et contraints, nous devons bien l'appeler tromperie brillante, impudence, cruauté, calomnie insensée et funeste [587] ». Bucer rappelle que lui et ses amis n'agissent que pour la gloire du Christ, contrairement à ce qu'affirme Érasme à Botzheim [588]. Il attribue les déclarations d'Érasme à la colère inconsidérée et téméraire et non à la haine ou à la méchanceté. Il excuse la longueur de sa propre lettre, mais « il n'avait pas évalué combien était féconde en crimes la lettre d'Érasme ». Il termine en appelant Dieu à l'aide de tous les évangéliques d'Allemagne du Sud et de Suisse : « Puisse-t-il vous encourager, vous qui depuis peu êtes attaqués, vous soutenir, vous affermir et vous fortifier [589] ! »

vendum, praesertim apud vulgus plerasque etiam commoda interpretatione excudanda et publico consensui eorum qui Christiani vocantur, tantum deferendum, Evangelicae synceritati obesse plurimum, quamlibet ipsi forsam velint hanc illo unice promovere. »

[586] *Epistola apologetica*, f°ˢ P 3 r° - P 4 v°.

[587] *Epistola apologetica*, f° P 5 r° : «... at cum tam saeva, tam cruenta sint, nec minus falsa, quae in nos scripsit, ipsa coegit necessitas, haec subinde suis vocare nominibus, nimirum mendacia luculenta, impudentia, crudelia, calumnias immanes et diras. »

[588] ALLEN, *Opus*, t. 7, p. 309, l. 441-449, n° 1934, Bâle, 1ᵉʳ février 1528. Jean Botzheim appartient à une noble famille alsacienne des environs de Strasbourg. Il fut un élève de Wimpfeling. En 1500, alors qu'il était vicaire de la cathédrale de Strasbourg, il prit inscription à Bologne où il devint docteur en droit canon. Il revint à Strasbourg en 1504. En 1512, il fut nommé chanoine à Constance où sa maison devint un centre d'hospitalité pour les hommes de lettres, les artistes et les voyageurs qui allaient du Tyrol en Italie. Il fut présenté à Érasme en 1520. Ils devinrent rapidement amis car leurs tempéraments étaient semblables. Au début, Botzheim fut favorable à la Réforme mais il fut vite révolté par ses excès et, comme Érasme, il fut alors en butte aux deux partis. En 1527, lorsque la Réforme triompha à Constance, il accompagna le Chapitre cathédral à Ueberlingen et y resta jusqu'en 1535, date à laquelle il rendit visite à Érasme à Fribourg. Il mourut en avril 1535. ALLEN, *Opus*, t. 1, p. 1.

[589] *Epistola apologetica*, f° P 8 r° : «... Idem parumper adflictos vos, instauret, fulciat, roboret, stabiliat. »

Conclusions.

Bucer fait preuve d'une grande éloquence lorsqu'il défend les innovations introduites dans le culte par les réformés. Pour donner plus de poids à leur œuvre, il justifie les réformes entreprises par les paroles mêmes de l'Écriture. C'est lorsqu'il brosse le tableau de la communauté idéale qu'il se montre le plus convaincant mais, lorsqu'il entreprend la défense des hommes et la justification des troubles dans les villes passées à la Réforme, il n'est plus sur un terrain aussi solide. Son argumentation est faible et il laisse échapper des demi-aveux. Ainsi, il nie d'abord que Pellican ait jamais écrit au Conseil de Bâle une lettre conseillant d'user de pressions contre Érasme, mais il poursuit : « et si vraiment il a conseillé d'user de menaces envers Érasme, nous le connaissons suffisamment pour savoir qu'elles n'étaient pas bien redoutables [590]. » N'est-ce pas là un aveu implicite? Mais, pour lui, la restauration du pur évangile guide les réformateurs dans tous leurs actes et justifie tout leur comportement.

Érasme, ce médiateur, cet homme de paix, ne pouvait comprendre de tels propos et pouvait encore moins les admettre. En cela, tous deux avaient engagé un dialogue de sourds.

Quoi qu'il en soit, indépendamment des idées qu'il défend, Bucer se révèle un polémiste de premier ordre, rendant coup pour coup, faisant flèche de tout bois, prenant Érasme à ses propres mots. Chaque réplique vient à son heure, le plaidoyer, œuvre de militant, est ferme et tranchant.

Son but essentiel n'était pas de défendre des hommes, mais des idées. Dans ce domaine, grâce à sa fougue et à son habileté, Bucer a réalisé, sinon « la meilleure apologie de l'influence morale bienfaisante de la Réforme [591] », du moins une excellente plaidoirie à laquelle Érasme se devait de répondre.

---

[590] *Epistola apologetica*, f°ˢ F 4 r° - F 4 v°.
[591] J.W. Baum, *op. cit.*, p. 465.

CHAPITRE VI

RESPONSIO AD FRATRES GERMANIAE INFERIORIS
(1ᵉʳ AOUT 1530)

A. Ce qu'Érasme pense de l'Epistola apologetica.

Érasme juge cet ouvrage « un tissu étonnant de mensonges, d'injures et d'hypocrisie [592] », ou encore du « poison caché dans beaucoup de miel [593] », et il le qualifie de « nullité prolixe [594] ». Par ailleurs, il prétend qu'il n'a même pas eu le cœur de le lire, et, qu'à plus forte raison, il n'a pas l'intention d'y répondre [595].

Ceci n'est pas croyable, car, bien entendu, Érasme a lu l'*Epistola apologetica*; il a même mis sur pied une réponse provisoire qui n'est pas destinée à la publication, mais qu'il a l'intention d'envoyer à quelques amis bien en cour, pour dénoncer les agissements des Strasbourgeois [596].

Pourtant, Érasme hésite sur l'opportunité d'une réponse publique. Les avis mêmes de ses amis divergent selon qu'ils appartiennent ou non à l'entourage des princes. « Certains pensent que je ne dois même pas lire ces racontars et, jusqu'à présent, c'est leur avis que je retiens; par contre, ceux qui vivent dans l'entourage des princes

---

[592] ALLEN, *Opus*, t. 8, p. 454, l. 91-92, n° 2329, Érasme àAndré Alciat, Fribourg (ca. 24 juin) 1530. Cfr ALLEN, *Opus*, t. 9, p. 3, l. 17-19, n° 2358.

[593] ALLEN, *Opus*, t. 9, p. 154, l. 31, n° 2441.

[594] ALLEN, *Opus*, t. 9, p. 442, l. 29-30, n° 2321. Cfr t. 9, p. 260, l. 28-33, n° 2486.

[595] ALLEN, *Opus*, t. 8, p. 446, l. 16-19, n° 2326, Érasme à Bernard de Cles, Fribourg, 6 juin (1530).

[596] ALLEN, *Opus*, t. 8, p. 445, l. 4-9, n° 2324, Érasme à Boniface Amerbach (Fribourg, ca. 25 mai 1530). Cfr A. HARTMANN, *op. cit.*, p. 517, n° 1439. Cette réponse constitue très vraisemblablement la base de la *Responsio ad Fratres Germaniae inferioris*, qui parut le 1ᵉʳ août 1530 à Fribourg chez J. Emmeus. Quant aux courtisans à qui il est fait allusion ici, il s'agirait peut-être de Bernard de Cles notamment, qui était président du Conseil privé de Ferdinand mais aussi un protecteur d'Érasme et qui plaidera en sa faveur auprès des princes. lors de ses démêlés avec Sébastien Franck.

me conseillent de répondre avec beaucoup de mordant. Je ne sais
ce que je dois faire... [597]. » Nous sommes alors le 19 juillet 1530 :
ou bien Érasme a déjà commencé la rédaction de la *Responsio*, mais
veut, en se présentant comme indécis, recevoir l'appui moral d'un
plus grand nombre encore de personnes, ou bien il rédigera effectivement sa lettre par la suite. Cette seconde hypothèse est plus
plausible. On comprend mieux pourquoi la *Responsio* est un écrit
mal composé, désordonné et peu en accord avec le style habituellement brillant d'Érasme, si l'auteur a disposé d'à peine dix jours
pour le rédiger.

Qu'Érasme ait hésité avant de prendre une telle décision est bien
compréhensible. Il se rend compte qu'une réponse à l'écrit de Bucer
exige une connaissance détaillée des événements, connaissance qui
lui manque. C'est dans ce but déjà qu'il avait demandé à Amerbach
de lui fournir des données avec lesquelles il pourrait réfuter Bucer,
surtout lorsqu'il s'agit de faits qui se sont déroulés à Zurich, à Berne
ou près de Saint-Gall [598]. Par ailleurs, il est persuadé que la doctrine
de Zwingli compte plus d'adeptes que celle de Luther [599], et que ces
Zwingliens sont bien plus belliqueux; il n'en veut pour preuve que
les publications qui l'attaquent [600]. Il pense même que si l'on veut
arriver à un compromis à Augsbourg [601], il faut, pour cette raison,
en écarter Zwingli, Oecolampade et Capiton, car ceux-ci ne s'accor-
deront jamais ni avec les catholiques, ni avec les luthériens [602]. Bien

---

[597] ALLEN, *Opus*, t. 8, p. 497, l. 87-90, n° 2355, Érasme à Jean Rinck, Fribourg, 19 juillet 1530.

[598] ALLEN, *Opus*, t. 8, p. 445, l. 1-4, n° 2324 et A. HARTMANN,, *op. cit.*, t. 3,
p. 517, n° 1439.

[599] ALLEN, *Opus*, t. 8, p. 473, l. 10-11, n° 2341, Érasme à (Laurent Campegio),, Fribourg, 7 juillet 1530.

[600] ALLEN, *Opus*, t. 8, p. 497, l. 77-87, n° 2355, t. 9, p. 9, l. 11-13, n° 2362,
Érasme à Christophe de Stadion, Fribourg, 11 août 1530, t. 9, p. 26, l. 58-67,
n° 2375, Érasme à André Cricius, Fribourg, 1ᵉʳ septembre 1530, t. 9, pp. 41-42,
l. 7-13, n° 2380, Érasme à Guillaume Quinonus, 6 septembre 1530, t. 9, p. 46,
l. 35-36, n° 2382, Érasme à Érard de la Marck, Fribourg, 7 septembre 1530,
t. 9, p. 47, l. 49-50, n° 2383, Érasme à Bernard de Cles, 7 septembre 1530.

[601] Pour l'attitude qu'Érasme a doptée lors de la Diète d'Augsbourg et pour
la politique qu'il a menée à cette époque, voir A. RENAUDET, *Érasme et l'Italie*,
pp. 210-212, Genève, 1954. Pour sa position théologique à propos de l'Eucharistie à cette époque, voir G. KRODEL, *op. cit.*, pp. 14-18 de l'*excursus*. Pour la
politique adoptée par les Strasbourgeois à la même diète, voir H. STROHL,
Le protestantisme en Alsace, pp. 43-47, et F. WENDEL, *Martin Bucer...*, pp. 25-26.

[602] Les luthériens et les sacramentaires avaient déjà tenté de s'entendre à
Marbourg en Hesse, le 30 avril 1529, mais en vain.

plus, leur attitude conduit à la guerre [603]. Érasme se résoud pourtant à réfuter Bucer et, le 1er août 1530, paraît la *Responsio ad Fratres Germaniae Inferioris* [604].

B. Érasme se défend et réfute les assertions bucériennes.

Quand on considère le début et la fin de cet écrit, on peut croire que la *Responsio* a pour but de ramener ses lecteurs d'Allemagne du Sud et de Frise orientale dans le sein de l'Église catholique : « Je vous en conjure, pour le salut de vos âmes, ne vous éloignez en rien de l'Église catholique [605]. » Elle veut aussi les mettre en garde contre les ruses de ses adversaires. « Soyez innocents comme les colombes afin de n'offenser ou de ne séduire personne, mais soyez en même temps prudents comme les serpents pour que Satan, mille fois plus malin, ne vous circonvienne pas par des artifices, ne corrompe pas vos sens et ne vous éloigne pas de la pureté qui est en Jésus-Christ [606]. »

Érasme prétend que le malheur qui frappe l'Allemagne le touche plus cruellement que les injustices commises à son égard [607]; pourtant, tout au long de la *Responsio* perce un besoin pressant de se défendre contre les allégations des réformés. Cette intention affaiblit considérablement la portée de la *Responsio* qui faillit ainsi à son rôle : supprimer l'impression favorable que pouvait laisser auprès du public une défense éloquente de la Réforme comme celle de l'*Epistola apologetica*.

Érasme analyse d'abord l'attitude que Geldenhauer avait adoptée à son égard dans les derniers temps [608]. Que pouvait-il faire, sinon désavouer des écrits qu'on lui imputait et dont Geldenhauer portait

---

[603] Allen, *Opus*, t. 9, p. 11, l. 2-11, n° 2363, Érasme à Mélanchton (Fribourg), 12 août 1530. De fait, Zwingli, l'année suivante, va s'engager dans un conflit avec les cantons suisses catholiques et trouvera la mort à la bataille de Cappel.

[604] *Bibliotheca erasmiana*, t. 1, p. 174. Le titre exact est *Responsio ad epistolam apologeticam incerto autore proditam, nisi quod titulus, forte fictus, habebat, per ministros verbi, ecclesiae Argentoratensis.* Il y en eut trois éditions au cours de l'année 1530 : une à Anvers, l'autre à Cologne, la troisième à Fribourg.

[605] *L.B.*, t. 10, col. 1589 F.

[606] *L.B.*, t. 10, col. 1591 B. *Matth.* 10. 16.

[607] *L.B.*, t. 10, col. 1589 E.

[608] *L.B.*, t. 10, col. 1591 C-D.

seul la responsabilité? Mais sa lettre a offensé, Dieu sait pourquoi, les Strasbourgeois. Ils se considèrent comme attaqués. « Et pourtant, dit Érasme, alors que, deux prédicateurs exceptés, je ne connais personne à Strasbourg, pourquoi me viendrait-il à l'esprit de les attaquer tous. Ce n'est pas mon habitude de provoquer quelqu'un, encore moins des inconnus [609]. » Ils ont alors publié une apologie qui excite contre Érasme toutes les Églises évangéliques et les princes qui les favorisaient, bref, le peuple évangélique tout entier [610]. Quoi d'étonnant? N'ont-ils pas enseigné qu'il est permis d'utiliser ruses et fourberies lorsqu'elles ne causent préjudice à personne selon les lois impériales [611]? Mais, précise Érasme, ce que les lois profanes permettent dans le domaine profane, n'est pas de mise lorsqu'il s'agit des intérêts de l'évangile [612].

Par cet écrit, Érasme tente donc de montrer que la Réforme, telle qu'elle est comprise par Zwingli, Oecolampade et Bucer, est l'œuvre des hommes et non de Dieu. Il s'insurge surtout contre l'assurance qu'ont ces réformateurs de détenir la vérité [613]. « Partout, ils parlent à grand bruit des Saintes Écritures comme s'il n'y avait chez nous (c'est-à-dire dans l'Église catholique) ni Christ, ni évangile, ni Saintes Écritures [614]. » Bien des hérétiques avant eux ont eu la même conviction. Les ariens et les manichéens n'affirmaient-ils pas que l'Écriture était comprise faussement par certains [615]; d'autres ont été pourchassés et condamnés, notamment les anabaptistes qui mènent une vie bien meilleure que celle des réformés [616]. Les réfor-

---

[609] *L.B.*, t. 10, col. 1591 E. En fait, Érasme connaissait plus de deux personnes à Strasbourg. Il avait été un ami de Capiton et de Geldenhauer, il avait entretenu des relations amicales avec Hédion et Bucer n'était pas pour lui un inconnu. Il ne faut pas oublier non plus Otho Brunfels avec qui il avait eu maille à partir en 1524. Pourtant, la déclaration d'Érasme est exacte, s'il entend par connaître avoir déjà rencontré car il ne connaît alors que Capiton et Geldenhauer.

[610] *L.B.*, t. 10, col. 1591 F.-1592 A.

[611] *Epistola apologetica*, f⁰ˢ F 5 r⁰ - F 5 v⁰.

[612] *L.B.*, t. 10, col. 1592 A.

[613] *L.B.*, t. 10, col. 1594 A. D'autant plus qu'ils sont eux-mêmes divisés. Cfr ALLEN, *Opus*, t. 7, p. 231, l. 36-38, n⁰ 1901. Voir aussi *Hyperaspistes I, L.B.*, t. 10, col. 1283 E-1284 A et col. 1263 D et 1318 B.

[614] *L.B.*, t. 10, col. 1592 D.

[615] *L.B.*, t. 10, col. 1592 D et 1594 A.

[616] *L.B.*, t. 10, col. 1592 D-E. Sur Érasme et les anabaptistes, voir J. HUIZINGA, *Érasme*, p. 286. Voir aussi ALLEN, *Opus*, t. 8, p. 138, l. 37-41, n⁰ 2149 : « Cette secte est détestée par les princes plus que toute autre, parce que, dit-on, elle prêche l'anarchie et la communauté des biens, cependant, nulle part,

mateurs lui donnent raison puisque Luther, Mélanchthon [617] et Oecolampade ont reconnu que, sous prétexte de l'évangile, beaucoup vivent de façon dépravée; Bucer lui-même s'en plaint dans sa lettre [618]. Par ailleurs, les réformateurs veulent restaurer les rites de l'Église ancienne. Que n'en reviennent-ils plutôt « à la sainteté de l'ancienne Église? [619] ». Ils se comparent aux Apôtres [620] mais ils se réfugient « dans une Église qui n'est reconnue de personne et sous le couvert de laquelle on peut faire tout ce qui leur plaît [621] ». Contrairement à ce qu'ils affirment, Érasme n'a aucun grief contre les changements, à condition de remplacer ce qu'on supprime par quelque chose de mieux [622]. Or, que font-ils? Ils rejettent tout ce que proposent les papes, les conciles généraux et tous les docteurs de l'Église [623]; ils vont à l'encontre des prescriptions des Apôtres, ne serait-ce que lorsqu'ils laissent hommes et femmes chanter ensemble dans les églises [624] ou lorsqu'ils prétendent qu'il ne faut obéir qu'aux magistrats ayant reçu leur approbation [625]. Ils adoptent des positions condamnées par l'Église catholique : ils prétendent qu'il n'y a que deux sacrements, que, dans l'Eucharistie, il n'y a pas le vrai corps et le vrai sang du Christ [626]. Ils rejettent ce que les Pères ont enseigné : le jeûne, le chant liturgique, le sacrifice de la messe, l'Eucharistie, l'invocation des saints, les images, le libre arbitre, le monachisme [627].

les anabaptistes n'ont d'église, ne cherchent à renverser aucun gouvernement, ne sont protégés par aucune force et on dit que beaucoup ont des mœurs de loin plus pures que les autres. Voir aussi ALLEN, *Opus*, t. 8, p. 113, l. 209-220, n° 2134.

[617] ALLEN, *Opus*, t. 5, p. 554, l. 1-7, n° 1500, Mélanchthon à Érasme, Wittemberg, 30 septembre 1524.

[618] *L.B.*, t. 10, col. 1593 A-1596 A.

[619] *L.B.*, t. 10, col. 1595 B.

[620] *L.B.*, t. 10, col. 1620 F.

[621] *L.B.*, t. 10, col. 1595 B. Cfr *L.B.*, t. 10, col. 1579 D.

[622] *L.B.*, t. 10, col. 1594 E-F.

[623] *L.B.*, t. 10, col. 1621 B.

[624] *L.B.*, t. 10, col. 1595 D. *I Cor.* 11. 5.

[625] *L.B.*, t. 10, col. 1596 C. *I Pierre* 2. 18.

[626] *L.B.*, t. 10, col. 1595 E.

[627] *L.B.*, t. 10, col. 1604 E-F. Cfr D. GORCE,*La patristique dans la réforme d'Érasme*, dans *Festgabe Joseph Lortz*, t. I, pp. 233-276, Baden-Baden, 1958. Luther a, sur ce sujet, une opinion toute différente de celle d'Érasme : cfr *Tischreden*, livre II, cité par D. GORCE, *op. cit.*, p. 245 : « Passant par le canal des pères, la parole de Dieu me produisait l'effet d'un flot de lait que l'on ferait couler à travers un sac de charbon et qui en sortirait gâté et tout noir. »

Érasme, quant à lui, n'a jamais approuvé le rejet des images,
car celles-ci « sont proposées non pour être adorées mais pous orner
l'édifice ou pour encourager celui qui y vit. Est-ce inutile si, aux
portiques des églises, se déroule toute la vie du Christ, de sorte
que ceux qui se promènent désœuvrés trouvent ainsi matière à
discussion et à réflexion [628] »? De plus, il ne pouvait accepter la
façon séditieuse selon laquelle toutes ces réformes se déroulaient :
« Ils changent les vases sacrés en monnaie, ils enlèvent la dîme
aux abbés et exilent les magistrats qui refusent d'abandonner le
catholicisme [629]. »

Par ailleurs, les réformés condamnent l'Église catholique parce
qu'il s'y commet beaucoup d'abus, mais ils ne supportent pas la
réciproque [630]; or, on pourrait leur reprocher avec raison l'hérésie
et le schisme [631] puisque, non seulement ils ne croient pas à l'Église,
mais ils en cherchent une nouvelle [632].

La montée de la Réforme, quoi qu'ils veuillent bien en dire [633],
signifie presque partout la décadence des belles-lettres : « Les imprimeurs racontent qu'avant cet évangile, ils vendaient ordinairement
trois mille volumes, maintenant, ils n'en vendent plus que six cents
et il (Bucer) voudrait y voir la preuve que les études littéraires se
développent [634]! » «Il est certain que quelques villes ont récemment

---

[628] *L.B.*, t. 10, col. 1610 B. Pour l'opinion d'Érasme sur les images, voir
encore notes 194 à 200 et 380 à 381. On voit donc qu'Érasme y apporte des
restrictions.

[629] *L.B.*, t. 10, col. 1617 C. Le même sort est réservé aux religieux, voir
ALLEN, *Opus*, t. 8, p. 107, l. 69-70, n° 2133 et t. 8, p. 113, l. 203-204, n° 2134.

[630] *L.B.*, t. 10, col. 1597 B-C.

[631] *L.B.*, t. 10, col. 1622 C.

[632] *L.B.*, t. 10, col. 1623 C. Cette explication donnée par Érasme du schisme
ne fait que confirmer l'interprétation qu'a donnée le Père de Lubac et infirmer
celle de A. Renaudet à propos de la troisième Église d'Érasme. H. DE LUBAC,
Exégèse médiévale, les quatre sens de l'Écriture, 2e partie, II, pp. 469-470, Paris,
1964, remarque qu'Érasme ne recherche pas une tierce position entre Rome et
Wittemberg. « Il supporte les maux de l'Église jusqu'à ce qu'il la voie meilleure,
de même que l'Église est bien forcée de le supporter, lui, jusqu'à ce qu'il devienne
meilleur et il ne dit pas, comme le prétend Renaudet, qu'il reste provisoirement
dans l'Église romaine jusqu'à ce qu'il en trouve une meilleure (cfr A .RENAUDET,
Érasme et l'Italie, pp. 9, 169, 175, 197, 200, 305, 306, 351 et A. RENAUDET, *Études
érasmiennes*, p. 171). L'interprétation de Renaudet repose sur une ligne mal
traduite de l'*Hyperaspistes I, L.B.*, t. 10, col. 1258 A.

[633] *L.B.*, t. 10, col. 1598 A-B et 1618 D-E.

[634] *L.B.*, t. 10, col. 1618 E. L. FÈBVRE et H.J. MARTIN, *L'apparition du livre*,
pp. 437-445, Paris, 1958, ne sont pas de cet avis. Érasme a raison s'il n'envisage
que la production des livres catholiques. Ceux-ci n'ont aucun succès, se vendent

engagé des professeurs mais il faudra engager des auditeurs tant
l'amour des études est ardent [635] ! » Quoi d'étonnant lorsque les
Strasbourgeois eux-mêmes ont déclaré publiquement qu'il ne fallait
rien enseigner si ce n'est la langue hébraïque et quelques rudiments
de grec, véhicules de la sagesse antique [636] ! Le latin était en effet
pour eux « l'instrument de la domination de Rome sur les con-
sciences [637] » ... Il fallait pour cette raison le délaiser, même si, par
là, ils s'opposaient à des humanistes comme Mélanchthon ou
Rhenanus, sans parler d'Érasme qui prétendait que la connaissance
des trois langues était nécessaire à la compréhension de l'Écriture
Sainte [638]. Dès lors, pour lui, leur mouvement ne peut qu'être mauvais, d'autant plus que les dirigeants ont employé des ruses indignes
de leur profession de foi. « Si quelqu'un s'abandonne dès le début,
que faut-il attendre de lui par la suite [639] ?»

Tous ces arguments groupés en quelques pages formeraient un
réquisitoire impressionnant contre la Réforme mais, dispersés à
travers toute la lettre, ils perdent de leur vigueur. Ils se mêlent

---

mal et leur publication ne rapporte pas aux imprimeurs. Dès lors, on peut se
demander si l'imprimeur, source des informations d'Érasme n'est pas Froben qui
s'est décidé, sur les instances mêmes d'Érasme, à ne plus publier d'ouvrages luthériens d'autant plus que les écrits plus recherchés jusque là, ceux d'Érasme
notamment, voient leur audience baisser. Par contre, la Réforme amène la publication d'un grand nombre de pamphlets ou *Flugschriften* qui sont des livres
maniables et légers, de typographie claire. A cette époque, sur septante imprimeurs allemands environ, quarante cinq au moins sont au service de Luther.
De 1522 à 1546, on compte quatre cent trente éditions totales ou partielles de
la Bible de Luther dont certaines ont atteint un tirage exceptionnel. « Pour la
première fois, s'est constituée alors une littérature de masse destinée à tous et
accessible à tous. » Voir aussi J. HUIZINGA, *op. cit.*, p. 287.

[635] *L.B.*, t. 10, col. 1618 D-E. Cfr ALLEN,*Opus*, t. 7, p. 231, l. 18-21, n° 1901 :
« Certes, partout où règne cette sorte d'hommes, de quelque nom qu'il faille la
désigner, les études végètent et ne rencontrent pas de faveur. A Nuremberg,
les professeurs sont payés par le trésors de la ville, non les auditeurs. Cfr t. 7,
p. 366, l. 40-42, n° 1977. Cette déclaration d'Érasme offensera d'ailleurs Hélius
Eobanus. Cfr ALLEN, *Opus*, t. 9, pp. 174-175, l. 9-47, n° 2446. La fondation de
l'*oberen Schule* de Nuremberg, en présence de Mélanchthon eut lieu en mai 1526.
(Cfr E. STAEHELIN, *op. cit.*, t. 1, pp. 406-407.)

[636] *L.B.*, t. 10, col. 1616 F. Cfr ALLEN, *Opus*, t. 5, pp. 597-598, l. 152-154,
n° 1523, Érasme à Mélanchthon, Bâle, 10 décembre 1524. C'est peut-être une
allusion à *W.A., Br.*, n° 797.

[637] J.-V. POLLET, *op. cit.*, t. 2, p. 55.

[638] *L.B.*, t. 2, col. 354-C-355 C : *Illotis manibus*, traduit par J.B. PINEAU,
Érasme, sa pensée religieuse, pp. 164-165, Paris, 1923. Cfr L.-E. HALKIN, *Érasme*,
p. 62.

[639] *L.B.*, t. 10, col. 1599 D. Cfr *L.B.*, t. 10, col. 1582 F-1583 A.

constamment aux griefs personnels d'Érasme contre l'un ou l'autre de ses adversaires et perdent alors leur portée générale. Érasme s'étend très longuement, en effet, sur les désagréments que lui ont causés certains réformés. Il peut parler de ce sujet avec assurance, puisqu'il puise dans sa propre expérience. Il détaille à nouveau l'attitude de Geldenhauer dans les derniers temps et ne se laisse pas convaincre par le plaidoyer de Bucer. Celui-ci prétend que les lettres de Geldenhauer ne contiennent rien de séditieux, mais « n'est-ce pas séditieux d'exhorter les princes à enlever aux prêtres et aux moines leurs moyens d'existence pour les donner aux pauvres [640] »? Il réitère avec force détails les accusations énoncées précédemment contre Capiton, Otho Brunfels et Eppendorf [641] et il poursuit ironiquement : « Voilà ces hommes craignant Dieu, aimant l'honnêteté, ceux qui obéissent au magistrat, qui veillent à être utiles à tous et à ne blesser personne [642]! » Érasme analyse aussi de façon très précise l'attitude de Pellican et de Léon Jude dans la lutte à propos de l'Eucharistie [643]. Quoi qu'en pensent ces personnages, Érasme a affirmé uniquement ce que Paul, Augustin et tous les théologiens orthodoxes rapportent, à savoir qu'il faut recevoir spirituellement le corps et le sang du Christ, sans quoi l'absorption corporelle n'est pas utile et même est funeste [644], et il l'a écrit clairement au Sénat de Bâle [645]. Contrairement à ce qu'affirme Bucer, Jude ne s'est pas contenté de citer Érasme mais il a déformé ses paroles et les a rapportées de façon tronquée [646], affirmant que ce dernier appelle le pain et le vin les symboles du corps et du sang du Christ, « comme si je pensais que ces éléments sont les signes du corps et du sang et que ceux-ci seraient absents, alors que de façon éclatante, pour expliquer ce que je pense, j'appelle la communion même, symbole de l'éternelle Alliance [647] ». Depuis lors, il n'a plus

---

[640] *L.B.*, t. 10, col. 1599 E.

[641] *L.B.*, t. 10, col. 1616 A-E. Cfr chapitre III.

[642] *L.B.*, t. 10, col. 1616 E.

[643] *L.B.*, t. 10, col. 1600 C-1602 D.

[644] *L.B.*, t. 10, col. 1600 B.

[645] *L.B.*, t. 10, col. 1600 B. Cfr ALLEN, *Opus*, t. 6, p. 206, n° 1636, Érasme au Conseil de la ville de Bâle (Bâle) (ca. octobre 1525) mais surtout, t. 6, pp. 337-342, n° 1708.

[646] *L.B.*, t. 10, col. 1601 A.

[647] *L.B.*, t. 10, col. 1601 D. Cfr *Maynung*, pp. A 2 (1), A 3 (1), A 3 (4) : mit vil worten zu verston geben, das das sey brot und weyn die er Symbola nennet, das ist bedeutliche zayche... » cité par G. KRODEL, *op. cit.*, p. 258. Voir *Paraphrases de la première épître aux Corinthiens*, chap. X et XI, *L.B.*, t. 7, col. 891 A-898 A et *Enchiridion*, *L.B.*, t. 5, col. 30 F.

eu avec ces gens ni relations suivies, ni même aucun contact « pour que la foule ne pense pas que nous étions d'accord sur les dogmes [648] ». S'il a continué à entretenir des relations amicales avec Mélanchthon, c'est parce qu'il appréciait son effort pour promouvoir les belles-lettres et non, parce qu'il était d'accord avec lui [649]. Quant à Farel, c'est avec raison qu'il s'est plaint de lui; il l'a dépeint tel qu'il l'avait expérimenté [650] : c'est un fat séditieux, à la langue acide [651]. A Bâle, d'ailleurs Oecolampade lui-même avait réprimandé Farel pour sa violence [652]. « Si maintenant, il s'est converti à une vie meilleure, concède Érasme, je l'en félicite [653]. » Ils ont beau se réclamer de l'évangile, leurs actes ne portent aucune trace du véritable esprit évangélique et sont empreints de ruse et de mensonge [654]. « Et lorsque Paul parle ainsi : « Je sais qu'il s'introduira parmi vous des loups cruels qui n'épargneront pas le troupeau et qu'il s'élèvera du milieu de vous des hommes qui enseigneront des choses pernicieuses pour entraîner les disciples après eux [655], avec lequel des deux partis ces mots s'accordent-ils plutôt ? » Érasme croit que cette prédiction répétée dans tout le Nouveau Testament [656] s'applique aux réformés qui, par l'intro-duction de nouveaux dogmes, suscitent tant de désordres [657].

A présent, Érasme parle de façon beaucoup plus détaillée que dans l'*Epistola contra pseudevangelicos* des querelles qui ont éclaté au sein même de la Réforme. Bucer les avait comparées aux diffé-rends qui étaient nés parmi les Apôtres. Érasme répond à cela que

---

[648] *L.B.*, t. 10, col. 1620 C-E.

[649] *L.B.*, t. 10, col. 1625 A. Cfr reproche de Bucer dans l'*Epistola apologetica*, f° B 3 v°.

[650] *L.B.*, t. 10, col. 1618 A. Pour un compte-rendu des actions de Farel en 1524, voir ALLEN, *Opus*, t. 5, pp. 569-572, n° 1510, Érasme à Antoine Burgnarius, Bâle, 27 octobre 1524 et t. 5, pp. 544-550, n° 1496. Érasme fut informé très certainement, prétend Allen, par Pierre Tossanus qui tâchait par là de gagner la faveur de l'humaniste.

[651] *L.B.*, t. 10, col. 1617 F.

[652] A.L. HERMINJARD, *op. cit.*, t. 1, pp. 255-256, n° 111, Oecolampade à Farel, 3 août 1524 et t. 1. pp. 265-267, n° 115, Oecolampade à Farel, 19 août 1524. Cfr E. STAEHELIN, *op. cit.*, t. 1, pp. 276-277, n° 192.

[653] *L.B.*, t. 10, col. 1617 F.

[654] *L.B.*, t. 10, col. 1603 B-1603 F. Cfr ALLEN, *Opus*, t. 5. p. 482, l. 82-85, n° 1459, t. 7, p. 360, l. 16-17, n° 1973 et *L.B.*, t. 10, col. 1580 A.

[655] *Actes* 20. 29-30.

[656] *Matth.* 24. 4-5. *II Thess.* 2. 2. *I Jean* 2. 18-19. *I Jean* 4. 1. *II Pierre* 2. 1.

[657] *L.B.*, t. 10, col. 1605 A. Cfr *Detectio praestigiarum*, *L.B.*, t. 10, col. 1563 E.

les Apôtres avaient toujours été d'accord sur le plan des dogmes [658] et que les Pères n'ont jamais été en désaccord sur ce qui est nécessaire au salut [659]. La querelle à propos de l'Eucharistie, par contre, est totalement différente des divergences entre Paul et Pierre sur la question de savoir s'il était temps d'abolir les cérémonies de la loi ancienne [660].

Quant aux mœurs en usage parmi les réformés, Érasme les connaît pour les avoir observées chez plusieurs étrangers et chez ses anciens amis [661], notamment chez Cannius, son *famulus*. Plus tard encore, un autre *famulus*, Claudius, passé dans le camp des réformés provoquera chez Érasme des réflexions amères [662]. Il appelle ces gens, pour cette raison, « pseudoévangéliques ». « Ceux qu'auparavant j'avais connus purs, loyaux et sans malice, dès qu'ils se furent ralliés à cette secte, commencèrent à parler des femmes, à jouer aux dés, à dédaigner la prière, à s'intéresser au gain, à se montrer injurieux, vindicatifs, détracteurs, vaniteux et dépravés [663]. » Au lieu de se comparer aux évêques, les chefs de la Réforme devraient penser que « tous les évêques de Rome, jusqu'au vingt-et-unième sont morts martyrs. Nous verrons qui sera le vingtième succéder à Zwingli, à Oecolampade ou à Capiton [664] » ! Que rencontre-t-on dans leur Église? « Des faibles, des dissipateurs, des vagabonds, des moines et des prêtres renégats, des gens désireux d'innovations et de débauche, des jeunes, des prostituées irréfléchies, des mercenaires, des gens sans caractère, des gens qui se trompent, des soldats et certains même infâmes par leurs crimes [665] », quoique Bucer ait opposé à ces anonymes le prince de Hesse et l'électeur de Saxe, Mais, chez aucun d'eux, la sainteté de vie n'est telle

---

[658] *L.B.*, t. 10, col. 1605 D.

[659] *L.B.*, t. 10, col. 1605 E.

[660] *L.B.*, t. 10, col. 1605 E-1606 A.

[661] *L.B.*, t. 10, col. 1607 A-1608 C. Voir aussi ALLEN, *Opus*, t. 8, p. 498, l. 1-11, nº 2356, Érasme à Viglius Zuichemus et Charles Sucquet, Fribourg, 31 juillet 1530. Sur Cannius, voir F. BIERLAIRE, *La Familia d'Érasme*, pp. 72-76, Paris, 1968. Érasme l'accuse notamment d'exciter contre lui tous les *ecclesiastes* et le soupçonne de faire le tour de toutes les églises « évangéliques ».

[662] Sur Claudius, voir ALLEN, *Opus*, t. 9, p. 94, l. 41-51, nº 2412, Érasme à Jérôme Froben, Fribourg, 15 décembre 1530 et F. BIERLAIRE, *op. cit.*, pp. 91-92.

[663] *L.B.*, t. 10, col. 1608 E. Cfr ALLEN, *Opus*, t. 7, p. 232, l. 61-64, nº 1901, *L.B.*, t. 10, col. 1578 B-C.

[664] *L.B.*, t. 10, col. 1608 F-1609 A.

[665] *L.B.*, t. 10, col. 1621 C.

qu'elle puisse pallier l'absence de miracles [666]. Ils reprochent aux autorités ecclésiastiques de prescrire ce que les Apôtres n'ont pas recommandé. C'est que, dit Érasme, les Apôtres n'ont pas vécu à notre époque, sinon ils auraient très certainement « imposé à nos mœurs des règlements bien plus sévères [667] ». Nombreux sont ceux, en effet, qui « sous ce manteau de l'évangile et ce titre chrétien cachent une âme de païen [668] ». Ils seraint même beaucoup plus libres s'ils ne croyaient pas au ciel, à l'enfer et à l'immortalité de l'âme, dit-il ailleurs [669].

Érasme alors entreprend une critique sévère des troubles qui s'étaient produits à Bâle en 1529 [670]. Bucer reconnaît que ces événements ont eu un aspect révolutionnaire; il en prend la défense en montrant notamment que le parti réformateur avait la majorité du peuple derrière lui, mais la majorité des évêques n'a-t-elle pas condamné Athanase [671]? La majorité n'a pas nécessairement raison [672] et ne professe pas toujours une croyance orthodoxe. Érasme n'en veut pour exemple que les Églises ariennes et la religion mahométane [673]. Les réformés repoussent l'accusation d'hérésie? Mais qui a jamais vu des hérétiques accepter une condamnation, qu'ils soient ariens, donatistes ou manichéens? Dès lors, pourquoi appeler Érasme hôte ingrat [674] parce qu'il n'approuve pas tout ce qui se fait à Bâle? En fait, déclare-t-il, « je pense que la ville de Bâle ne me doit pas moins que je ne lui dois [675] »; n'en a-t-il pas fait la capitale de l'humanisme [676] ?

---

[666] *L.B.*, t. 10, col. 1623 F. Cfr Allen, *Opus*, t. 9, p. 152, l. 18-20, n° 2440.

[667] *L.B.*, t. 10, col. 1610 B.

[668] *L.B.*, t. 10, col. 1611 D. Cfr *L.B.*, t. 10, col. 1578 E.

[669] *L.B.*, t. 10, col. 1580 C.

[670] *L.B.*, t. 10, col. 1613 B. Cfr Allen, *Opus*, t. 8, pp. 162-164, l. 2-90, n° 2158, t. 8, pp. 178-179, l. 11-20, n°2167 et t. 9, p. 448, l. 122-130, n° 2615.

[671] Athanase naquit à Alexandrie vers 296. Il devint évêque de cette ville en 328. Il prit part au concile de Nicée et à la définition de la consubstantialité. Déposé par le concile arien de Tyr (335), cinq fois exilé, il défendit toujours la vraie doctrine et s'opposa, soit sur son siège, soit en exil, à la sécularisation de l'Église par le parti arien. *Dictionnaire de la Bible*, t. I, col. 1208-1210.

[672] *L.B.*, t. 10, col. 1614 F.

[673] *L.B.*, t. 10, col. 1623 E-F.

[674] Allen, *Opus*, t. 8, pp. 178-179, l. 11-20, n° 2167. Érasme composera pourtant un quatrain en hommage à la ville qui l'accueillit pendant si longtemps. Voir Allen, *Opus*, t. 8, p. 231, l. 33-36, n° 2196.

[675] *L.B.*, t. 10, col. 1617 E. Cfr Allen, *Opus*, t. 5, p. 567, l. 18-19, n° 1508, Érasme au Conseil de la ville de Bâle (Bâle) (octobre 1524) : « (votre cité) cui, ut par est, et faveo et debeo plurimum ».

[676] L.-E. Halkin, *op. cit.*, p. 43.

Par ailleurs, les réformés approuvent la paix mais à condition que tout ce qu'ils ont fait et feront soit admis par le pape, les évêques, les princes et le peuple à l'égal du pur évangile [677]. Sinon, ils n'ont que des menaces à la bouche contre ceux qui, selon eux, tuent les ministres innocents de la parole, repoussent la vérité évangélique, résistent opiniâtrement à l'Esprit-Saint, adorent les idoles, ont blasphémé contre le Christ, interprètent de travers l'Écriture Sainte, ignorent le Christ et honorent Satan; et tous ceux-là, précise Érasme, c'est nous [678] ! A cet « idéal de paix » des réformés, Érasme oppose le sien. Il a tout fait pour que l'affaire soit réglée sans effusion de sang et « plutôt que de plonger l'Allemagne entière dans le meurtre, il aimerait mieux permettre aux sectes de rester là où elles sont maintenant, jusqu'au moment où Dieu lui-même apporterait quelque remède [679] ».

Érasme termine sa lettre par une prière. Il renouvelle le souhait qu'il avait exprimé dans les premières pages : que ses lecteurs restent au sein de l'Église catholique [680]. Il montre que les abus peuvent être supprimés dans le calme par les princes [681] et dénonce les ruses dont se servent les réformés pour appâter les hommes [682] et les plonger dans les plus grands des crimes; l'hérésie et le schisme. « La réforme de l'Église ne réussira que si elle procède des plus grands [683] », c'est-à-dire, si le pape et l'Empereur en prennent l'initiative. L'Église a vaincu des orages bien plus graves au temps d'Arcadius et de Théodose puisqu'elle a triomphé des ariens, des origénistes, des donatistes, des circumcellions, des marcionistes, des manichéens, des anthropomorphistes et des pélagiens. Il ne faut donc pas désespérer [684] !

---

[677] *L.B.*, t. 10, col. 1622 F.

[67?] *L.B.*, t. 10, col. 1624 B.

[679] *L.B.*, t. 10, col. 1624 C-D. Cfr ALLEN, *Opus*, t. 6, p. 311, l. 107-112, n° 1690 : « Peut-être vaudrait-il mieux obtenir des cités où le mal a gagné du terrain, que l'un et l'autre parti ait sa place et qu'on laisse chacun à sa conscience, jusqu'à ce que le temps amène l'occasion d'un accord... En outre, il faudra corriger quelques-uns des abus d'où est né le mal et attendre pour le reste le concile général. » Cfr t. 9, p. 15, l. 37-55, n° 2366, Érasme à Campegio, 18 août 1530.

[680] *L.B.*, t. 10, col. 1629 C.

[681] *L.B.*, t. 10, col. 1629 D-1630 B.

[682] *L.B.*, t. 10, col. 1630 B.

[683] *L.B.*, t. 10, col. 1630 D.

[684] *L.B.*, t. 10, col. 1630 E. Cfr ALLEN, *Opus*, t. 9, p. 15, l. 39-52, n° 2366.

Cet écrit provoqua quelques réactions du côté strasbourgeois, — les réformateurs parlent même de calomnie et de malveillance [685], — mais ne reçut pas de réponse.

Conclusions.

La *Responsio* laisse son lecteur perplexe. Il se demande ce qu'a voulu Érasme. Celui-ci suit pas à pas l'écrit de Bucer mais en extrait uniquement lespoints sur lesquels il est en désaccord avec lui. Il y répond ensuite plus ou moins longuement en y mêlant constamment ses problèmes et ses griefs personnels et il donne par là à sa composition un aspect désordonné. La comparaison entre Érasme et Bucer tourne plutôt à l'avantage de ce dernier, car il a su donner à son œuvre une unité et un enchaînement logique qui font défaut à la *Responsio*. Pourtant, si on rassemble les remarques générales dispersées à travers toute la lettre, on se rend compte qu'Érasme vise bien plus loin que sa propre défense. Il veut célébrer l'Église catholique, en montrer les bienfaits et, par là, se rendre agréable aux princes dont il attend l'intervention. Cette lettre lui vaut par ailleurs les félicitations de Jean Eck, célèbre théologien catholique [686] et apaise les soupçons que nourrissait sur son orthodoxie Mathias Kretz, prédicateur d'Augsbourg [687]. Par ailleurs, Érasme s'oppose

[685] *Zwinglis sämtliche Werke*, t. 11, p. 162, 1. 13-14, n° 1107, Capiton à Zwingli, Strasbourg, 27 septembre 1530 : « Erasmus quanta nos gravet invidia, ex libello in Bucerum facile agnosces » et F. Schiess, *op. cit.*, t. 1, p. 235, n° 184, Bucer à Ambroise Blaurer, 13 janvier 1531 : « Ad Erasmi calumnias nondum statui quid facturus sit; hactenus perpendet animus in tuum consilium, necdum enim legi illas attentius in itinere tantum percurri eas, cum e Nuremberga Lutherum adirem. »

[686] Allen, *Opus*, t. 9, p. 54, 1. 23-27, n° 2387, Jean Eck à Érasme, Augsbourg, 18 septembre 1530. La lettre de Eck entrera d'ailleurs en possession des Strasbourgeois. Cfr *Thesaurus Baumianus*, t. 3, Geryon à Bucer, 30 novembre 1530 : « Dedi ad Blauerum litteras dum tu eras apud Helvetios, quibus inclusae erant eccianae gloriae, hoc est, epistola Ecci ad Erasmus Rotterdamum. In qua convenire videtur Eccius cum Erasmo propter apologiam Erasmi contra Capernaitas : tam nos vocat Argentinenses, hortabar Blaurerum ut eam ad te mitteret, quod an factum sit, nondum scio. »

[687] Allen, *Opus*, t. 9, p. 172, 1. 119-122, n° 2445, Érasme à Mathias Kretz, Fribourg, 11 mars 1531. Mathias Kretz naquit à Landsberg. Il étudia à Vienne, à Tubingen et prit ses grades à Ingolstadt. Il devint professeur, notamment à Munich. En 1519, il était prêtre de la cathédrale de Eichstett et, en 1521, il alla à Augsbourg comme prédicateur. Il assista à la dispute de Baden et à la Diète d'Augsbourg. Il devint par la suite prêtre, puis doyen de Munich où il mourut en 1543.

de toutes ses forces au mouvement réformateur parce qu'il apporte le trouble et la confusion. Malheureusement, par besoin de se disculpter, il affaiblit son argumentation.

Pour avoir assez mal composé sa *Responsio*, Érasme a deux excuses : celle du temps, — c'est en effet un écrit composé à la hâte, — et celle de son état psychologique. Lorsqu'on connaît Érasme, on peut aisément se figurer l'exaspération et la colère qui l'ont saisi à la lecture d'un écrit, pour lui injuste et injustifiable, et la fébrilité avec laquelle il a voulu se disculper [688]. Sa seule consolation est que beaucoup d'érudits, « dont chacun vaut plus que trois cents *Vulturii* et *Bucephali* », lui apportent un soutien moral [689]. Il écrivit bien plus tard à Bucer que son intention dans ce dernier écrit était d'apaiser les agitations dangereuses en Allemagne du Sud et en Suisse [690], mais les résultats furent à l'opposé de ce qu'il souhaitait : il ne s'est concilié aucun réformateur mais il en a soulevé plus encore contre lui [691]. Par là même, il se sent menacé car il est persuadé que, si la guerre éclate, il sera parmi les premières victimes des zwingliens et des luthériens : mieux vaut, pour lui, mourir que renier l'Église catholique [692] !

---

[688] ALLEN, *Opus*, t. 9, p. 70, 1. 29-30, n° 2400, Érasme à Boniface Amerbach, Fribourg, 26 octobre (1530) et A. HARTMANN, *op. cit.*, t. 3, p. 517, n° 1439 : « Primo illius adventu sparsus erat rumor, me sic offensum libro Argentinensium ut inciderim in phrenesim et ea perierim. » Cfr t. 8, p. 445, 1. 9-11, n° 2324.

[689] ALLEN, *Opus*, t. 9, p. 260, 1. 21-24, n° 2486.

[690] ALLEN, *Opus*, t. 9, p. 446, 1. 24-26, n° 2615.

[691] ALLEN, *Opus*, t. 9, p. 260, 1. 34-35, n° 2486. Cfr t. 9, p. 464, 1. 21-22, n° 2623.

[692] ALLEN, *Opus*, t. 9, p. 92, 1. 42-44, n° 2411, Érasme à Laurent Campegio, Fribourg (ca. fin novembre) 1530.

CHAPITRE VII

DERNIERS PROLONGEMENTS
DE LA POLÉMIQUE

L'*Epistola apologetica* ne fut pas la seule réponse à l'*Epistola contra pseudevangelicos* d'Érasme. Entre la première édition autorisée de cet écrit et la seconde, Érasme reçut encore deux lettres qui sont perdues aujourd'hui [693], mais on peut en reconstituer le contenu grâce aux réponses qu'Érasme y fit et qu'il annexa à la seconde édition autorisée de l'*Epistola contra pseudevangelicos*, en 1531 [694].

A. Lettre d'Érasme à Grunnius.

L'auteur de la lettre ou du pamphlet cache son identité sous le pseudonyme de *Grunnius*, à moins qu'Érasme lui-même ne l'affuble de ce surnom, rééditant le procédé utilisé vis-à-vis de Geldenhauer qu'il appelait *Vulturius Neocomus* [695]. Le contenu de la lettre montre clairement que le correspondant d'Érasme appartient au parti des réformateurs de Strasbourg et qu'il est un ami de Geldenhauer. Preserved Smith est enclin à l'identifier à Bucer [696], mais Érasme

---

[693] Est-ce à ces lettres que Quirinus Talesius, secrétaire d'Érasme, fait allusion lorsqu'il écrit à Amerbach, le 3 septembre 1530 : « Nous avons appris que les ecclésiastes de Strasbourg ont édité un autre livre sur l'eucharistie dans lequel Érasme est traité par ces évangéliques de façon également évangélique? » Voir A. HARTMANN, *op. cit.*, t. 3, pp. 534-535, n° 1464.

[694] L'existence de ces lettres est connue grâce aux réponses d'Érasme. Ces réponses sont imprimées à la fin de l'*Epistola contra Pseudevangelicos*, Fribourg, Emmeus, s.d. Il s'agit de ALLEN, *Opus*, t. 9, pp. 151-152, Érasme à Grunnius, Fribourg, 5 mars 1531 et t. 9, pp. 153-156, Érasme à Eleutherius, Fribourg, 6 mars 1530 ou 1531.

[695] *L.B.*, t. 10, col. 1574 A.

[696] P. SMITH, *Erasmus, a study of his live, ideals and place in history*, p. 393, New-York, 1962.

a déjà répondu à Bucer par sa *Responsio ad Fratres Germaniae inferioris*. D'autre part, les propos qu'Érasme prête ici à son interlocuteur n'apparaissent pas dans l'*Epistola apologetica*. Et d'ailleurs, pourquoi Bucer aurait-il écrit une lettre alors qu'il avait déjà répondu à Érasme par un pamphlet? De plus, Érasme a déjà attribué à Bucer un surnom : *Bucephalus*. Si l'on écarte Bucer, on pourrait peut-être identifier Grunnius avec Capiton qui remplit les conditions exposées plus haut.

Érasme veut avant tout réfuter deux accusations. D'abord, selon Grunnius, il avait attaqué tous ceux qui professent la piété évangélique, c'est-à-dire tous les chrétiens [697]. Au contraire, il a voulu, en toute amitié, prévenir une nouvelle guerre [698], empêcher qu'on en vienne aux armes et favoriser la restauration de la paix dans l'Église [699]. S'il avait voulu se venger des évangéliques, il aurait été bien plus dur [700]. Il ne peut croire, comme l'affirme Grunnius, que Geldenhauer n'ait pas voulu irriter les princes allemands en prenant la défense des hérétiques. Et lorsque Grunnius prétend que Geldenhauer, tel Moïse devant Pharaon, ne se serait pas laissé intimider par la colère des princes, Érasme lui répond adroitement : « S'il peut être comparé à Moïse, qu'il fasse des miracles et qu'il écarte de nous, par son intercession, ces calamités, ces guerres, cette misère et cette ruine. N'avez-vous pas honte de cette bravade [701] ? » Bien plus, poursuit Érasme, au lieu de lutter ouvertement contre moi, comme le voudraient certains, au lieu de prouver qu'aucun de mes griefs contre les réformés n'a de fondement, il plaisante et flagorne [702]. Aussi Érasme n'a-t-il qu'un désir : « qu'ils acquièrent plus de maturité ou, du moins, qu'ils deviennent plus dignes de l'évangile [703] » !

---

[697] ALLEN, *Opus*, t. 9, p. 152, l. 1-3, n° 2440. Cfr *L.B.*, t. 10, col. 1591 F-1592 A.

[698] ALLEN, *Opus*, t. 9, p. 152, l. 3-5, n° 2440 et l. 8-11.

[699] Érasme fait allusion ici à la révolte des Paysans. Cfr *L.B.*, t. 10, col. 1577 C et 1603 A-B.

[700] ALLEN, *Opus*, t. 9, p. 152, l. 6-8, ° 2440.

[701] ALLEN, *Opus*, t. 9, p. 152, l. 14-20, n° 2440.

[702] ALLEN, *Opus*, t. 9, p. 152, l. 20-24, n°2440. Geldenhauer, en effet, réimprima à Strasbourg durant les premiers mois de 1530 l'*Epistola contra Pseudevangeilcos* « cum scholiis, hoc est scurrilibus conviciis » (cfr ALLEN, *Opus*, t. 8, p. 442, l. 25-26, n° 2321 et t. 8, pp. 393-394, n° 2293).

[703] ALLEN, *Opus*, t. 9, p. 152, l. 31-32, n° 2440.

B. Lettre d'Érame à Eleutherius.

La seconde missive, écrite pendant une maladie de l'humaniste [704], est adressée à un certain *Eleutherius*. Ici encore, Érasme use d'un pseudonyme pour désigner son correspondant. Il hellénise la forme allemande de son nom, procédé qu'il avait déjà utilisé envers Geldenhauer [705]. Le contexte général de la lettre se rapporte assez clairement à la querelle strabourgeoise et répond donc à un écrit émanant du milieu réformé strasbourgeois. On peut, pour cette raison, écarter Luther et Zwingli qui auraient pu, tous deux, adopter ce pseudonyme [706]. Il s'agirait plutôt, dit Allen, de Sébastien Franck [707] qui avait émigré à Strasbourg en 1529. Dans une de ses œuvres, le *De arbore scientiae boni et mali*, il s'appelle lui-même *Augustinus Eleutherius*, grécisant son nom et transformant son prénom [708].

[704] ALLEN, *Opus*, t. 9, p. 156, 1. 115-118, n° 2441. Cette indication peut nous permettre, semble-t-il de dater la lettre avec plus de précision. En effet, s'il faut en croire N. PINET, *op. cit.*, pp. 22-24, Érasme est très sérieusement malade en mars 1530. Il se plaint de ses calculs vésicaux et les douleurs deviennent intolérables fin mars. De nombreuses lettres se font l'écho de ces douleurs : ALLEN, *Opus*, t. 8, p. 339, 1. 316-320, n° 2260, p. 346, 1. 115-118, n° 2263, t. 8, p. 389, 1. 54, n° 2290, p. 396, 1. 32-33, n° 2295, t. 8, pp. 405-406, 1. 5-8, n° 2300. En 1531, par contre, il ne ressent aucune alerte sérieuse. La lettre à Eleutherius se placerait donc avec plus de vraisemblance en 1530.

[705] ALLEN, *Opus*, t. 9, p. 156, 1. 95-97, n° 2441. Voir notes 267 à 269.

[706] Luther lui-même s'appelle parfois *Eleutherius*, donnant ainsi une forme grecque à son nom. D'autre part, Hutten usant du pseudonyme d'Eleutherius pour traduire, semble-t-il, Huldrich, Preserved SMITH, *op. cit.*, p. 393, suggère qu'il s'agirait peut-être ici de Zwingli qui, comme Hutten, porte le nom de Ulrich (cfr ALLEN, *Opus*, t. 9, p. 153, n° 2441, introduction).

[707] Voir A. KOYRÉ, *Sébastien Franck*, dans *Cahiers de la Revue d'Histoire et de philosophie religieuse*, n° 24, Paris, 1932, D. RIEBER, *Sébastian Franck (1499-1542)*, dans *Bibliothèque d'Humanisme et de Renaissance*, t. 21, Genève, 1959 et R. KOMMOSS, *Sebastian Franck und Erasmus von Rotterdam*, dans *Germanische Studien*, cahier 153, Berlin, 1934. Voir aussi J. LECLER, *Les premiers défenseurs de la liberté religieuse*, t. 1, pp. 151-166, Paris, 1969. Sébastien Franck est né à Donauwörth en Souabe. Il suivit les cours à Ingolstadt puis au collège dominicain de Heidelberg. Là, il fit la connaissance de Bucer. Il fut ordonné prêtre vers 1524 mais, en 1525, il rejoignit les réformés de Nuremberg. Dès 1528, il fut suspecté d'anabaptisme et dut émigrer à Strasbourg, en 1529. En 1530, il publia une *Türkenchronik* et, le 5 septembre de la même année, un travail qui offensa grandement Érasme : la *Chronica, Zeytbuch und Geschychtbibel*. Après un court emprisonnement, il fut chassé de Strasbourg et alla d'abord à Esslingen puis à Ulm ,d'où il fut expulsé. Il s'établit ensuite comme imprimeur à Bâle en 1531. Voir aussi M. KREBS et H.G. ROTT, *op. cit.*, pp. 358-359, et G.H. WILLIAMS, *The radical reformation*, p. 266, Philadelphie, 1962.

[708] ALLEN, *Opus*, t. 9, p. 153, n° 2441, introduction. *Sebastos* et *Augustus* signifient sacré, *Franck* et *Eleutheros* veulent dire libre (D. RIEBER, *op. cit.*, p. 201).

Cette seconde lettre est plus longue et plus explicite que celle
adressée à Grunnius. Quelle est l'accusation d'Eleutherius ? Érasme
a traité Vulturius de façon indigne parce qu'il était évangélique
et cela dans un écrit public. Ne valait-il pas mieux l'avertir confi-
dentiellement [709] ? Érasme rejette cette accusation avec indignation :
il s'est décidé à publier son *Epistola contra pseudevangelicos* après
de vaines remontrances [710] et Vulturius a eu connaissance du texte
avant que le manuscrit ne soit porté à l'imprimeur [711]. C'est en
désespoir de cause qu'Érasme s'est résigné à publier l'*Epistola
contra pseudevangelicos*. Par ailleurs, Érasme reproche à Eleutherius d'avoir poussé Geldenhauer à publier cette lettre, accom-
pagnée de remarques personnelles [712], s'il désirait vraiment être le
disciple du Christ. « Les vrais disciples du Christ seraient ceux qui
préparent aussitôt la vengeance [713] » ? Il renouvelle ainsi des
stratagèmes dignes d'un Hutten [714] qui font à l'évangile un tort
immense [715]. Le magistrat de Strasbourg, qui en est conscient, a fait
jeter l'imprimeur en prison [716], sur plainte d'Érasme d'ailleurs,
semble-t-il [717]. Mais ce qui porte l'indignation d'Érasme à son
comble, c'est qu'Eleutherius lui jette au visage qu'il n'oserait quitter
Fribourg pour se rendre à Louvain, à Cologne ou à Paris, ces
bastions du catholicisme. « Pourquoi, continue Érasme, n'ajoutes-tu

[709] ALLEN, *Opus*, t. 9, pp. 153-154, l. 5-14, n° 2441.
[710] ALLEN, *Opus*, t. 9, p. 154, l. 14-16, n° 2441.
[711] ALLEN, *Opus*, t. 9, p. 154, l. 20-22, n° 2441. Il semble que lorsque
Geldenhauer reçut le manuscrit, il écrivit à Érasme une lettre qui arriva alors
que l'*Epistola contra pseudevangelicos* était déjà sous presse. Cfr ALLEN, *Opus*,
t. 8, p. 304, n° 2238.
[712] ALLEN, *Opus*, t. 9, p. 153, l. 7-9, p. 154, l. 32-34 et p. 156, l. 102,
n° 2441.
[713] ALLEN, *Opus*, t. 9, p. 156, l. 99-100, n° 2441.
[714] Hutten avait, en effet, publié, augmentée de ses notes personnelles, la
Bulla decimi Leonis contra errores M. Lutheri et sequacium, en 1520. Voir
J.W. BAUM, *op. cit.,* p. 51 et *Briefwechsel des Beatus Rhenanus,* p. 252, n° 182,
Otho Brunfels à Beatus Rhenanus, 11 novembre 1520, et p. 251, n° 181, Beatus
Rhenanus à Boniface Amerbach, 8 novembre 1520 : « Ul. Huttenus bullam
Pontificis qua Lutherum diris devovet pulchre traduxit hoc est, scholiis salsis et
mordacibus exposuit, irrisitque. In frontispicio libelli insignibus pontificiis hunc
circumposuit versiculum : Astitit Bulla a dextris ejus in vestitu deaurato circuma-
micta varietatibus. »
[715] ALLEN, *Opus*, t. 9, p. 154, l. 32-37, n° 2441.
[716] ALLEN, *Opus*, t. 9, p. 154, l. 37-39, n° 2441 et t. 8, p. 442, l. 26-28,
n° 2321.
[717] ALLEN, *Opus*, t. 8, pp. 393-394, n° 2293, Érasme aux Magistrats de
Strasbourg, Fribourg, 28 mars 1530 et t. 8, p. 442, l. 25-28, n° 2321.

pas à Tolède, à Rome ou à Jérusalem [718] » ? Mais admettons que
toutes les villes ne soient pas sûres pour moi, d'où vient ce danger ?
N'est-ce pas de mon indulgence excessive à votre égard, laquelle
m'a rendu suspect dans l'autre camp ? Il convenait vraiment que
ce soit vous, gens très respectables, qui me lanciez cela au
visage [719] » !

Par aillleurs, comment peut-on dire qu'Érasme tente de se réconcilier avec les sophistes qui lui imputent toute cette tragédie [720] ?
Il lui faudrait écrire contre sa conscience, ce qu'il ne veut à aucun
prix [721]. Il est tout aussi faux de proclamer qu'il flatte Luther.
« Alors que sa cause et la vôtre sont communes, sauf à propos
de l'Eucharistie, comment se fait-il qu'en écrivant contre vous, à
vous en croire, je le flatte [722] » ?

Érasme doit encore répondre au reproche d'avarice [723]. Jamais,
il n'a réclamé de l'argent à quelqu'un et même il en a aidé beaucoup
de sa « petite fortune » [724]. Il a à peine reçu de Froben le tiers de
ce qu'on lui promettait [725]. « Je suis diminué par beaucoup de défauts,
je l'avoue, mais jamais l'avarice n'a eu mainmise sur moi [726]. » Bref,
il est impossible d'entretenir avec des gens de cette espèce, conclut
Érasme, des relations amicales car, si l'amitié est possible avec des
hommes qui diffèrent sur le plan des dogmes [727], « vous, d'amis,
vous devenez aussitôt des ennemis sans pitié, lorsqu'on ne pense
pas comme vous [728] ».

---

[718] ALLEN, *Opus*, t. 9, p. 154, l. 43-47, n° 2441.

[719] ALLEN, *Opus*, t. 9, p. 154, l. 50-53, n° 2441.

[720] ALLEN, *Opus*, t. 9, p. 155, l. 54-56, et l. 59-60, n° 2441. Cfr t. 8, p. 454,
l. 93-107, n° 2329 où Érasme parle de tous ces sophistes qui le déclarent disciple
de Luther, c'est-à-dire Beda, Pius, Sepulveda et Aleandre.

[721] ALLEN, *Opus*, t. 9, p. 155, l. 56-58, n° 2441.

[722] ALLEN, *Opus*, t. 9, p. 155, l. 78-82, n° 2441.

[723] Le correspondant d'Érasme lui a peut-être reproché d'avoir refusé son
aide à Geldenhauer qui avait des difficultés financières (cfr *L.B.*, t. 10,
col. 1574 A-D).

[724] ALLEN, *Opus*, t. 9, p. 156, l. 103-106, n° 2441.

[725] ALLEN, *Opus*, t. 9, p. 156, l. 106-108, n° 2441. Cfr ALLEN, *Opus*, t. 7,
p. 227, l. 52-67, n° 1900, Érasme à Jean de Heemstede (Bâle) (? novembre
1527). Érasme y montre la générosité de Froben à son égard mais déclare
également qu'il n'a jamais profité de sa bonté qu'avec une grande modération.

[726] ALLEN, *Opus*, t. 9, p. 156, l. 110-111, n° 2441.

[727] ALLEN, *Opus*, t. 9, p. 156, l. 113-114, n° 2441. Érasme pense certainement
à Mélanchthon. Cfr *L.B.*, t. 10, col. 1625 A.

[728] ALLEN, *Opus*, t. 9, p. 156, l. 114-115, n° 2441.

C. Sébastion Franck et Érasme.

Les derniers mois de 1531 apportèrent à Érasme un répit tout
relatif. La guerre entre les catholiques et les sacramentaires suisses
s'était terminée le 11 octobre par la bataille de Kappel, au cours
de laquelle Zwingli avait trouvé la mort. Lorsqu'Oecolampade
meurt six semaines plus tard, Érasme donne l'impression d'être
soulagé d'un lourd fardeau, par la mort des deux chefs suisses :
« Nous voici libérés d'une grande crainte, maintenant que les deux
prédicateurs, Zwingli et Oecolampade, sont morts. Leur dispa-
rition a provoqué un bouleversement incroyable dans l'esprit de
beaucoup. C'est certainement la main levée de Dieu : puisse-t-il
achever ce qu'il a commencé pour la gloire de son nom [729] » ! Il est
persuadé que leur mort délivre le monde chrétien d'un grand péril ;
« Si le dieu de la guerre les avait favorisés, c'en était fait de
nous [730] ».

Érasme n'en a pas fini pour autant avec les réformés. En effet,
le 5 septembre 1531, Sébastien Franck publie à Strasbourg, chez
Balthasar Beck [731], sa *Chronica, Zeytbuch und Geschichtbibel* [732].
Il emprunte beaucoup à des chroniques antérieures [733]. La première
partie de la *Chronica* va de la création du monde au Christ. La
seconde partie raconte l'histoire des empereurs, d'Auguste à
Charles-Quint. La troisième partie se divise elle-même en trois :
tout d'abord la chronique des papes, de Pierre à Clément VII,
— Franck y rejette le pontificat romain de Pierre et considère la
donation de Constantin comme un faux, — ensuite, il traite des
conciles et enfin des hérétiques. Dans son œuvre, Franck fait
preuve d'une connaissance parfaite des ouvrages de Luther et les
utilise pour sa lutte contre les abus de la papauté. De même,

---

[729] ALLEN, *Opus*, t. 9, pp. 399-400, l. 38-42, n° 2582, Érasme à Nicolas Olah,
Fribourg, 11 décembre 1531. Cfr ALLEN, *Opus*, t. 9, p. 393, l. 60-62, n° 2576,
Érasme à Symon Grynaeus, Fribourg, 29 novembre 1531, t. 9, pp. 395-396,
l. 1-13, n°2579, Érasme à Laurent Campegio, Fribourg, 2 décembre 1531, t. 9,
p. 400, l. 15-18, n° 2583, Érasme à Marie de Hongrie, Fribourg, 12 décembre
1531 et t. 9, p. 406, l. 30-33, n° 2587, Érasme à Conrad Goclenius, Fribourg,
14 décembre 1531.

[730] ALLEN, *Opus*, t. 9, p. 406, l. 32-33, n° 2587.

[731] Pour sa biographie, voir F. RITTER, *op. cit.*, pp. 226-235.

[732] Voir à ce propos M. KREBS et H. G. ROTT, *op. cit.*, pp. 342-343, et
G.H. WILLIAMS, *op. cit.*, p. 266.

[733] Franck indique lui-même au verso de la page de titre cent onze sources

il utilise les œuvres d'Érasme contre le pouvoir impérial, notamment dans la préface à la « Chronique des empereurs » [734] : « Ainsi donc, c'est un aigle qui guide les empereurs dont nous allons maintenant parler. Quelle est donc la nature spécifique de l'aigle et par conséquent de ceux qui lui ressemblent, les empereurs, les princes, les courtisans, les gouvernants, etc. Sachez bien que la plus grande partie de cette préface à la « Chronique des empereurs » est empruntée à l'adage d'Érasme *Scarabeus aquilam querit* [735] et qu'elle nous conduira à cette conclusion empruntée également à Érasme, à savoir, *on naît roi ou bouffon* [736]. Dans cette préface, Franck décrivait l'aigle comme un animal vorace et sanguinaire. Il essaie en outre de réhabiliter ceux qu'on nomme hérétiques. Dans sa « Chronique des hérétiques », il reprend à un ouvrage orthodoxe de 1522, *le catalogue des hérétiques* [737], préparé par le prieur dominicain Bernard de Luxembourg [738], une liste d'hérétiques pour constater que beau-

---

[734] ALLEN, *Opus*, t. 9, p. 406, l. 21-24, n° 2587. *Chronica*, p. 119, cité par M. KREBS et H.G. ROTT, *op. cit.*, p. 343 . « Weyl die keyser ein adler füren und wir yetz von den keisern zu sagen vorhanden, will ich des adler natur und eigenschafft darbey der keyser, fürsten und herren leben, höfft, hoofgesind, regiment, etc. abconterfeit und anzeyget wirt, erzölen und für ein vorred auff dise keyserchronick stellen, das allermeyst auss dem sprichtwort Erasmi Scarabeus aquilam querit, der rosskefer sucht ein adler, entnemmen unn hieher füren, auch etwas in dem sprichwort Aut regem, aut fatuum nasci oportet, ein künig oder narr muss geboren werden, von Erasmo aussgelegt anziehen. » A ce propos, voir aussi R. KOMMOSS, *op. cit.*, pp. 29-32.

[735] *L.B.*, t. 2, col. 869 A. Pour une analyse et une traduction de cet adage, voir M. MANN PHILLIPS, *The Adages of Erasmus*, pp. 229-263, Cambridge, 1964, J.C. MARGOLIN, *Érasme par lui-même*, pp. 27-28, Paris, 1965, A. RENAUDET, *Études érasmiennes*, pp. 71-72, et L.-E. HALKIN, *Érasme*, p. 41.

[736] *L.B.*, t. 2, col. 106 C. A son sujet, voir M. MANN PHILLIPS, *op. cit.*, pp. 213-225, J.C. MARGOLIN, *op. cit.*, p. 28, A. RENAUDET, *op. cit.*, p. 72 et L.-E. HALKIN, *op. cit.*, p. 41.

[737] *Catalogus hereticorum omnium pene, qui a scriptoribus passim proditi sunt, nomina, errores literarum professione quatuor libris conscriptus. Quorum quartus Lutheri negotium nonnihil attingit*, Cologne, 1522, dédié à Hermann de Wied, archevêque de Cologne. D'autres éditions s'échelonnent de 1523 à 1537. Voir *D.H.G.E.*, t. 8, col. 683. Il s'agit d'un supplément au *Directorium inquisitorum* du dominicain espagnol Nicolas Eymeric. Cet ouvrage, selon le *D.H.G.E.*, manque d'exactitude et de critique. Il fut largement utilisé pour la composition de la liste des livres mis à l'Index.

[738] Bernard de Luxembourg est immatriculé à Cologne le 6 mai 1481. Il entre dans les ordres et est envoyé à Louvain pour y achever sa formation théologique. En 1505, il est nommé maître des études du couvent de Cologne. En 1506, il édite un commentaire d'Albert le Grand sur l'Apocalypse. Il obtient le grade de docteur. Il fait partie, depuis 1516, du conseil de l'Université de Cologne. Le 10 octobre, il reçoit du procureur général de l'Ordre l'autorisation de publier des ouvrages contre Luther, *D.H.G.E.*, t. 8, col. 682.

coup d'entre eux furent des hommes pieux, voire de véritables saints.
D'ailleurs, les vrais chrétiens passent facilement aux yeux du monde
pour des hérétiques et Franck y inclut Érasme. Il indique en outre,
parmi les écrits de l'humaniste, ceux qui avaient été condamnés
pour hérésie [739]. Dans sa préface à la « Chronique des hérétiques »,
il déclare notamment : « Notre époque voit ce que le Pape appelle
hérésie, elle voit l'espionnage, les poursuites, les persécutions, les
mauvais traitements que les jaloux font subir de nos jours à Érasme,
aux savants et aux religieux. Comment, dès lors, ne pas penser
qu'on s'est comporté de la même façon avec les hérétiques précédents, tels Wessel, Wiclif et Huss [740] » ?

Érasme est informé par Bernard de Cles [741] de cette publication
« dangereuse et séditieuse » [742] qui risque de lui aliéner l'Empereur
et Ferdinand [743]. Lorsqu'il apprend que cette œuvre a été publiée
anonymement à Strasbourg, il pense aussitôt que Bucer et Capiton

---

[739] ALLEN, *Opus*, t. 9, p. 454, l. 360-362, n° 2615.

[740] *Chronica*, p. 235, cité par M. KREBS et H.G. ROTT, *op. cit.*, p. 343 :
« Man sihet yetz zu unsern zeiten... was der bapst ketzery heisst, wie sy lauren
und suchen, wie sy mit den umgeen, die noch vor augen seind..., wie Erasmo und
andern gelerten und gotseligen zu unsern zeitten von jren missgünstigen täglich
geschicht. Was wolt daruor, sein, das ich nitt gedencken soll, man sey mit
Wesselo, Wickleff, Hussen, ja auch etlicher mass mit den vorigen alten ketzeren...
auch also umbgagen...? » Ce passage est traduit par J. LECLER, *Les premiers
défenseurs de la liberté religieuse*, t. 1, pp. 153-155.

[741] Bernard de Cles est alors le principal conseiller de Ferdinand. Il est né
le 29 mars 1485. Il provient d'une famille de châtelains originaires de Cles dans
la région de Trente. Il fréquente durant trois ans l'école de Vérone puis, en 1504,
il s'inscrit à Bologne. En 1508, il est censeur de la nation allemande. En 1509,
il reçoit le diaconat, en 1511, il devient docteur en droit et ensuite, chanoine
de Trente. Il quitte Bologne pour entrer au service de l'évêque de Trente.
En 1512, il est archidiacre et protonotaire apostolique. En 1514, il est désigné
à Innsbruck comme conseiller de Maximilien et, le 12 juin 1514, il est élu évêque
de Trente. En 1516, il est nommé gouverneur impérial de Vérone. Son habileté
politique fait rapidement de lui l'un des hommes les plus en vue du moment.
En 1526, il devient président du Conseil privé de Ferdinand et, en 1528, chancelier suprême. Clément VII le nomme cardinal en 1530. Il est pour Érasme un
protecteur important. Il l'invite à venir à Trente. Érasme répond en lui dédicaçant
une édition d'Irénée, Bâle, Froben, août 1526. Il meurt le 29 juillet 1539. ALLEN,
Opus, t. 5, p. 275.

[742] ALLEN, *Opus*, t. 9, p. 453, l. 348-349, n° 2615. Les lettres de Bernard
de Cles n'existent plus. On sait qu'Érasme en reçut une le 14 décembre 1531.
Cfr ALLEN, *Opus*, t. 9, p. 406, l. 25-27, n° 2587.

[743] ALLEN, *Opus*, t. 9, p. 406, l. 19-20, n° 2587. Bernard de Cles le rassure
sur ce point, cfr ALLEN, *Opus*, t. 9, p. 463, l. 5-7, n° 2622, Ratisbonne, 7 (mars)
1532.

n'y sont pas étrangers et qu'ils ont été secondés par Eppendorf [744]. Mais, le premier coupable, c'est Geldenhauer car « personne à Strasbourg n'a ourdi quelque chose contre moi avant que n'y ait émigré Noviomagus [745] ». Érasme demande au cardinal de Trente, membre du Conseil privé de Ferdinand, de le défendre auprès des princes [746]. Avant d'avoir vu le livre, il adresse une lettre de protestation à Capiton où il soupçonne Bucer d'avoir inspiré cette édition [747]. Il envoie également une requête au Conseil de Strasbourg pour qu'on punisse l'auteur [748]. Par la suite, toutefois, il reconnaît son erreur : « Les vieillards me paraissent soupçonneux, non tant à cause de l'âge que pour avoir expérimenté de nombreux maux qu'ils croyaient ne jamais voir arriver. Par exemple, lorsqu'il croient qu'un scorpion dort sous toute pierre, ils se trompent [749]. » Le Conseil de la ville tient séance le 18 décembre 1531, à la suite de la plainte d'Érasme et charge Jacques Sturm [750] de mener l'enquête. Celui-ci reconnaît que la chronique que lui a présentée le chevalier Hans Bock [751] est l'œuvre de Sébastien Franck et contient des passages séditieux [752]. Bucer, qui qualifie ce livre de pamphlet grossier et mensonger [753], accusera plus tard Franck, en 1535, d'avoir obtenu de façon frauduleuse la permission d'imprimer son ouvrage en le présentant comme un recueil d'extraits historiques sans signification et sans commentaires compromettants [754]. La *Chronica* est confisquée, les exemplaires sont détruits et Franck est aussitôt emprisonné. Le 30 décembre 1531, il est même banni de Strasbourg et la vente

---

[744] ALLEN, *Opus*, t. 9, p. 406, l. 24-25, n° 2587.

[745] ALLEN, *Opus*, t. 9, p. 406, l. 27-29, n° 2587.

[746] ALLEN, *Opus*, t. 9, pp. 462-463, l. 1-10, n° 2622.

[747] ALLEN, *Opus*, t. 9, p. 453, l. 345-347, n° 2615. Cette lettre est perdue.

[748] ALLEN, *Opus*, t. 9, p. 453, l. 350-351, n° 2615.

[749] ALLEN, *Opus*, t. 9, p. 453, l. 351-354, n° 2615.

[750] Et non Jean Sturm comme le prétend Allen, *loc. cit.*

[751] Il s'agit de Hans Bock et non de Balthazar Beck, l'imprimeur de la *Chronica*, comme le prétend Allen. Le chevalier Hans Bock fut, de 1506 à 1542, date de sa mort, vingt et une fois stettmeister de Strasbourg (cfr J. KINDLER VON KNOBLOCH, *Das Goldene Buch von Strassburg*, p. 39, 1888).

[752] ALLEN, *Opus*, t. 9, p. 454, l. 386-387, note, n° 2615 et M. KREBS et H.G. ROTT, *op. cit.*, pp. 358-359.

[753] F. RITTER, *op. cit.*, p. 231.

[754] G.H. WILLIAMS, *op. cit.*, p. 266 et ALLEN, *Opus*, t. 9, p. 454, l. 386-387, note, n° 2615. Il semble que Franck ait sollicité des magistrats de Strasbourg une licence pour imprimer mais le titre du livre avait trompé les censeurs appelés à l'examiner et, tandis qu'on l'imprimait, Franck y aurait introduit des matières nouvelles. Cfr F. RITTER, *op. cit.*, p. 231.

de ses livres est interdite [755], peut-être sur intervention personnelle
de Bucer [756]. De sa prison, Franck écrira à Érasme qu'il devrait
plutôt le remercier pour l'honneur qui lui était fait [757]. Franck, banni,
se rend à Kehl. Au printemps 1532, il adresse, appuyé par Beck,
une supplique au Conseil de Strasbourg, demandant la permission
de rentrer dans la ville et de publier sa *Chronica* révisée et élargie,
mais les deux requêtes sont repoussées [758].

D. Rapports ultérieurs d'Érasme et de Bucer.

Bucer écrit également une lettre à Érasme [759] car il a appris
de Capiton qu'Érasme lui impute la responsabilité de la *Chronica* [760].
Il veut se disculper et il profite de l'occasion pour commenter la
conduite d'Érasme vis-à-vis des évangéliques d'Allemagne du Sud
et de Suisse. Il se plaint d'abord de la *Responsio* parce qu'elle
manque de sincérité et d'humanité [761]. Il proteste également contre
la publication des *Epistolae floridae* [762], car Érasme y critique la
Réforme [763], notamment dans une lettre à Georges de Saxe où il
dénonce les nouveaux dogmes [764]. Il assure qu'en secret Érasme est

---

[755] M. KREBS et H.G. ROTT, *op. cit.*, pp. 358-359.

[756] G.H. WILLIAMS, *op. cit.*, p. 266.

[757] ALLEN, *Opus*, t. 9, p. 454, l. 372-375, n° 2615. Voir à ce propos,
R. BAINTON, *Erasmus of Christendom*, pp. 257-258, New-York, 1969.

[758] G.H. WILLIAMS, *op. cit.*, p. 459.

[759] La lettre n'a pas été retrouvée mais on peut en reconstituer le contenu
par la réponse d'Érasme. Cfr ALLEN, *Opus*, t. 9, pp. 445-447, n° 2615.

[760] ALLEN, *Opus*, t. 9, p. 453, l. 345-347, n° 2615.

[761] ALLEN, *Opus*, t. 9, p. 446, l. 16-19, n° 2615.

[762] *Bibliotheca erasmiana*, t. 1, p. 100. Érasme se cherche des excuses.
Il était pressé par Herwagen qui lui réclamait l'une ou l'autre œuvre. Comme
il n'avait rien de prêt, Érasme lui avait donné certaines de ses lettres pour les
imprimer mais il avait éliminé les plus compromettantes. Lorsqu'il vit l'édition,
il s'aperçut que s'y étaient glissées certaines lettres enlevées primitivement,
peut-être, dit Érasme, à cause de l'incurie de mes secrétaire (ALLEN, *Opus*, t. 9,
p. 446, l. 31-40, n° 2615).

[763] ALLEN, *Opus*, t. 9, p. 446, l. 31-40, n° 2615. Oecolampade également était
offensé par de nombreuses lettres de cette collection. Cfr ALLEN, *Opus*, t. 9,
p. 358, l. 11-14, n° 2554, Anselme Ephorinus à Érasme, Bâle, 9 octobre 1531
et t. 9, p. 364, l. 26-29, n° 2559, Anselme Ephorinus à Érasme, Bâle, 19 octobre
1531.

[764] ALLEN, *Opus*, t. 8, p. 467, l. 57-62, n° 2338, Érasme à Georges de Saxe,
Fribourg, 30 juin 1530. Selon Érasme, cette lettre vise non Bucer mais Geldenhauer qui a engendré de nouveaux dogmes en se basant sur les lois impériales
(ALLEN, *Opus*, t. 9, p. 449, l. 159-161, n° 2615). Bucer lui aussi cependant a usé
du même argument.

d'accord avec la Réforme[765], spécialement sur la doctrine de l'Eucharistie[766]. Il lui offre même un refuge à Strasbourg[767]. De cette lettre, on ne trouve pas de trace mais on peut aisément la reconstituer puisqu'Érasme lui-même affirme qu'il suit dans sa réponse l'ordre même de l'écrit de Bucer[768].

Rien n'indique que la réponse d'Érasme ait été effectivement envoyée. Érasme demande à Bucer de la considérer comme confidentielle[769] et, si Bucer l'a reçue, il a pleinement répondu à cet appel, car on n'en a pas d'écho dans la correspondance du réformateur à cette époque. Érasme soumet la lettre de Bucer à une critique détaillée, mais, de plus, il explique clairement sa position vis-à-vis de la Réforme et il accentue les différences doctrinales qui le séparent des réformés. Érasme expose ses griefs contre le mouvement réformateur. Ils portent sur quatre points. Tout d'abord, Érasme reproche aux réformés la ruse et la force qu'ils emploient pour frapper. Il vise notamment Bucer : « Le cœur d'un homme ne peut être mieux connu que par sa manière d'écrire et c'est dans ce miroir que je t'ai vu[770]. » Bucer a beau témoigner de sa sincérité, Dieu seul peut en juger, lui qui connaît les cœurs[771] et, pour sa part, Érasme croit le dépasser de plusieurs parasanges[772] dans ce domaine[773], car certains arguments de Bucer sont séditieux ou impudents. Comment, par exemple, Bucer peut-il prétendre que les princes font confiance sans hésiter à Érasme alors que ce sont ses ennemis qu'ils élèvent à la dignité suprême : « Aléandre[774] est

---

[765] ALLEN, *Opus*, t. 9, p. 451, l. 227-228, n° 2615.

[766] ALLEN, *Opus*, t. 9, pp. 451-452, l. 266-270, n° 2615.

[767] ALLEN, *Opus*, t. 9, p. 447, l. 84-87, n° 2615.

[768] ALLEN, *Opus*, t. 9, p. 446, l. 41, n° 2615.

[769] ALLEN, *Opus*, t. 9, p. 446, l. 6-8, n° 2615.

[770] ALLEN, *Opus*, t. 9, p. 447, l. 51-52, n° 2615. Érasme fait certainement allusion aux pseudonymes utilisés par Bucer pour répandre sans danger les écrits réformés en France. A moins qu'il ne fasse allusion à l'*Epistola apologetica*. Voir aussi *Epistola apologetica*, f° F 5 v°.

[771] ALLEN, *Opus*, t. 9, p. 447, l. 47-50, n° 2615. *Actes* 1. 24. Cfr ALLEN, *Opus*, t. 9, p. 164, l. 276, n° 2443, Érasme à Sadolet, Fribourg, 7 mars 1531.

[772] Mesure grecque qui vaut cinq mille mètres.

[773] ALLEN, *Opus*, t. 9, p. 446, l. 19-22, n° 2615.

[774] Jérôme Aléandre est né le 13 février 1480 à Motta au Nord-Est de Venise. Dès 1493, il suit des cours à Venise mais son éducation est décousue et interrompue. Il réussit toutefois à apprendre le grec et l'hébreu. En novembre 1501, il entre au service du légat pontifical à Venise et est envoyé en mission en Hongrie. En 1502, il retourne à Venise pour étudier. Il va ensuite à Padoue pour suivre les cours de philosophie. De 1508 à 1513, il étudie à l'université de Paris,

archevêque de Brindes et même maintenant légat du pape, Édouard
Lee est archevêque d'York et primat d'Angleterre, Standish [775],
autrefois évêque, est maintenant écouté à la cour et Albert Pius [776],
après m'avoir dénigré à Rome jusqu'à satiété, a des émules en
France [777]. » Un élément aggrave encore la position de Bucer :
il écrit d'un donjon, d'un endroit sûr, contre quelqu'un qui ne vit
pas en sécurité [778] et, par là même, il peut agir en toute impunité [779].
Bucer ne doit pas être offensé par la réponse d'Érasme puisqu'il n'a
pas signé son œuvre. « Si j'outrage quelqu'un, j'offense celui qui,

---

En 1513, il entre au service de l'évêque de Paris. En 1514, il vient à Liège et
reçoit d'Érard de la Marck un canonicat et une prévôté. Il retourne en Italie en
1516 et, en 1519, il devient bibliothécaire papal. Il est appelé deux fois en Allemagne comme légat, en 1520 et en 1538. En 1524, il devient archevêque de
Brindes et cardinal en 1536. Il meurt le 31 janvier ou le 1ᵉʳ février 1542. Pour
ses démêlés et sa réconciliation avec Érasme, voir J. PAQUIER, *Jérôme Aléandre
de sa naissance à la fin de son séjour à Brindes (1480-1529)*, pp. 280-283, Paris,
1900.

[775] Henri Standish était franciscain et docteur en droit. Il fut favori de
Henri VIII et, dès 1511, il prêcha souvent à la cour. Il devint par la suite
Provincial de son Ordre. Il prêta souvent son appui au roi et, en remerciement,
celui-ci le désigna, en 1518, comme évêque de Saint-Asaph. Par la suite, il fut
ambassadeur à Hambourg puis inquisiteur, en 1525. Il suivit Henri lorsque celui-ci
rejetta l'autorité du pape, en 1535. Érasme le détestait et ne manquait aucune
occasion de le montrer, notamment lorsque Standish fit des objections à la
nouvelle édition de Jérôme en 1514 et lorsqu'il protesta contre la seconde édition
du *Novum Testamentum* en 1519-1520. ALLEN, *Opus*, t. 3, p. 21.

[776] Albert Pius est né vers 1475. Son père mourut alors qu'il avait à peine
deux ans et son tuteur fut Alde Manucce. En 1508, il rencontra Érasme à Venise.
En 1510, il alla à Rome comme ambassadeur de Louis XII et, dès lors, il joua,
dans la diplomatie, un rôle prédominant. En 1513, il passa au service de Maximilien et resta à Rome comme représentant impérial. Il était aussi un des leaders
du monde littéraire d'alors et comptait Sadolet parmi ses amis et Aléandre parmi
ses obligés. A la mort de Maximilien, il retourna au service du roi de France
et servit François Iᵉʳ qui fit de lui son chambellan et lui donna des terres en
Normandie en remplacement des terres de Carpi que les impériaux avaient
confisquées en 1525. Il mourut en janvier 1531. Dès 1526, s'éleva entre Pius et
Érasme une controverse, parce que Pius considérait qu'Érasme exprimait des
idées luthériennes. Érasme y mit le point final avec son *Apologia adversus
rhapsodias calumniosarum querimoniarum Alberti Pii, quondam Carporum principis quem et senem et moribundum et ad quidvis potius accomodum homines
quidam male auspicati ad hanc illiberalem fabulam agendam suborarunt*, Bâle,
Froben, 1531. Pour des détails sur cette querelle, voir *B.B.*, t. 2, pp. 418-427,
ALLEN, *Opus*, t. 6, pp. 199-200, n° 1634, introduction, M. BATAILLON, *op. cit.*,
pp. 421-425, A. RENAUDET, *op. cit.*, pp. 257-258, 268, 296-299, 301 et N. PINET,
op. cit., pp. 59-65.

[777] ALLEN, *Opus*, t. 9, p. 447, l. 63-68, n° 2615.

[778] ALLEN, *Opus*, t. 9, pp. 448-449, l. 140-141, n° 2615.

[779] ALLEN, *Opus*, t. 9, p. 449, l. 141-142, n° 2615.

selon moi, était l'auteur de l'œuvre et non pas toi [780]. » Les ruses
des évangéliques n'ont rien de commun avec certains procédés
d'Érasme. Il est faux de dire qu'il a publié des ouvrages anonymement. Pourquoi, par exemple, dans les commentaires sur la *Moira*,
frustrer Gérard Lister [781] d'un peu de gloire et revendiquer pour
lui seul ce qui avait été rédigé en partie par un autre [782] ? Et ce n'est
pas parce qu'il a transcrit le *Iulius exclusus* [783] qu'il en est nécessairement l'auteur [784].

Érasme énumère ensuite ses griefs contre les dogmes réformés,
à propos de l'Eucharistie notamment. Bucer a tort de déclarer
qu'Érasme est d'accord avec les réformés car alors, dit Érasme,
« quel animal pourrait être plus vil et plus abject que moi, si je
combattais par la plume ceux avec qui je suis d'accord dans le
domaine religieux [785] » ? Bucer se basait pour cela sur certaines
lettres d'Érasme où celui-ci déclare notamment : « Les anciens ont
parlé religieusement de l'Eucharistie, peut-être parce que l'Église
n'a pas défini de façon vraiment évidente de quelle manière le corps

---

[780] ALLEN, *Opus*, t. 9, p. 449, l. 155-157, n° 2615.
[781] Gérard Lister ou Lyster de Rhenen (province d'Utrecht) a été un élève
de Hégius à Deventer. Il étudie ensuite à Louvain vers 1505, ensuite à Cologne.
En août 1514, il suit des cours de médecine à Bâle et contribue à quelques vers
de la page de titre des traductions d'Érasme sur Plutarque. Il travaille aussi
pour Froben, corrigeant l'édition de 1515 des *Adages*. Il est également professeur
de grec. Dans l'édition de la *Moira*, parue, en mars 1515, chez Froben, fut ajouté
un commentaire avec une préface de Paludanus sous le nom de Lister, mais ce
commentaire fut fréquemment attribué à Érasme. ALLEN, *Opus*, t. 2, p. 407.
[782] ALLEN, *Opus*, t. 9, pp. 449-450, l. 171-181, n° 2615. Cfr A. RENAUDET,
Érasme, sa vie et son œuvre jusqu'en 1517 d'après sa correspondance, dans
Revue historique, t. 112, p. 261, Paris, 1913.
[783] Le *Julius exclusus* a été édité avec notes explicatives par W.K. FERGUSON,
Opuscula Erasmi, pp. 38-124, La Haye, 1933. On possède du *Julius Exclusus*
une copie écrite de la main même d'Érasme. Il en est d'ailleurs effectivement
l'auteur, dit Allen, mais par des paroles équivoques dont aucune n'est un démenti
direct, il a toujours essayé de cacher le fait. La seule chose qu'il dément spécifi-
quement, c'est la publication. Le *Julius* fut composé aux environs de 1513-1514,
sans doute à Cambridge. Il ne fut édité qu'en 1517. La question n'est pas encore
résolue définitivement. Cfr W.K. FERGUSON, *op. cit.*, pp. 43-44. ALLEN, *Opus*,
t. 2, n° 502, J. PINEAU, *Érasme et la papauté*, pp. 21-27, Paris, 1924 attribuent
l'ouvrage à Érasme. H. HAUSER, *Le Julius est-il d'Érasme?*, dans *Revue de littérature comparée*, t. 7, pp. 605-618, 1927, soutient l'opinion opposée. Sur le
problème, voir aussi A. RENAUDET, *Études érasmiennes*, pp. 85-86 et C. REEDIJK,
Érasme, Thierry Martens et le Julius Exclusus, dans *Scrinium Erasmianum*, t. 2,
pp. 351-378, Leyde, 1969.
[784] ALLEN, *Opus*, t. 9, p. 450, l. 182-187, n° 2615.
[785] ALLEN, *Opus*, t. 9, p. 451, l. 229-231, n° 21615. Cfr t. 9, p. 451, l. 245-247,
n° 2615.

y est présent, sous forme d'accident ou sous forme de vrai pain [786]. »
Mais, dit Érasme, est-ce à dire que je partage l'opinion des Strasbourgeois sur l'Eucharistie, loin de là [787]. La réponse qu'il a donnée,
dès 1525, au livre d'Oecolampade sur la Cène est claire [788].

Par ailleurs, la Réforme ne rend pas les chrétiens meilleurs, au
contraire : « On n'obéit pas aux lois, on ne respecte ni les conventions publiques, ni les conventions privées [789]. » A ce propos, Érasme
rappelle encore avec force détails les désordres qui se sont déroulés
à Bâle [790] et il en rejette la responsabilité sur les évangéliques. En
outre, les prêtres sont bannis, on assiège les moines à la Chartreuse,
ou encore on les expulse et on transforme les monastères en celliers.
Les arts libéraux et les belles-lettres périssent, les églises sont
désertées et ceux-mêmes qu'on y trouve encore ne ressentent aucune
vraie piété [791]. Bref, Érasme ne connaît personne qui soit devenu
meilleur grâce à cet évangile, mais beaucoup sont devenus pires.

Un dernier argument contre la Réforme, c'est le désaccord qui
oppose entre eux les chefs réformés. Il est devenu tel qu'à la fin,
il y aura autant de sectes que de cités [792]. Comment, dès lors,
peuvent-ils prétendre que leur mouvement vient de Dieu [793] ? Pourtant, tout n'est pas mauvais et tout n'est pas à rejeter dans la
Réforme; d'ailleurs, Érasme préfère voir la cause des réformés
« amenée à une certaine modération salutaire pour l'Église plutôt

---

[786] ALLEN, *Opus*, t. 9, p. 452, 1. 278-281, n° 2615. Il s'agit de la lettre à
Cuthbert Tunstall, ALLEN, *Opus*, t. 8, p. 345, 1. 69-88, n° 2263, Fribourg,
31 janvier 1530. A ce propos, voir J.-P. MASSAUT, *Josse Clichtove, l'Humanisme
et la Réforme du clergé*, t. 2, pp. 315-316, Paris, 1968.

[787] ALLEN, *Opus*, t. 9, p. 452, 1. 281-286, n° 2615.

[788] ALLEN, *Opus*, t. 9, p. 452, 1. 288-289, n° 2615. Voir t. 6, p. 206, n° 1636.
Lorsque parut le livre d'Oecolampade sur la Cène, *De genuina verborum
Domini : Hoc est corpus meum juxta vetustissimos authores expositione liber*,
Strasbourg, s.d. vers le 15 septembre 1525, qui reprenait les vues de Carlstadt,
dans sa première *Erklerung* : « In Eucharistia, nihil esse praeter panem et
vinum », le Conseil de la ville de Bâle invita Érasme et Louis Ber comme téolo-
giens, et Boniface Amerbach et Claude Chansonnette, comme juristes, à donner
leur opinion à ce propos. Cfr *L.B.*, t. 10, col. 1601 C. De la réponse d'Érasme,
il ne reste que cinq lignes reproduites dans ALLEN, *Opus*, t. 6, p. 206, n° 1636.

[789] ALLEN, *Opus*, t. 9, p. 455, 1. 415-416, n°2615.

[790] ALLEN, *Opus*, t. 9, p. 448, 1. 117-134, n° 2615.

[791] ALLEN, *Opus*, t. 9, pp. 455-456, 1. 416-433, n° 2615.

[792] ALLEN, *Opus*, t. 9, p. 446, 1. 15 et 1. 44-45, p. 456, 1. 447-450, n° 2615.
Cfr t. 7, p. 231, 1. 36-38, n° 1901, t. 7, p. 19, 1. 195-197, n° 1805 et *Hyperaspistes I*,
L.B., t. 10, col. 1263 D et ALLEN, *Opus*, t. 6, p. 225, 1. 17-20, n° 1644.

[793] ALLEN, *Opus*, t. 9, p. 446, 1. 42-45, n° 2615.

que complètement étouffée [794] ». C'est pourquoi il a toujours tempéré
ses attaques si bien que Beda, Sutor [795] et Pius l'accusent de s'être
amusé au lieu de lutter [796] et même certains l'ont dénigré avec
virulence dans des écrits anonymes [797]. Mais, il ne faut pas en
déduire trop vite, comme le font Bucer, Hutten et tous ceux de
Suisse et d'Allemagne du Sud [798], qu'Érasme s'accorde avec eux
sur les dogmes [799]. Bucer s'était référé aux écrits d'Érasme pour
prouver sa thèse, mais Érasme lui répond : « où mes écrits dimi-
nuent-ils le nombre des sacrements, où abjurent-ils la messe, où
rejettent-ils le purgatoire, où nient-ils que l'Eucharistie soit la
substance du corps de Notre Seigneur, où enseignent-ils qu'il n'est
pas convenable d'invoquer les saints, où montrent-ils que l'homme
n'est libre en aucun cas [800] » ? S'il en avait été autrement, « si
j'étais persuadé (il faut le répéter) que c'est la cause du Christ
que vous défendez et que vous la défendez avec cette sincérité que,
selon toi, vous témoignez tous, je n'attendrais pas trois jours pour
passer dans votre camp [801] ». Aucune pression ne réussira à lui faire

---

[794] ALLEN, *Opus*, t. 9, p. 446, l. 11-12, n° 2615.

[795] Pierre Sutor ou le Couturier est natif du Maine. Il entra à la Sorbonne
en 1502 et devint docteur en 1510. Après avoir été lecteur au Collège Sainte-
Barbara à Paris, il rejoignit les Chartreux. Soucieux de la plus stricte orthodoxie,
il engagea de nombreuses controverses. Notamment le *De translatione Bibliae* de
décembre 1524 environ, adressé à la Sorbonne condamne les nouvelles traductions
de la Bible et il y inclut celle d'Érasme. Érasme le mettra en scène dans le
colloque *Synodus Grammaticorum*, imprimé pour la première fois chez Froben
en mars 1529. Sutor écrit également contre Luther en 1531. Il devient ensuite
prieur de la Chartreuse de N.-D. du Parc dans le Maine et meurt le 18 juin 1537.
ALLEN, *Opus*, t. 6, p. 132.

[796] ALLEN, *Opus*, t. 9, p. 452, l. 311-313 et p. 457, l. 506-507, n° 2615.

[797] ALLEN, *Opus*, t. 9, p. 457, l. 508-515, n° 2615. Il s'agit de *Julii Caesaris
Scaligeri Oratio p. M. Tullio Cicerone contra Des. Erasmum Roterodamum*, Paris,
G. Gourmont et P. Vidoue, septembre 1531. Cet ouvrage avait été écrit en 1529
mais Scaliger dut chercher pendant deux ans un imprimeur pour l'éditer.
Cfr P. MESNARD, *La bataille du Ciceronianus*, dans *Études*, pp. 240-255, février
1968, et N. PINET, *op. cit.*, pp. 70-72.

[798] C'est-à-dire Pellican et Léon Jude.

[799] Sur les nouveaux dogmes, voir aussi ALLEN, *Opus*, t. 8, p. 467, l. 57-62,
n° 2338, Érasme à Georges de Saxe, Fribourg, 30 juin 1530.

[800] ALLEN, *Opus*, t. 9, p. 451, l. 231-236, n° 2615. Érasme considère donc ces
différents points comme des critères essentiels de l'appartenance à l'Église
romaine.

[801] ALLEN, *Opus*, t. 9, pp. 452-453, l. 313-317, n° 2615. Cfr t. 7, p. 466,
l. 268-270, n° 2037, Érasme à John Longlond, Bâle, 1er septembre 1528 . « J'aurais
pu être un des coryphés dans l'Église de Luther mais j'ai préféré m'attirer la
haine de toute l'Allemagne plutôt que de sortir de la communauté de l'Église. »

professer une religion de la vérité de laquelle il n'est pas persuadé [802] ; il préférerait même un exil volontaire [803]. Toutefois, ses
convictions ne l'empêchent pas de prêcher la modération à Luther,
de conseiller aux princes et aux théologiens la mansuétude, d'aider
beaucoup de gens de ses conseils et de son argent [804]. Ce qu'Érasme
veut avant tout, et il le montrait déjà en quittant Bâle, c'est préserver
son indépendance spirituelle : « Si j'avais même moins d'aversion
pour vos dogmes, autre chose encore m'empêcherait de me joindre
à vous. Une fois que je serais enrôlé dans votre armée, je ne serais
plus jamais libre de vous fausser compagnie. La vocation dont je
suis chargé s'y oppose formellement. Chez vous, de nouveaux
dogmes apparaissent sans cesse. Si je m'étais joint à vous, j'aurais
dû, bon gré mal gré, y souscrire [805]. »

Il oppose enfin le déroulement des faits à son propre idéal.
La situation se détériore tellement qu'elle aboutira bientôt à un
désastre total pour la puissance chrétienne et cela, non seulement
dans les événements extérieurs mais aussi dans les valeurs spiri-
tuelles à moins, bien sûr, que toute la terre ne se rallie au mouvement
réformateur, ce qui est impensable [806]. Certains veulent tout changer,
mais une telle révolution n'est possible que par la tyrannie, par
un concile général ou une décision commune des princes et des
évêques. Ils ont opté pour la force qui est inadmissible [807]. Par
ailleurs, les réformes doivent être l'œuvre d'hommes auxquels le
peuple n'a rien à reprocher. Or, les membres de cette compagnie
ont rejeté la prêtrise et les vœux, ils ont pris femme et s'opposent
par leur vie aux choses vraies et honnêtes [808]. Érasme expose alors
son propre idéal : « Il ne fallait rien ébranler de ce qui était juste,
mais il aurait mieux valu laisser tel quel ce qui n'aurait guère nui
à la dévotion, comme le culte des images ou des saints. Au reste,
on devait changer ce qui était superstitieux mais progressivement et
plus par la persuasion que par la violence [809]. » Érasme termine par

---

[802] Allen, *Opus,* t. 9, p. 457, l. 501-503, n° 2615. Cfr t. 9, p. 448, l. 96-99,
n° 2615.
[803] Allen, *Opus,* t. 9, p. 448, l. 96-99, n° 2615.
[804] Allen, *Opus,* t. 9, pp. 450-451, l. 216-222, n° 2615.
[805] Allen, *Opus,* t. 9, p. 453, l. 325-330, n° 2615.
[806] Allen, *Opus,* t. 9, p. 456, l. 440-460, n° 2615.
[807] Allen, *Opus,* t. 9, p. 456, l. 466-472, n° 2615.
[808] Allen, *Opus,* t. 9, pp. 456-457, l. 474-490, n° 2615.
[809] Allen, *Opus,* t. 9, p. 457, l. 495-499, n° 2615.

ces mots : « J'ai ouvert mon cœur tout entier devant toi. Que ma sincérité soit prise en bonne part grâce à ton bonté [810]. »

E. Épilogue.

A partir de ce moment, Érasme n'entretient plus aucune relation épistolaire avec Strasbourg, mais son influence y reste toujours vivace. Lorsque, en 1533, il publiera son *De sarcienda Ecclesiae concordia* [811], dans l'espoir de réduire la séparation des Églises, Capiton s'empressera, dans le même état d'esprit, de le traduire en allemand et de le publier sous le titre *Von der Kirchen lieblicher Vereinigung* [812], lui assurant ainsi une plus large diffusion, notamment dans les milieux réformateurs de Constance [813]. Ce qui permettra à Strasser de déclarer : « Il suivit Érasme aussi longtemps et aussi loin que sa conscience le lui permettait [814]. » Selon Sigismond Gelenius [815], Érasme aurait enfin reçu les chefs strasbourgeois en février ou en mars 1536. Leur entrevue aurait été cordiale mais

---

[810] ALLEN, *Opus*, t. 9, p. 457, l. 521-523, n° 2615.

[811] *L.B.*, t. 5, col. 469-506. A propos de cet ouvrage, consulter J. COPPENS, *Erasmus' laatste bijdragen tot de hereniging der Christenen*, Bruxelles, 1962 et J.-V. POLLET, *Origine et structure du « De sarcienda ecclesiae concordia » (1533) d'Érasme*, dans *Scrinium Erasmianum*, t. 2, pp. 183-195, Leyde, 1969.

[812] J.W. BAUM, *op. cit.*, p. 583. Cfr F. SCHIESS, *op. cit.*, t. 1, p. 461, n° 390, Bucer à Blaurer, 8 janvier 1534 : « Visus est nobis Erasmus permulta dedisse (par Capiton), id et ego optabam notum esse Germanis quibus certum exitium expectamus, si non constituant serio semel de religione. » A propos de cet écrit, voir F.W. KANTZENBACH, *op. cit.*, pp. 90-91. Voir aussi F. WENDEL, *L'Église de Strasbourg, son organisation*, p. 99, Paris, 1942 mais J.-V. POLLET, *op. cit.*, t. 2, pp. 248-249, prétend que Capiton avait entrepris cette publication pour se libérer de ses dettes. Cfr F. SCHIESS, *op. cit.*, t. 1, p. 452, Blaurer à Bucer, Constance, 23 décembre 1533 : « Clarissimum et optimum Capitonem nostrum misere proscindunt plerique Augustani ob versam Erasmi ennarationem etc. affirmantes ipsum, posteaquam nunc typographus sit factus, hoc unum curare, ut prelum perpetuo ferveat et aliquid accedat lucri... » Capiton dédicacera cet ouvrage à l'archevêque Albert de Mayence qui avait été autrefois son patron et son protecteur.

[813] F. SCHIESS, *op. cit.*, t. 1, p. 485, n° 409, Blaurer à Bucer, 7 (avril) 1534.

[814] O.E. STRASSER, *Un chrétien humaniste, Wolfgang Capiton*, dans *Revue d'histoire et de philosophie religieuse*, t. 20, p. 3, Strasbourg, 1940.

[815] Sigismond Gelenius est né à Prague en 1497. Il fit la connaissance d'Érasme en 1524, alors qu'il était correcteur chez Froben pour les textes grecs et hébreux. Par la suite, sur invitation de Mélanchthon, il partit pour Nuremberg, comme professeur de grec. Il revint ensuite à Bâle et y mourut en 1554.

n'aurait pas rapproché les points de vue [816]. Cette information est plausible, si l'on sait que Bucer a provoqué, au début de 1536, la réunion à Bâle d'une conférence où les délégués des cantons suisses et des villes alliées du Sud de l'Allemagne adoptèrent, le 27 mars, la Confession helvétique [817], préparatoire à la Concorde de Wittemberg. Pourtant, lorsque les Strasbourgeois apprennent la mort de l'humaniste, survenue peu après à Bâle, le 12 juillet 1536, c'est sans émotion apparente qu'ils communiquent la nouvelle à Luther [818]. Capiton toutefois ajoute qu'il est mort parmi les « hérétiques luthériens » : c'est ce nom et d'autres encore, en effet, que nous donnent nos ennemis [819] », voulant peut-être signifier par là qu'Érasme était mort au milieu de ceux qu'il avait toujours prétendu rejeter.

---

[816]. A.L. HERMINJARD, op. cit., t. 4, pp. 80-81, Gélénius à Mélanchthon, 28 mars 1536.

[817] Voir à ce propos, E.G. LÉONARD, op. cit., t. 1, p. 211, J.-V. POLLET, op. cit., t. 2, pp. 151 et 287-289, G. MARC'HADOUR, op. cit., p. 516 et A. BOUVIER, Henri Bullinger, le successeur de Zwingli, pp. 26 et 51, Paris, Neuchâtel, 1940.

[818] W.A., Br., t. 7, p. 467, l. 46-50, n° 3048, Capiton à Luther, 20 juillet 1536 et t. 7, p. 472, l. 28-34, n° 3050, Bucer à Luther, 22 juillet 1536.

[819] W.A., Br., t. 7, p. 467, l. 48-50, n° 3048 : « Basileae mortuus est inter Lutheranos hereticos, nam id nomen aliaque ferimus ab inimicis. »

CONCLUSION

Érasme vieillissant nous apparaît comme un homme aigri, excédé, agressif. L'humaniste est devenu soupçonneux, irritable et rancunier, à la suite des attaques incessantes dont il a été l'objet tout au long de sa vie. Le besoin de se défendre est pour lui primordial. Ses adversaires dans la polémique deviennent aussitôt ses ennemis mortels. L'inimitié qu'il éprouve à leur égard est profonde et se nourrit des moindres indices. C'est dans cet état d'esprit qu'il se heurte au mouvement de la Réforme et à ses chefs, plus particulièrement, comme nous l'avons montré, au zwinglianisme et à ses défenseurs. Érasme, à la fin de sa vie, ne comprend même plus les préoccupations de ses cadets. Le différend qui s'élève entre lui et les polémistes réformés se double d'un conflit de générations. Ses contradicteurs sont des hommes jeunes, impétueux et parfois irréfléchis. La plupart d'entre eux, tels Bucer, Pellican, Jude, Oecolampade, Eppendorf, Zwingli ou Capiton, sont ses anciens disciples. Il les a initiés à l'exégèse et les a associés à son entreprise d'édition du Nouveau Testament. Par là même, il leur a appris à remonter jusqu'au texte même de l'Écriture en négligeant les arguties des théologiens de la scolastique tardive. A travers ses œuvres, il leur a fait comprendre que le salut se trouve non dans les cérémonies mais dans la foi au Christ qui est inséparable de la charité. Et voilà que les disciples se séparent du maître et adoptent une doctrine qui lui paraît en désaccord total sur plusieurs points importants avec la tradition. Dès lors, tel un père qui réprimande des enfants « qui ont mal tourné », Érasme les fustige d'autant plus durement qu'il souffre plus vivement de leur abandon.

La polémique engagée avec Martin Bucer va lui permettre d'exprimer en long et en large ses griefs contre un mouvement qu'il désapprouve et contre des chefs qu'il désavoue. Il dénie aux réformateurs le droit de se réclamer de Dieu ; bien au contraire, il suggère que les origines du mouvement ne sont pas avouables. Il reproche à ses adversaires leurs désaccords, leurs méthodes fourbes, leur vie débauchée en opposition totale avec la doctrine du Christ. Il s'élève contre les désordres suscités en tous lieux par la Réforme. Les jugements d'Érasme sont souvent subjectifs et parfois injustes. Son Moi joue un rôle non négligeable dans ses critiques. En fait, sa polémique avec Bucer dégénère très rapidement et presque uniquement en une condamnation généralisée de tous les réformateurs qui lui ont été très proches à l'un ou l'autre moment de sa vie. Il regarde la Réforme à travers une lentille déformante : le dépit qu'il éprouve fausse la perspective générale.

Il vise tout particulièrement les réformés d'Allemagne du Sud et de Suisse. Nous voyons à cela trois raisons. Tout d'abord il connaît mieux les événements qui se déroulent dans ces régions à cause de leur proximité. Ensuite, les chefs du mouvement réformateur y sont plus radicaux et enfin ils sont ses anciens disciples et ils ont oublié, si on les juge d'après leurs actes, les enseignements pacifiques du maître. Érasme veut se désolidariser d'eux clairement et ouvertement. Bucer et ses amis le ménagent encore cependant avec l'espoir toujours vivace, semble-t-il, de l'amener à eux et, si parfois ils l'aiguillonnent, c'est avec la pensée que, contraint et forcé, Érasme ralliera leur camp. L'humaniste, en effet, par l'autorité morale qu'il possède encore à cette époque, serait pour leur cause un garant certain, une caution prestigieuse. Le lent travail accompli dans la conscience d'Érasme l'avait conduit à adopter des opinions plus traditionnelles, opposées au désir des réformés. Érasme, humaniste réformiste, en était venu peu à peu à une position plus rigide que celle qu'il avait défendue dix ans plus tôt. Mais, s'il passait pour un conservateur aux yeux des réformés, il restait un réformé aux yeux des conservateurs.

Ce qui sépare les deux hommes, c'est, bien plus que leurs doctrines eucharistiques, leur ecclésiologie. Érasme a toujours admis l'utilité de la contestation, il a toujours enseigné que les réformes sont nécessaires, mais qu'elles doivent s'accomplir dans l'Église, avec l'appui moral et juridique des autorités suprêmes, sans rien abandonner de ce qui peut être sauvé. Bucer, par contre, veut tout « réformer », quitte à rejeter l'autorité du pontife romain, à récuser l'organisation épiscopale et à faire table rase de la tradition, et il déclare que, pour obtenir une piété vraie, il ne faut pas reculer devant les moyens extrêmes.

En fait, il existe entre lui et Érasme une communauté de but mais un conflit de méthode qui se traduit concrètement par une incompréhension totale. Bucer accuse Érasme de complaisance alors que ce dernier l'accuse, lui et les siens, de sédition et d'hérésie. Même avec des hommes qui, comme Bucer, sont semblables à lui par leur tempérament, le fossé reste profond. On les a tous deux qualifiés de conciliateurs et de médiateurs. Ils ont été pour cette raison même souvent incompris et mal jugés. L'œcuménisme est l'idéal commun qu'ils ont poursuivi et, pourtant, Érasme s'est refusé à apprécier Bucer à sa juste valeur parce qu'il a utilisé, pour arriver à son but et pour répandre sa foi, des procédés inavouables à ses yeux.

Érasme, en ne voulant voir dans la Réforme « que ses éléments funestes et l'écume trouble de la surface » [820], s'est refusé par là même à justifier ses chefs et leur a trouvé pour seule excuse le goût du désordre et l'irrespect total de l'autorité et de la tradition.

---

[820] R. STAEHELIN, *Erasmus Stellung zur Reformation,* cité par A. MEYER, *Étude critique sur les relations d'Érasme et de Luther,* p. 4, Paris, 1909.

INDEX

ABEL Jacob : 39.
ADRIEN VI : 39, 54, 77.
AGRICOLA Rodolphe : 71.
ALÉANDRE Jérôme : 39, 139, 145, 146.
AMERBACH Boniface : 11, 27, 28, 53, 64, 65, 74, 92, 96, 111, 122, 135, 148.
AMERBACH Bruno : 40.
ANVERS : 123.
APPENZELL : 82.
AUGSBOURG : 29, 44, 71, 72, 89, 98, 104, 122, 133.
AVIGNON : 64, 111.

BADEN : 82, 83, 133.
BÂLE : 27, 28, 29, 36, 38, 40, 43, 44, 46, 49, 50, 55, 57, 58, 64, 67, 68, 69, 72, 74, 81, 82, 83, 93, 94, 95, 98, 106, 107, 110, 111, 112, 113, 114, 115, 119, 128, 129, 131, 137, 142, 146, 147, 148, 150, 151, 152.
BECK Balthasar : 140, 143, 144.
BÉDA Noël : 77, 139, 149.
BER Louis : 148.
Bernard de LUXEMBOURG : voir LUXEMBOURG Bernard de.
BERNE : 29, 36, 43, 58, 69, 95, 98, 110, 113, 115, 122.
BIBLIANDER Théodore : 45.
BLAURER Ambroise : 9, 11, 47, 94, 95, 111, 133.
BOCK Hans : 143.
BODENSTEIN André : voir CARLSTADT.
BOLOGNE : 44, 111, 118, 142.
BONN : 40.
BORRHAUS Martin : 46.
BOSSUET : 12.
BOTZHEIM Jean : 118.
BOURGOGNE Philippe de : 71.
BRANDEBOURG Albert de : 29, 36, 151.
BRANT Sébastien : 27, 28, 38.
BRENZ Jean : 35.
BRESLAU : 55.
BRICONNET Guillaume : 95.

BRINDES : 146.
BRUCKNER Antoine : 57.
BRUNFELS Otho : 36, 51, 52, 53, 54, 56, 62, 124, 127.
Pro Ulricho Hutteno defuncto ad Erasmi Roterodami Spongiam Responsio : 52, 53.
BRUXELLES : 101.
BUCER Martin : 8, 9, 10, 11, 12, 13, 27, 28, 29, 30, 31, 32, 33, 35, 36, 37, 38, 39, 40, 41, 42, 43, 44, 45, 46, 47, 48, 49, 56, 57, 58, 60, 62, 70, 71, 78, 80, 84, 85, 93, 94, 95, 96, 97, 98, 99, 100, 101, 102, 103, 104, 105, 106, 108, 109, 110, 111, 112, 113, 114, 115, 116, 117, 118, 119, 122, 123, 124, 125, 126, 128, 129, 130, 131, 133, 134, 135, 136, 137, 142, 143, 144, 145, 146, 147, 149, 152, 153, 154, 155.
— Commentaires sur les Évangiles : 32.
— Confessio Tetrapolitana : 29, 44, 89, 93.
— Das ym selbs : 40.
— De Regno Christi : 13.
— De vera ecclesiarum reconciliatione et compositione : 31.
— Epistola apologetica : 11, 91 à 119, 121, 123, 135, 136.
— Grund und Ursach : 43.
— Summary : 40, 100.
BULLINGER Henri : 9, 33.
BURKHARD Georges : voir SPALATIN.

CALVIN Jean : 95.
CAMBRIDGE : 107, 147.
CANNIUS : 130.
CAPITON Wolfgang : 8, 29, 35, 39, 40, 41, 42, 43, 44, 45, 46, 47, 49, 50, 51, 53, 54, 56, 57, 59, 62, 63, 65, 68, 69, 70, 71, 82, 93, 94, 115, 122, 124, 127, 130, 142, 143, 144, 151, 152, 153.

TABLE DES MATIÈRES

BIBLIOTHÈQUE
DE L'UNIVERSITÉ DE LIÈGE
DE LA FACULTÉ DE PHILOSOPHIE ET LETTRES

———

Président : M. Delbouille — *Administrateur :* J. Stiennon

———

Les prix s'entendent en N. F.
Les fascicules CLXI et suivants peuvent être livrés sous une reliure de toile :
le prix indiqué au catalogue est alors majoré de 6,00 N. F.

CATALOGUE CHRONOLOGIQUE
DES DIFFÉRENTES SÉRIES

Série in-4° (30 × 27,5) « Publications exceptionnelles .
Cette série *n'est pas comprise* dans le Service des Echanges internationaux.

Fasc. I. — Rita Lejeune et Jacques Stiennon. *La légende de Roland dans l'art du moyen âge.* 1966. 411 + 405 pp., 63 pl. en couleurs et 510 pp. en noir (2 volumes) (Prix Achille Fould de l'Académie des Inscriptions et Belles-Lettres) . . . . 2.900 Fb
(pour la Belgique)

Les commandes sont à adresser à : Editions Arcade, 299, avenue van Volxem, Bruxelles.

Fasc. II. — Pierre Colman. *L'orfèvrerie religieuse liégeoise du xv° siècle à la Révolution.* 1966. 298 + 111 pp., 244 pl. en noir (2 volumes) . . . . 1.250 Fb

Les commandes sont à adresser à : Société Desoer, 21, rue Sainte-Véronique, Liège.

Série grand in-8° (Jésus) 27,5 × 18,5.

Fasc. I *. — Mélanges Godefroid Kurth. Tome I. *Mémoires historiques.* 1908. 466 pp. . . . . Epuisé

Fasc. II *. — Mélanges Godefroid Kurth. Tome II. *Mémoires littéraires, philosophiques et archéologiques.* 1908. 460 pp. . . Epuisé

Fasc. III *. — J. P. Waltzing. *Lexicon Minucianum.* Praemissa est *Octavii* recensio nova. 1909. 281 pp. . . . . . . Epuisé

Fasc. IV *. — Henri Francotte. *Mélanges de Droit public grec.* 1910. 336 pp. . . . . Epuisé

Fasc. V *. — Jacques Stiennon. *L'écriture diplomatique dans le diocèse de Liège du xi° au milieu du xiii° siècle. Reflet d'une civilisation.* 1960. 430 pp. 25,00

2

Fasc. XXV. — J. J. Waltzing. *Plaute. Les Captifs.* Texte, traduction et commentaire analytique, grammatical et critique. 1921. 100 + 144 pp. . . . . Epuisé

Fasc. XXVI. — A. Humpers. *Etude sur la langue de Jean Lemaire de Belges.* 1921. 244 pp. . . . . Epuisé

Fasc. XXVII. — F. Rousseau. *Henri l'Aveugle, Comte de Namur et de Luxembourg.* 1921. 125 pp. . . . . Epuisé

Fasc. XXVIII. — J. Haust. *Le dialecte liégeois au XVIIe siècle. Les trois plus anciens textes (1620-1630).* Edition critique, avec commentaire et glossaire. 1921. 84 pp. . . . . . . Epuisé

Fasc. XXIX. — A. Delatte. *Essai sur la politique pythagoricienne.* 1922. 295 pp. (Prix Bordin, de l'Institut) . . . . . Epuisé

Fasc. XXX. — J. Deschamps. *Sainte-Beuve et le sillage de Napoléon.* 1922. 177 pp. . . . . Epuisé

Même série (25 × 16)

Fasc. XXXI. — C. Tihon. *La Principauté et le Diocèse de Liège sous Robert de Berghes (1557-1564).* 1923. 331 pp. (Avec deux cartes) . . . . Epuisé

Fasc. XXXII. — J. Haust. *Etymologies wallonnes et françaises.* 1923. 357 pp. (Prix Volney, de l'Institut) . . . . Epuisé

Fasc. XXXIII. — A. L. Corin. *Sermons de J. Tauler. I. Le Codex Vindobonensis 2744,* édité pour la première fois. 1924. 372 pp. . Epuisé

Fasc. XXXIV. — A. Delatte. *Les Manuscrits à miniatures et à ornements des Bibliothèques d'Athènes.* 1926. 128 pp. et 48 planches Epuisé

Fasc. XXV. — Oscar Jacob. *Les esclaves publics à Athènes.* 1928. 214 pp. (Prix Zographos, de l'Association des Etudes Grecques en France) . . . . Epuisé

Fasc. XXXVI. — A. Delatte. *Anecdota Atheniensia.* Tome I : Textes grecs inédits relatifs à l'histoire des religions. 1927. 740 pp. avec des figures . . . . Epuisé

Fasc. XXXVII. — Jean Hubaux. *Le réalisme dans les Bucoliques de Virgile.* 1927. 144 pp. . . . . Epuisé

Fasc. XXXVIII. — Paul Harsin. *Les relations extérieures de la principautés de Liège sous Jean d'Elderen et Joseph Clément de Bavière (1688-1723).* 1927. 280 pp. . . . . Epuisé

Fasc. XXXIX. — Paul Harsin. *Etude critique sur la bibliographie des œuvres de Lauw* (avec des mémoires inédits). 1928. 128 pp. Epuisé

Fasc. XL. — A. Severyns. *Le Cycle épique dans l'Ecole d'Aristarque.* 1928. 476 pp. (Prix Th. Reinach, de l'Association des Etudes Grecques en France) (réimpression anastatique) 60.00

Fasc. XLI. — Jeanne-Marie H. Thonet. *Etude sur Edward Fitz-Gerald et la littérature persane, d'après les sources originales.* 1929. 144 pp. . . . . Epuisé

Fasc. XLII. — A. L. Corin. *Sermons de J. Tauler. II. Le Codex Vindobonensis 2739,* édité pour la première fois. 1929. 548 pp. . Epuisé

Fasc. XLIII. — L.E. Halkin. *Réforme protestante et Réforme catholique au diocèse de Liège. Le Cardinal de la Marck, Prince-Evêque de Liège (1505-1538).* 1930. 314 pp. (Prix Thérouanne, de l'Académie Française) . . . . Epuisé

Fasc. CXLIX. — *L'Ars Nova. Colloques de Wégimont.* II-1955. 1959. 275 pp. . . . . Epuisé

Fasc. CL. — *La technique littéraire des chansons de geste.* Colloque de Liège, 1957. 1959. 486 pp. (réimpression anastatique) . . . 60,00

Fasc. CLI. — MARIE DELCOURT. *Oreste et Alcmeon.* 1959. 113 pp. Epuisé

Fasc. CLII. — ANDRÉ JORIS. *La ville de Huy au moyen âge.* 1959. 514 pp., 2 hors-texte (Prix de Stassart d'Histoire Nationale de l'Académie Royale de Belgique, période 1955-1961) . . . . Epuisé

Fasc. CLIII. — MATHIEU RUTTEN. *Het proza van Karel van de Woestijne.* 1959. 759 pp. . . . . Epuisé

Fasc. CLIV. — PAULE MERTENS-FONCK. *A glossary of the Vespasian Psalter and Hymns.* 1960. 387 pp. 20,00

Fasc. CLV. — HENRI LIMET. *Le travail du métal au pays de Sumer au temps de la IIIe dynastie d'Ur.* 1959. 313 pp. 18,00

Fasc. CLVI. — ROBERT JOLY. *Recherches sur le traité pseudo-hippocratique du Régime.* 1960. 260 pp. (Prix Reinach de l'Association pour l'encouragement des Etudes grecques en France, 1961) . 17,00

Fasc. CLVII. — *Les Colloques de Wégimont : Ethnomusicologie II -* 1956. 1960. 303 pp. et 4 hors-texte 20,00

Fasc. CLVIII. — JULES HORRENT. *Le Pèlerinage de Charlemagne. Essai d'explication littéraire avec des notes de critique textuelle.* 1961. 154 pp. (réimpression anastatique) 40,00

Fasc. CLIX. — SIMONE BLAVIER-PAQUOT. *La Fontaine. Vues sur l'Art du Moraliste dans les Fables de 1668.* 1961. 166 pp. (Prix Bordin de l'Institut) . . . . Epuisé

Fasc. CLX. — CHRISTIAN RUTTEN. *Les Catégories du monde sensible dans les Ennéades de Plotin.* 1961. 140 pp. . . . . . . Epuisé

Fasc. CLXI. — *Langue et Littérature.* Actes du VIIIe Congrès de la F. I. L. L. M., Liège, 1960. 1961. 448 pp. . . . . . . Epuisé

Fasc. CLXII. — JEAN RENSON. *Les dénominations du visage en français et dans les autres langues romanes. Etude sémantique et onomasiologique.* 1962. 738 pp. et 14 hors-texte, en deux volumes Epuisé

Fasc. CLXIII — PAUL DELBOUILLE. *Poésie et sonorités. La critique contemporaine devant le pouvoir suggestif des sons.* 1961. 268 pp. . . . . Epuisé

Fasc. CLXIV. — JACQUES RUYTINX. *La problématique philosophique de l'unité de la science.* 1962. VIII-368 pp. 22,00

Fasc. CLXV. — MARCEL DETIENNE. *La notion de daïmôn dans le pythagorisme ancien.* 1962. 214 pp. . . . . Epuisé

Fasc. CLXVI. — ALBERT HUSQUINET. *La relation entre la mère et l'enfant à l'âge pré-scolaire.* 1963. 452 pp. 30,00

Fasc. CLXVII. — GÉRARD MOREAU. *Histoire du protestantisme à Tournai jusqu'à la veille de la Révolution des Pays-Bas.* 1962. 425 pp. et 1 hors-texte 25,00

Fasc. CLXVIII. — ALAIN LEROND. *L'habitation en Wallonie malmédienne (Ardenne belge). Etude dialectologique. Les termes d'usage courant.* 1963. 504 pp. et 3 cartes . . . . Epuisé

Fasc. CLXIX. — PIERRE HALLEUX. *Aspects littéraires de la Saga de Hrafnkel.* 1963. 202 pp., 2 cartes . . . . Epuisé

CATALOGUE PAR MATIÈRES

PHILOSOPHIE

HISTOIRE

Fasc. LXXX. — Robert Demoulin. *Guillaume I*ᵉʳ *et la transformation économique des Provinces Belges (1815-1830).* 1938. 463 pp. (Prix Chaix d'Est-Ange, de l'Institut) . . . .　Epuisé

Fasc. LXXXVII. — Jean Lejeune. *La formation du Capitalisme moderne dans la Principauté de Liège au* XVIᵉ *siècle.* 1939. 353 pp.　Epuisé

Fasc. C. — Joseph Ruwet. *L'Agriculture et les Classes rurales au Pays de Herve sous l'Ancien Régime.* 1934. 334 pp. . . . . .　Epuisé

Fasc. CV. — Ivan Delatte. *Les classes rurales dans la Principauté de Liège au* XVIIIᵉ *siècle.* 1945. 337 pp. . . . .　Epuisé

Fasc. CX. — Charles Lays. *Etude critique sur la Vita Balderici Episcopi Leodiensis.* 1948. 174 pp. . . . .　10,00

Fasc. CXI. — Alice Dubois. *Le Chapitre Cathédral de Saint-Lambert à Liège au* XVIIᵉ *siècle.* 1949. XXII-310 pp. . . . . . .　17,50

Fasc. CXII. — Jean Lejeune. *Liège et son pays. Naissance d'une patrie (*XIIIᵉ*-*XIVᵉ *siècles).* 1948. XLIV-560 pp. . . . . . .　Epuisé

Fasc. CXIII. — Léon Halkin. *Une description inédite de la Ville de Liège en 1705.* 1948. 102 pp. et 4 planches . . . . . .　Epuisé

Fasc. CXIV. — Pierre Lebrun. *L'Industrie de la laine à Verviers pendant le* XVIIIᵉ *et le début du* XIXᵉ *siècle.* 1948. 536 pp., 3 planches et 7 diagrammes . . . .　42,00

Fasc. CXV. — René Van Santbergen. *Les Bons Métiers des meuniers, des boulangers et des brasseurs de la Cité de Liège.* 1949. 376 pp. et 19 planches . . . .　32,00

Fasc. CXXIV. — Jacques Stiennon. *Etude sur le Chartrier et le Domaine de l'Abbaye de Saint-Jacques de Liège (1015-1209).* 1951. XIV-498 pp., 7 cartes et 40 planches hors-texte (Prix des Amis de l'Université de Liège. 1951) . . . .　25,00

Fasc. CXXX. — Denise Van Derveeghde. *Le domaine du Val Saint-Lambert de 1202 à 1387.* 1955. 239 pp. . . . . . .　17,50

Fasc. CXXXVII. — H. Th. Deschamps. *Le Belgique devant la France de Juillet. L'opinion et l'attitude française de 1839 à 1848.* 1956. c-561 pp. . . . .　25,00

Fasc. CXLII. — J.-R. Kupper. *Les nomades en Mésopotamie au temps des rois de Mari.* 1957. XXXII-284 pp. (réimpression anastatique) .　50,00

Fasc. CLII. — André Joris. *La ville de Huy au moyen âge.* 1959. 514 pp., 2 hors-texte (Prix de Stassart d'Histoire Nationale de l'Académie Royale de Belgique, période 1955-1961) . . . .　Epuisé

Fasc. CLV. — Henri Limet. *Le travail du métal au pays de Sumer au temps de la* IIIᵉ *dynastie d'Ur.* 1959. 313 pp. . . . .　18,00

Fasc. CLXVII. — Gérard Moreau. *Histoire du protestantisme à Tournai jusqu'à la veille de la Révolution des Pays-Bas.* 1962. 425 pp. et 1 hors-texte . . . .　25,00

Fasc. CLXXIII. — J.-L. Charles. *La Ville de Saint-Trond au moyen âge.* 1965. 488 pp. . . . .　Epuisé

Fasc. CLXXX. — H. Limet. *L'Anthroponymie sumérienne dans les documents de la 3ᵉ dynastie d'Ur.* 1968. 572 pp. . . . . .　44,00

Fasc. CLXXXIII. — J.-P. Massaut. *Josse Clichtove, l'Humanisme et la Réforme du clergé (1472-1520).* 1968. 904 pp. (en deux volumes)　72,00

Fasc. CXCII. — N. Caulier-Mathy. *La modernisation des charbonnages liégeois pendant la première moitié du* XIXᵉ *siècle* . . sous presse

Fasc. CXCIV. — N. Peremans. *Erasme et Bucer (1523-1536) d'après leur correspondance.* 1970. 165 pp. . . . .　20,00

14

PHILOSOPHIE CLASSIQUE

Fasc. III *. — J. P. WALTZING. *Lexicon Minucianum*. Praemissa est *Octavii* recensio nova. 1909. 281 pp. . . . . Epuisé

Fasc. IV *. — HENRI FRANCOTTE. *Mélanges de Droit public grec.* 1910. 336 pp. . . . . Epuisé

Fasc. XI. — JULES PIRSON. *La langue des inscriptions latines de la Gaule.* 1901. 328 pp. (réimpression anastatique) 50,00

Fasc. XII. — HUBERT DEMOULIN. *Epiménide de Crète.* 1901. 139 pp. Epuisé

Fasc. XVIII. — J. BOYENS. *Grammatica liguae graecae vulgaris per Patrem Romanum Nicephori Thessalonicensem.* 1908. 175 pp. . Epuisé

Fasc. XXI. — J. P. WALTZING. *Etude sur le Codex Fuldensis de Tertullien.* 1914-1917. 523 pp. . . . . Epuisé

Fasc. XXII. — J. P. WALTZING. *Tertullien. Apologétique.* Texte établi d'après le Codex Fuldensis. 1914. 144 pp. . . . . . . Epuisé

Fasc. XXIII. — J. P. WALTZING. *Apologétique de Tertullien.* I. Texte établi d'après la double tradition manuscrite, apparat critique et traduction littérale revue et corrigée. 1920. 148 pp. . . . . . Epuisé

Fasc. XXIV. — J. P. WALTZING. *Apolégétique de Tertullien.* II. Commentaire analytique, grammatical et historique. 1919. 234 pp. Epuisé

Fasc. XXV. — J. J. WALTZING. *Plaute. Les Captifs.* Texte, traduction et commentaire analytique, grammatical et critique. 1921. 100 + 144 pp. . . . . Epuisé

Fasc. XXXIV. — A. DELATTE. *Les Manuscrits à miniatures et à ornements des Bibliothèques d'Athènes.* 1926. 128 pp. et 48 planches Epuisé

Fasc. XXV. — OSCAR JACOB. *Les esclaves publics à Athènes.* 1928. 214 pp. (Prix Zographos, de l'Association des Etudes Grecques en France) . . . . Epuisé

Fasc. XXXVI. — A. DELATTE. *Anecdota Atheniensia.* Tome I : Textes grecs inédits relatifs à l'histoire des religions. 1927. 740 pp. avec des figures . . . . Epuisé

Fasc. XXXVII. — JEAN HUBAUX. *Le réalisme dans les Bucoliques de Virgile.* 1927. 144 pp. . . . . Epuisé

Fasc. XL. — A. SEVERYNS. *Le Cycle épique dans l'Ecole d'Aristarque.* 1928. 476 pp. (Prix Th. Reinach, de l'Association des Etudes Grecques en France) (réimpression anastatique) 60,00

Fasc. XLIV. — Serta Leodiensia. *Mélanges de Philologie Classique publiés à l'occasion du Centenaire de l'Indépendance de la Belgique.* 1930. 328 pp. . . . . Epuisé

Fasc. XLV. — EUDORE DERENNE. *Les Procès d'impiétés intentés aux Philosophes à Athènes au* v*ᵉ et au* iv*ᵉ siècle avant J.-C.* 1930. 272 pp. (Prix de l'Association des Etudes Grecques en France) . Epuisé

Fasc. XLVIII. — A. DELATTE. *La catoptromancie grecque et ses dérivés.* 1932. 222 pp. avec 13 planches (23 figures) . . . . Epuisé

Fasc. LVI. — A. SEVERYNS. *Bacchylide, essai biographique.* 1933. 181 pp. avec 1 planche et 1 tableau hors-texte (Grand Prix Ambatelios, de l'Institut) . . . . Epuisé

Fasc. LIX. — MARIE DELCOURT. *La tradition des comiques grecs et latins en France.* 1934. 98 pp. . . . . Epuisé

Fasc. LXXVIII. — A. Severyns. *Recherches sur la Chrestomathie de Proclos.* Première partie. *Le Codex 239 de Photius.* Tome I. *Etude paléographique et critique.* 1938. 404 pp. et 3 planches (Prix Gantrelle, de l'Académie Royale de Belgique). Voir fasc. CXXXII.

Fasc. LXXIX. — A. Severyns. *Recherches sur la Chrestomathie de Proclos.* Première partie. *Le Codex 239 de Photius.* Tome II. *Texte, traduction, commentaire.* 1938. 298 pp. Voir fasc. CXXXII.

Fasc. LXXXI. — Armand Delatte. *Herbarius. Recherches sur le cérémonial usité chez les anciens pour la cueillette des simples et des plantes magiques.* 1938. 177 pp. . . . .   Epuisé

Fasc. LXXXII. — Jean Hubaux et Maxime Leroy. *Le mythe du Phénix dans les littératures grecque et latine.* 1939. 302 pp. . .   25,00

Fasc. LXXXIII. — Marie Delcourt. *Stérilités mystérieuses et naissances maléfiques dans l'antiquité classique.* 1938. 113 pp. .   Epuisé

Fasc. LXXXVIII. — Armand Delatte. *Anecdota Atheniensia et alia.* Tome II : Textes grecs relatifs à l'histoire des sciences. 1940. 504 pp. avec 5 planches   40,00

Fasc. XCIII. — Louis Delatte. *Textes latins et vieux français relatifs aux Cyranides.* 1942. x-354 pp.   17,50

Fasc. XCIV.— Juliette Davreux. *La légende de la prophétesse Cassandre d'après les textes et les monuments.* 1942. XII-240 pp. avec 57 planches . . . .   Epuisé

Fasc. XCVII. — Louis Delatte. *Les Traités de la Royauté d'Ecphante, Diotogène et Sthénidas.* 1942. x-318 pp.   26,00

Fasc. CIV. — Marie Delcourt. *Œdipe ou la légende du conquérant.* 1944. XXIV-262 pp. . . . .   Epuisé

Fasc. CVII. — Armand Delatte. *Les Portulans grecs.* 1947. XXIV-400 pp. . . . .   Epuisé

Fasc. CXVI. — Léon Lacroix. *Les reproductions de statues sur les monnaies grecques. La statuaire archaïque et classique.* 1949. XXII-374 pp. et 28 planches   34,00

Fasc. CXVII. — Jules Labarbe. *L'Homère de Platon* (Prix Zographos de l'Association pour l'encouragement des Etudes grecques en France). 1950. 462 pp. . . . .   Epuisé

Fasc. CXIX. — Marie Delcourt et J. Hoyoux. *La correspondance de L. Torrentius.* Tome I. *Période liégeoise (1583-1587).* 1950. XXII-544 pp.   25,00

Fasc. CXXV. — Alfred Tomsin. *Etude sur le Commentaire Virgilien d'Aemilius Asper.* 1952. 160 pp.   10,00

Fasc. CXXVII. — Marie Delcourt et J. Hoyoux. *La correspondance de L. Torrentius.* Tome II. *Période anversoise (1587-1589).* 1953. XIX-633 pp.   27,50

Fasc. CXXVIII. — Léon Halkin. *La supplication d'action de grâces chez les Romains.* 1953. 136 pp.   10,00

Fasc. CXXXI. — Marie Delcourt et J. Hoyoux. *La correspondance de L. Torrentius.* Tome III. *Période anversoise (1590-1595).* 1954. XIX-634 pp.   25,00

Fasc. CXXXII. — Albert Severyns. *Recherches sur la Chrestomathie de Proclos.* Tome III. *La Vita Homeri et les sommaires du Cycle.* I. *Etude paléographique et critique.* 1953. 368 pp. avec 14 planches. Avec les fasc. LXXVIII et LXXIX, les 3 fascicules . .   Epuisé

16

Fasc. CXXXVIII. — ROLAND CRAHAY. *La littérature oraculaire chez Hérodote*. 1956. 368 pp. . . . . Epuisé

Fasc. CXLI. — LOUIS DEROY. *L'emprunt linguistique*. 1956. 470 pp. (réimpression anastatique) . . . . Epuisé

Fasc. CXLIII. — JULES LABARBE. *La loi navale de Thémistocle*. 1957. 238 pp. . . . . Epuisé

Fasc. CXLV. — JEAN HUBAUX. *Rome et Véies*. 1958. 406 pp., 10 figures hors-texte . . . . Epuisé

Fasc. CXLVI. — MARIE DELCOURT. *Héphaistos ou la légende du magicien*. 1957. 244 pp., 1 carte et 6 figures hors-texte . . . Epuisé

Fasc. CXLVII. — GILBERT FRANÇOIS. *Le polythéisme et l'emploi au singulier des mots* θεός, δαίμων *dans la littérature grecque d'Homère à Platon*. 1957. 374 pp. . . . . Epuisé

Fasc. CLI. — MARIE DELCOURT. *Oreste et Alcmeon*. 1959. 113 pp. Epuisé

Fasc. CLVI. — ROBERT JOLY. *Recherches sur le traité pseudo-hippo-cratique du régime*. 1960. 260 pp. (Prix Reinach de l'Association pour l'encouragement des Etudes grecques en France, 1961) . 17,00

Fasc. CLXV. — MARCEL DETIENNE. *La notion de daïmon dans le pythagorisme ancien*. 1962. 214 pp. . . . . Epuisé

Fasc. CLXX. — ALBERT SEVERYNS. *Recherches sur la Chrestomathie de Proclos. Tome IV. La Vita Homeri et les sommaires du Cycle. II. Texte et traduction*. 1963. 110 pp. 15,00

Fasc. CLXXIV. — MARIE DELCOURT. *Pyrrhos et Pyrrha. Recherches sur les valeurs du feu dans les légendes helléniques*. 1965. 130 pp. 15,00

Fasc. CLXXVI. — A. BODSON. *La Morale sociale des derniers Stoïciens*. 1967. 148 pp. 15,00

PHILOLOGIE ROMANE

Fasc. XIV. — ALBERT COUNSON. *Malherbe et ses sources*. 1904. 239 pp. . . . . Epuisé

Fasc. XXVI. — A. HUMPERS. *Etude sur la langue de Jean Lemaire de Belges*. 1921. 244 pp. . . . . Epuisé

Fasc. XXVIII. — J. HAUST. *Le dialecte liégeois au XVIIᵉ siècle. Les trois plus anciens textes (1620-1630)*. Edition critique, avec commentaire et glossaire. 1921. 84 pp. . . . . . . Epuisé

Fasc. XXX. — J. DESCHAMPS. *Sainte-Beuve et le sillage de Napoléon*. 1922. 177 pp. . . . . Epuisé

Fasc. XXXII. — J. HAUST. *Etymologies wallonnes et françaises*. 1923. 357 pp. (Prix Volney, de l'Institut) . . . . Epuisé

Fasc. XLIX. — M. DELBOUILLE. *Le Tournoi de Chauvency, par Jacques Bretel* (édition complète). 1932. CII-192 pp. avec 11 planches (18 figures) . . . . Epuisé

Fasc. L. — CH. FRANÇOIS. *Etude sur le style de la continuation du « Perceval » par Gerbert et du « Roman de la Violette » par Gerbert de Montreuil*. 1932. 126 pp. . . . . Epuisé

Fasc. LIV. — S. ETIENNE. *Défense de la Philologie*. 1933. 73 pp. . Epuisé

Fasc. LVII. — E. GRÉGOIRE. *L'astronomie dans l'œuvre de Victor Hugo*. 1933. 246 pp. . . . . Epuisé

Fasc. LX. — CLAIRE WITMEUR. *Ximénès Doudan. Sa vie et son œuvre*. 1934. 150 pp. avec 5 planches (Prix biennal Jules Favre, de l'Académie Française) . . . . Epuisé

Fasc. CXLVIII. — Louis REMACLE. *Syntaxe du parler wallon de La Gleize*. Tome III. *Coordination. Subordination. Phénomènes divers.* 1960. 347 pp. 9 cartes 20,00

Fasc. CL. — *La technique littéraire des chansons de geste*. Colloque de Liège, 1957. 1959. 486 pp. (réimpression anastatique) . . . 60,00

Fasc. CLVIII. — JULES HORRENT. *Le Pèlerinage de Charlemagne. Essai d'explication littéraire avec des notes de critique textuelle.* 1961. 154 pp. (réimpression anastatique) 40,00

Fasc. CLIX. — SIMONE BLAVIER-PAQUOT. *La Fontaine. Vues sur l'Art du Moraliste dans les Fables de 1668.* 1961. 166 pp. (Prix Bordin de l'Institut) . . . . Epuisé

Fasc. CLXI. — *Langue et Littérature.* Actes du VIIIᵉ Congrès de la F. I. L. L. M., Liège, 1960. 1961. 448 pp. . . . . . . Epuisé

Fasc. CLXII. — JEAN RENSON. *Les dénominations du visage en français et dans les autres langues romanes. Etude sémantique et onomasiologique.* 1962. 738 pp. et 14 hors-texte, en deux volumes Epuisé

Fasc. CLXIII — PAUL DELBOUILLE. *Poésie et sonorités. La critique contemporaine devant le pouvoir suggestif des sons.* 1961. 268 pp. . . . . Epuisé

Fasc. CLXVIII. — ALAIN LEROND. *L'habitation en Wallonie malmédienne (Ardenne belge). Etude dialectologique. Les termes d'usage courant.* 1963. 504 pp. et 3 cartes . . . . Epuisé

Fasc. CLXXV. — *Méthodes de la Grammaire. Tradition et Nouveautés.* Actes du colloque de Liège, 1964. 1966. 196 pp. . . Epuisé

Fasc. CLXXVII. — L REMACLE. *Documents lexicaux extraits des archives scabinales de Roanne (La Gleize).* 1967. 439 pp. . . 32,00

Fasc. CLXXVIII. — M. TYSSENS. *La geste de Guillaume d'Orange dans les manuscrits cycliques.* 1967. 474 pp., 2 hors-texte (Prix des Amis de l'Université de Liège, 1968) 38,00

Fasc. CLXXXIV. — M. MAKA-DE SCHEPPER. *Le thème de « La Pythie » chez Valéry.* 1969. 275 pp. 30,00

Fasc. CLXXXVII. — FR. DEHOUSSE. *Sainte-Beuve. Cours d'ancienne littérature professé à Liège (1848-1849).* 1970 . . . . . sous presse

Fasc. CLXXXIX. — R. DUVIVIER. *La Génèse du « Cantique spirituel » de Saint-Jean de la Croix* . . . . sous presse

PHILOLOGIE GERMANIQUE

Fasc. II. — HEINRICH BISCHOFF. *Ludwig Tieck als Dramaturg.* 1897. 128 pp. . . . . Epuisé

Fasc. III. — PAUL HAMELIUS. *Die Kritik in der englischen Literatur des 17. und 18. Jahrhunderts.* 1897. 214 pp. . . . . . Epuisé

Fasc. IV. — FÉLIX WAGNER. *Le livre des Islandais du prêtre Ari le Savant.* 1898. 107 pp. . . . . Epuisé

Fasc. XX. — T. Southern. *The Loyal Brother*, edited by P. HAMELIUS. 1911. 131 pp. . . . . Epuisé

Fasc. XXXIII. — A. L. CORIN. *Sermons de J. Tauler. I. Le Codex Vindobonensis 2744, édité pour la première fois.* 1924. 372 pp. . Epuisé

Fasc. XLI. — JEANNE-MARIE H. THONET. *Etude sur Edward Fitz-Gerald et la littérature persane, d'après les sources originales.* 1929. 144 pp. . . . . Epuisé

Fasc. XLII. — A. L. CORIN. *Sermons de J. Tauler. II. Le Codex Vindobonensis 2739, édité pour la première fois.* 1929. 548 pp. . Epuisé

Fasc. XLVI. — A. L. CORIN. *Comment faut-il prononcer l'allemand?*
1931. 164 pp. Epuisé

Fasc. LXII. — M. RUTTEN. *De Lyriek van Karel van de Woestijne.*
1934. 305 pp. (Prix des Amis de l'Université de Liège, 1935 ;
Prix de critique littéraire des Provinces flamandes, période 1934-
1936) . . . . Epuisé

Fasc. LXIV. — S. D'ARDENNE. *The Life of St Juliana.* Edition critique.
1936. XLIX-250 pp. . . . . Epuisé

Fasc. LXXI. — F. WAGNER. *Les poèmes mythologiques de l'Edda.*
Traduction précédée d'un exposé général de la mythologie scandi-
nave. 1936. 262 pp. . . . . Epuisé

Fasc. LXXXIV. — JOSEPH WARLAND. *Glossar und Grammatik der
germanischen Lehnwörter in der wallonischen Mundart Malmedys.*
1940. 337 pp. avec 2 cartes . . . . Epuisé

Fasc. LXXXV. — A. L. CORIN. *Briefe von J. E. Wagner an Jean
Paul Fr. Richter und August von Studnitz.* 1942. 598 pp. 17,50

Fasc. XCVIII. — RENÉ VERDEYEN. *Het Naembouck van 1562. Tweede
druk van het Nederlands-Frans Woordenboek van Joos Lambrecht.*
1945. CXXXII-256 pp., 5 planches et résumé français 17,50

Fasc. CI. — A. BAIWIR. *Le déclin de l'individualisme chez les
Romanciers américains contemporains.* 1943. 402 pp. 32,00

Fasc. CII. — M. RUTTEN. *De esthetische Opvattingen van Karel
Van de Woestijne.* 1943. XVI-295 pp. (Prix du Comité H. Van
Veldeke, 1945) 25,00

Fasc. CXVIII. — IRÈNE SIMON. *Formes du roman anglais de Dickens
à Joyce.* 1949. 464 pp. . . . . Epuisé

Fasc. CXXI. — ARMAND NIVELLE. *Friedrich Grieses Romankunst.*
1951. 240 pp. 15,00

Fasc. CXXIX. — *Essais de philologie moderne* (1951). 1953. 252 pp. 17,50

Fasc. CXXXIV. — ARMAND NIVELLE. *Les théories esthétiques en
Allemagne, de Baumgarten à Kant.* 1955. 412 pp. 34,00

Fasc. CXXXVI. — ALBERT GÉRARD. *L'idée romantique de la poésie
en Angleterre. Etude sur la théorie de la poésie chez Coleridge,
Wordsworth, Keats et Shelley.* 1955. 416 pp. . . . . . . Epuisé

Fasc. CXLI. — LOUIS DEROY. *L'emprunt linguistique.* 1956. 470 pp.
(réimpression anastatique) . . . . Epuisé

Fasc. CLIII. — MATHIEU RUTTEN. *Het proza van Karel van de
Woestijne.* 1959. 759 pp. . . . . Epuisé

Fasc. CLIV. — PAULE MERTENS-FONCK. *A glossary of the Vespasian
Psalter and Hymns.* 1960. 387 pp. 20,00

Fasc. CLXI. — *Langue et Littérature.* Actes du VIIIe Congrès de
la F. I. L. L. M., Liège, 1960. 1961. 448 pp. . . . . . . Epuisé

Fasc. CLXIX. — PIERRE HALLEUX. *Aspects littéraires de la Saga de
Hrafnkel.* 1963. 202 pp., 2 cartes . . . . Epuisé

Fasc. CLXXXI. — I. SIMON. *Three Restoration Divines.* 1967. 536 pp. 40,00

Fasc. CLXXXVIII. — A. BOILEAU. *Toponymie dialectale germano-
romane du nord-est de la province de Liège. Analyse lexicologique
et grammaticale comparative* . . . . sous presse

Fasc. CXC. — H. MAES-JELINEK. *Criticism of Society in the English
Novel between the Wars.* 1970. 546 pp. 46,00

20

Fasc. CXCI. — J. Delbaere-Garant. *Henry James. The Vision of France.* 1970. 446 pp. 40,00

Fasc. CXCIII. — P. Michel-Michot. *William Sansom. A Critical Assessment* . . . . sous presse

PHILOLOGIE ORIENTALE

Fasc. VI. — Victor Chauvin. *La recension égyptienne des Mille et une Nuits.* 1899. 123 pp. . . . . Epuisé

Fasc. XIX. — Aug. Bricteux. *Contes persans.* 1910. 528 pp. . . Epuisé

Fasc. XLI. — Jeanne-Marie H. Thonet. *Etude sur Edward Fitz-Gerald et la littérature persane, d'après les sources originales.* 1929. 144 pp. . . . . Epuisé

Fasc. LIII. — A. Bricteux. *Les Comédies de Malkom Khan.* 1933. 130 pp. . . . . Epuisé

Fasc. LV. — A. Bricteux. *L'Avare de Mirza Dja'far Qarâdjadâghi,* texte persan et traduction. 1934. 102 + 82 pp. . . . . . Epuisé

Fasc. LXXIV. — J. Duchesne-Guillemin. *Etudes de morphologie iranienne. I. Les composés de l'Avesta.* 1937. xi-279 pp. . . . . Epuisé

Fasc. LXXV. — Herman F. Janssens. *L'entretien de la Sagesse. Introduction aux œuvres philosophiques de Bar Hebraeus.* 1937. 375 pp. 15,00

Fasc. LXXVI. — Auguste Bricteux. *Roustem et Sohrab.* 1937. 91 pp. . . . . Epuisé

Fasc. XCV. — Abbé Robert Henry de Generet. *Le Martyre d'Ali Akbar.* Drame persan. Texte établi et traduit, avec une Introduction et des Notes. 1947. 144 pp. 7,50

Fasc. CXLI. — Louis Deroy. *L'emprunt linguistique.* 1956. 470 pp. (réimpression anastatique) . . . . Epuisé

Fasc. CXLII. — J.-R. Kupper. *Les nomades en Mésopotamie au temps des rois de Mari.* 1957. xxxii-284 pp. (réimpression anastatique) 50,00

Fasc. CLV. — Henri Limet. *Le travail du métal au pays de Sumer au temps de la IIIe dynastie d'Ur.* 1959. 313 pp. 18,00

Fasc. CLXXIX. — Ch. Fontinoy. *Le duel dans les langues sémitiques.* 1969. 256 pp. 30,00

Fasc. CLXXX. — H. Limet. *L'Anthroponymie sumérienne dans les documents de la IIIe dynastie d'Ur.* 1968. 572 pp. 44,00

Fasc. CLXXXII. — *XVe Rencontre Assyriologique Internationale.* 1967. 175 pp. . . . . Epuisé

Fasc. CLXXXV. — L. Bouquiaux. *La Langue Birom (Nigeria septentrional) Phonologie, Morphologie, Syntaxe.* 1970. 498 pp. avec 3 cartes 44,00

Fasc. CLXXXVI. — L. Bouquiaux. *Textes Birom (Nigeria septentrional) avec traduction et commentaires.* 1970. 394 pp. . . . 36,00

VARIA

Fasc. XV. — Victor Tourneur. *Esquisse d'une histoire des études celtiques.* 1905. 246 pp. . . . . Epuisé

Fasc. LXXIII. — Antoine Grégoire. *L'apprentissage du langage.* 1937. Tome I. 288 pp. (Prix Volney, de l'Institut de France) (réimpression anastatique) 40,00

Fasc. LXXXVI. — Antoine Grégoire. *Edmond-Puxi-Michel. Les prénoms et les surnoms de trois enfants.* 1939. 188 pp. . . .   10,00

Fasc. XC. — Eugène Polain. *Il était une fois... Contes populaires liégeois.* 1942. 371 pp.   30,00

Fasc. CXI. — Antoine Grégoire. *L'apprentissage du langage.* Tome II. *La troisième année et les années suivantes.* 1947. 491 pp. (réimpression anastatique) 60.00

Fasc. CXXIX. — *Essais de philologie moderne* (1951). 1953. 252 pp.   17,50

Fasc. CXXXIII. — Albert Husquinet. *L'adaptation scolaire et familiale des jeunes garçons de 12 à 14 ans d'après le test sociométrique et le test d'aperception thématique.* 1954. 202 pp. . .   Epuisé

Fasc. CXLI. — Louis Deroy. *L'emprunt linguistique.* 1956. 470 pp. (réimpression anastatique) . . . .   Epuisé

Fasc. CXLIX. — *L'Ars Nova. Colloques de Wégimont.* II-1955. 1959. 275 pp. . . . .   Epuisé

Fasc. CLVII. — *Les Colloques de Wégimont : Ethnomusicologie II -* 1956. 1960. 303 pp. et 4 hors-texte   20,00

Fasc. CLXXI. — *Les Colloques de Wégimont : Le « Baroque » musical.* IV. 1957. 1963. 288 pp. . . . .   Epuisé

Fasc. CLXXII. — *Les Colloques de Wégimont : Ethnomusicologie.* III. 1958-1960. 1964. 280 pp.   20,00

Les fascicules marqués d'un astérisque : I*, II*, III*, IV*, V* appartiennent à la Série grand in-8° (Jésus) 27,5 × 18,5. Les fascicules I-XXX appartiennent à la Série in-8° (23 × 15), les autres à la même série (25 × 16).

Association Intercommunale
de MECANOGRAPHIE
88, rue Louvrex — LIEGE

Imprimé en Belgique